Agnes Kaiser Rekkas

Vollmond am Strand

Hypnotische Sprache in 70 Tranceanleitungen

Vierte Auflage, 2022

Reihe »Hypnose und Hypnotherapie«
hrsg. von Bernhard Trenkle
Umschlaggestaltung: Uwe Göbel
Umschlagfoto: ©Richard Fischer · www.richardfischer.org
Satz: Drißner-Design u. DTP, Meßstetten
Printed in Germany
Druck und Bindung: CPI books GmbH, Leck

MIX
Papier aus verantwortungsvollen Quellen
FSC® C083411
klimaneutral
Mehr Bäume.Weniger CO_2

Vierte Auflage, 2022
ISBN 978-3-8497-0079-9 (Printausgabe)
ISBN 978-3-8497-8369-3 (ePUB)

Bibliografische Information der Deutschen Nationalbibliothek:
Die Deutsche Nationalbibliothek verzeichnet diese Publikation
in der Deutschen Nationalbibliografie; detaillierte bibliografische
Daten sind im Internet über http://dnb.d-nb.de abrufbar.

Informationen zu unserem gesamten Programm, unseren Autoren
und zum Verlag finden Sie unter: **www.carl-auer.de**.

Wenn Sie Interesse an unseren monatlichen Nachrichten haben,
abonnieren Sie den Newsletter unter http://www.carl-auer.de/newsletter.

Carl-Auer Verlag GmbH
Vangerowstraße 14 • 69115 Heidelberg
Tel. +49 6221 6438-0 • Fax +49 6221 6438-22
info@carl-auer.de

Inhalt

Eine gute Hypnoseanleitung ...

... ist ein kunstvolles Gebilde. Respektvolles Verstehen, klare positive Bestätigung und Aufwertung sind ihre Tragpfeiler, Ideensuche, strategische Umorientierung und einfühlsame ebenso wie anfeuernde Ermutigung ihre therapeutischen Hebelkräfte.

Alles empathisch eingepackt in wohlklingende Worte – jedes eine Suggestion in sich – einer bildhaften Sprache erzielt aber nur die exakt bemessene Balance zwischen Reden und Schweigen die optimale Trancetiefe mit den gewünschten unbewussten Leistungen. Das bedeutet: kein Wort zu wenig, vor allem aber keines zu viel.

Intuitiv kommen dann überraschende Ideen und entwerfen sich neue Konzepte für das Leben.

Dieses Lehrbuch widmet sich der sinnvollen und erfolgreichen Formulierung in der modernen Hypnosesprache. Es zeigt zu Beginn typische Fehler und Missverständnisse bezüglich Form und Inhalt einer Hypnoseanleitung auf. Es folgen die »Spielregeln« der modernen Hypnose für beste Tiefen- und Langzeitwirkung, stets unter der Prämisse: Hypnose – immer sicher, immer selbstbestimmt.

Fasziniert von Menschen und ihren Entwicklungen während einer Hypnotherapie und inspiriert von der Wirkkraft der therapeutischen Hypnose, aber auch auf Nachfrage von Kollegen, liegt eine Sammlung über 70 Hypnoseanleitungen vor. Alle Texte sind im direkten therapeutischen Geschehen spontan entstanden. Das Augenmerk liegt konsequent auf den Ressourcen, d. h. den individuellen Fähigkeiten, Stärken und Talenten, sowie den in der Lebensgeschichte schon gemeisterten Herausforderungen. Damit basieren die Texte auf den aktuellen Vorgaben und individuellen Stärken des anderen sowie auf meiner Erfahrung und eigenen Trancefähigkeit. Auf jede der hier vorliegenden Hypnoseanleitungen gab es hinsichtlich der therapeutischen Wirkung eine positive Resonanz.

Die Tranceanleitungen decken Indikationen von *A*ngst bis Poten*Z* ab, die ich in den letzten Jahren in Behandlung hatte, wobei mir bewusst ist, dass das nur ein gewisser Ausschnitt an Therapiethemen ist.

Natürlich sind bei allen Texten persönliche Daten entfernt, dafür aber Zielsetzung, Angaben zur Technik der Intervention und didaktische Erläuterungen eingefügt. Einige Hypnoseanleitungen enthalten kleine Passagen, die sich auf den Menschen, dem diese Hypnose galt, beziehen, wie z. B. seine Vorlieben. Sie können für eine andere Person durch jeweils stimmige Details ersetzt werden.

Alle Texte zeichnen sich durch eine überschwängliche Fülle an positiven Rückmeldungen zur Person sowie an vielseitigen Optionen des Erlebens und Verhaltens aus. Die Tranceanleitungen sind somit eindeutig ressourcenfokussiert, positiv, konstruktiv, zielgerichtet. Vielleicht mögen der unerschütterliche Optimismus und felsenfeste Glaube an die persönlichen Fähigkeiten des anderen verwundern, ja sogar befremden. Die Wort- und Bildwahl sowie die kontinuierliche Betonung der schönen Seiten des Lebens, der Durchhaltekraft und anderer Kompetenzen, hat sich in meinen Therapien allerdings als höchst sinnvoll, heilsam und förderlich erwiesen. Hört mir doch der andere nicht im Wachbewusstsein zu, sondern in Trance, und dank der Trancelogik genießt er die Flut an guten Bildern und Gefühlen, wägt ab, vergleicht ... und wählt ... wählt gut ... unbewusst, versteht sich.

Bei stabilen, an sich gesunden Persönlichkeiten mit einer abgegrenzten Problematik können wir von kreativen und hilfreichen unbewussten Potenzialen ausgehen. Sparsame Texte mit vielen Pausen, d. h. Freiraum zum Assoziieren und Entwickeln von Lösungen in eigener Regie, bieten hier die beste Voraussetzung für Entfaltung, Selbstorganisation und Heilung. Liegen vielschichtige Problemsituationen vor, müssen Hypnoseanleitungen klar strukturiert sein und umsichtig führen.

Zu beiden Varianten findet sich hier ein Angebot an Texten, wobei diese in drei Kategorien eingeteilt sind:

Der größte Teil meiner Hypnoseanleitungen kann ohne weitere Bearbeitung direkt verwendet werden, d. h., sie sind mit ruhiger Stimme und sinngemäßer Betonung zu sprechen, immer ausgiebig Zeit und Pausen gewährend, damit sich Bilder, Szenen – und vor allem Gefühle – auf der inneren Bühne entfalten können. Auch eventuelle gewünschte körperliche Vorgänge (Schmerzreduktion) und vegetative Reaktionen brauchen etwas Zeit.

Für ausgewählte Themen (Hautheilung, Unterstützung der Therapie bei Krebserkrankung) gibt es chronologisch angelegte Textfolgen, angefangen vom Vertrautwerden mit dem Befinden in Hypnose, über die eigentliche psychotherapeutische Arbeit in Trance bis zum Therapieabschluss.

Die präsentierten Reihen von Hypnoseanleitungen bei Lebenskrisen und Depressionen (»Die Gentleman-Hypnosen« und »Die Kleeblatt-Hypnosen«) zeigen die Inhalte und Gestaltung von Hypnosetexten einer in meiner Praxis stattgefundenen, fortlaufenden Hypnotherapie. Auch hier sind alle Wiedererkennungsmerkmale gelöscht. Dadurch sind die Texte mit kleinen personenbezogenen Veränderungen übertragbar.

Einleitung sowie Ausklang der Hypnose sind aus didaktischen Gründen, aber auch der Vollständigkeit halber jeweils im Text belassen. Sie können natürlich individuell angepasst werden.

Die Ideomotorik, meine Lieblingstechnik, fließt nur beiläufig ein, findet sie sich doch in Methodik und Intervention ausführlich in dem Buch *Der Bär fängt wieder Lachse* (Kaiser Rekkas 2013a). Dort erfährt man ja auch, dass bei Tranceanleitungen immer wieder unbewusste Vorgänge, z. B. das Auftauchen von Bildern, Gefühlen, Erinnerungen und Lösungsideen, ideomotorisch bestätigt werden sollten. So ist sicher, dass der andere auch dort gelandet ist, wo man ihn hinführen will und sich damit beschäftigt, was angesagt ist, vor allem, ob das Unbewusste tatsächlich in Sachen Lösung, Klärung und Heilung aktiv ist oder etwa in der Hängematte herumfaulenzt.

Einige der Texte in diesem Buch sind in der Du-Form verfasst, was nicht heißt, dass ich meine Klienten/Patienten in der Hypnose plötzlich duze. Es handelt sich in diesen Fällen um Personen, die ich aus anderen Kontexten kenne und daher sowieso schon duze. Hypnose ist invasiv. Aus diesem Grunde sollte in der Intimität der Trance nie plötzlich zum »Du« übergewechselt werden. Das ist übergriffig. Man kann aber die Du-Form wirkungsvoll indirekt verwenden: »Und wie im Traum gehen Sie auf sich zu, geben sich die Hand und sagen: ›Ich bleibe dir treu!‹«

Logischerweise lässt sich manche Symptomatik/Problematik, insbesondere bei chronifizierten Verläufen, oft nicht durch Hypnoseanleitungen allein therapieren. Neben allen anderen Interventionen, die ich während einer Therapie anbiete (und die auch in meinen Publikationen zu finden sind), haben sich diese in meiner Praxis aber sehr bewährt.

Ich selbst wechsle meistens zwischen Sitzungen mit reinen Tranceanleitungen und Sitzungen mit dynamischen hypnotherapeutischen Interventionen, wie z. B. das »Aussteigen aus der Symptomtrance« (Kaiser Rekkas 2011), ab. Oftmals arbeite ich auch ausschließlich mit

Tranceanleitungen. Das ist sogar überaus beliebt: Nichts tun und bekommen, was man will ... HYPNOSE!

Und der Leser? Er gebe sich den Texten hin! Denn im Lesen und Sprechen der Texte vollzieht sich intuitives Lernen ... Lernen ohne bewusste Leistung ... auf unbewusster Ebene ... von selbst ... leicht ... tranceferisch leicht ...

1 Hypnose in Bestform: Sprich, was du erreichen willst, und das mit wenigen Worten!

Sprache, Inhalt, Gestalt und Vollmond

1.1 Eine schöne Hypnose, bis ...

... mitten in der Trance ... der wohlwollende Therapeut: »Und die Angst fließt ab!« (»Der Schmerz lässt nach.«)

... mitten im Wohlgefühl ... der willige Patient: »Huch! Angst? (Schmerz?) Oh Gott! War doch gerade so schön. Hilfe!! Aaaaangst!!!« (»Auaaaaaa!!!«)

Schon ist sie (er) wieder da, die schreckliche Dame (der Folterknecht), in Bild, Gefühl und Körperbefinden.

In der Trance sind die Türen zum Unbewussten freizügig geöffnet und Worte treten ungehindert ein. Worte werden zu Bildern, Bilder setzen Assoziationen in Gang, Assoziationen bewirken Gefühle, Gefühle lösen Körperreaktionen aus, das Vegetativum reagiert mit Kaskaden von Hormonen.

Um schöne, gute und vor allem wirkungsvolle Trancereisen oder Hypnoseausflüge zu verfassen, müssen uns mögliche Fehler bzw. Fehlerquellen in Inhalt und Gestalt von Hypnoseanleitungen bewusst sein.

1.2 Die Hypnoseanleitung – ein Wühltisch?

Ist im durchlässigen und somit vulnerablen Zustand der Trance die *Konfrontation* mit einem unangenehmen Gefühlszustand (Angst oder Konflikt) oder der medizinischen Diagnose (von Asthma über Neurodermitis bis Reizdarm) angenehm?

Nein! Ist sie therapeutisch sinnvoll? Nein!

Vertiefen *Denksportaufgaben* den heilsamen Zustand der Trance?

Nein! Verstärken sie deren Wirkung? Nein! Stabilisieren sie die schöne Szene, die gerade genossen wird? Nein! Abstrakte Formulierungen, gewundene Sätze katapultieren aus der Trance.

Test: Schließen Sie doch mal die Augen, machen Sie drei ruhige Atemzüge und dümpeln Sie lustvoll in einem herrlichen Thermalwasser. Lassen Sie sich angenehm viel Zeit!

Und nun hören Sie von einem bemühten Therapeuten (ich übertreibe jetzt mal ein bisschen): »Sie haben doch im Physikunterricht die Gravitationsgesetze gelernt, nicht wahr? Und im Wasser ist es auf einmal anders. Weshalb eigentlich? Und gleich werden Sie versuchen sich vorzustellen, wie Sie leicht auf der Wasseroberfläche liegen und mit jedem Ausatmen alle schlechten Gefühle und die Angst kräftig rausblasen. Lassen Sie alles raus!!«

Was passiert? Grrrrrrr ...

Neuer Versuch. Noch mal, ab ins Thermalwasser! »Ihr Körper schwebt ... getragen im heilsamen Wasser ... wie auf Wolken ... frei ... leicht ... federleicht ... und Sie mit ihm. Wohl ... fühlen. Wie schön!«

Na?

Sind simple *Affirmationen* – seien sie noch so verführerisch – glaubhaft, auch wenn sie in Trance vernommen werden? »Es wird immer besser und besser«; »Du bist putzmunter und gesund«; »Du hast kein Problem, das ist jetzt einfach weg, über Bord geworfen«; »Sie sind nicht allein!«; »Du bist der Hit!«

Nein! Es regt sich ein kritischer Anteil, der schonungslos entgegnet: »Falsch! Stimmt nicht!!!«.

Bewirken *lange Tranceanleitungen* mit viel Text mehr? Setzen sie stärkere Kräfte frei? Machen Sie schneller gesund?

Nein! Eine allzu lange Hypnose erschöpft, zu viel Text erschlägt. Energie schwindet, Ressourcen sinken auf null.

Fördern *ausufernde Vorschläge* wie Endlosreihen von möglichen Orten, Bildern, Szenen ein gutes Gefühl, intensivieren sie unbewusste Leistungen?

Nein! Zu viel und zu fantasievoll macht konfus und lenkt vom inneren Geschehen ab.

Wer fühlt sich gerne, mit Gefühlen im Doppelpack, durch Wühltische von Bildern und Szenen gejagt? Treppen rauf und runter, über sieben Brücken, rein in den Heißluftballon, dort kurz entschlossen die überflüssigen Pfunde in Säcke gepackt, wieso nicht gleich auch Scham und Angst, den Stress mit der Nachbarin und ein paar Erlebnisse aus der Vergangenheit ... ja, und nicht zu vergessen: die Allergie!

Und kaum ist man dann zurück auf dem Erdboden, hängen die Pfunde immer noch an einem (rum), und kurz vor der Wohnungstür wird die Nachbarin mit ihrem blöden Grinsen um die Ecke stolpern.

Meistens gibt es kein Feedback zu unseren Hypnosen, weil angenommen wird, alles sei schon richtig so. Sie wirken sicher auch, aber nicht so gut, wie sie könnten.

1.3 Fehlerquellen

Mögliche Fehler in und während der Hypnose:

- Erwähnen von Diagnosen und konkreten Problemen, was auf die Problemebene zurückholt, anstatt auf der Lösungsebene zu verbleiben
- Verwenden falscher Wörter, die kognitive Vorgänge auslösen, z. B. sich etwas vorstellen, ausdenken oder einfallen lassen, probieren, suchen, können, versuchen, machen, müssen, sollen, ausrechnen, ein Bild machen
- Wörter, die schlechte Fantasien auslösen können, wie: Die Kraft wird in Ihnen nun Wurzeln »schlagen«.
- Auffordern, etwas zu tun, was aktive Handlungsimpulse auslöst, die aber nicht aus der Person selbst kommen, wie z. B. »Lass los!« oder »Wirf über Bord!« (Resultat: Trotz, Widerstand)
- Verwenden von statischen Substantiven (anstelle dynamischer Verben)
- Brechen der Trance mit »Denksportaufgaben«, die Denkprozesse in Gang setzen
- Stören der Trance durch komplizierte Redewendungen, Fremdwörter, abstrakte Begriffe
- Sprechen in der falschen Zeitform (Vergangenheit/Zukunft), was nicht dem momentanen Tranceerleben entspricht und den Klienten nicht – wie gewünscht – im (therapeutischen) Geschehen hält.
- Verwirren durch dümmliche sogenannte positive Affirmationen, die unmittelbar als falsch empfunden werden. Die Folge kann eine Störung sein, eventuell sogar eine in der Therapiebeziehung.
- Irritieren durch zu lange Sätze, die konfus machen und womöglich den Wunsch auslösen, sich wieder in der Wirklichkeit zu orientieren
- Verschachtelte Sätze, die Verwunderung oder ein Gefühl von Verlorenheit erzeugen, aber keine therapeutische Trance
- Zu lange Hypnosen, die Langeweile, Überdruss und besorgte Gedanken an die abgelaufene Parkuhr hervorrufen, womöglich auch Widerstand dagegen, diese Hypnose jemals zu wiederholen

- Überfordern durch eine Fülle an Ideen, was im Trancezustand alles gesehen, erlebt und angestellt werden soll, und somit das Erzeugen des unangenehmen Gefühls, nicht genügen zu können
- Überschütten aus dem Füllhorn der eigenen Fantasien und Vorstellungen, was einer Grenzüberschreitung gleichkommen kann
- Zu wenig Zeit und Pausen für die Vertiefung der Trance in der Stille, für die Entfaltung von Bildern, für unbewusste Leistungen wie das »Traumreisen«.
- Zu wenig Zeit für die wichtige Integrationsphase vor Ausleitung der Trance, in welcher die therapeutische Arbeit abgespeichert wird
- Die komplette Rücknahme der Trance bei Beenden der Hypnose, anstatt die heilsame hypnotische Tiefenentspannung in erkrankten Körpergebieten oder Organen zu belassen.

1.4 Ziele einer guten Hypnose

Die Hypnose soll einerseits ja eine schöne Sache und andererseits therapeutisch wirksam sein. Das erfüllt sich, wenn folgende Phänomene eintreten und entsprechende Gefühle erlebt werden:

- sich sicher und angenommen, verstanden und begleitet fühlen
- von allem Äußeren abschalten
- nachlassen und in ein wohliges Gefühl sinken
- sich spontan besser fühlen
- das Symptom als eindeutig reduziert empfinden
- das Symptom für den Zeitraum der Hypnose vielleicht sogar vergessen (Schmerz, Angst, Brustenge, Juckreiz)
- ungestört und in Ruhe schöne innere Bilder sehen und traumartige Filme verfolgen (das »Traumreisen«)
- sich an etwas Schönes erinnern
- Vertrauen in eigene Fähigkeiten entwickeln und sich kompetenter fühlen
- Zeit haben, auf eine gute Idee zu kommen
- die Antwort auf eine Frage finden
- das Problem auf einmal für lösbar halten
- wie auf einer schönen Welle reiten, ohne Haifisch weit und breit

- sich erleichtert, heiter, zuversichtlich fühlen
- sich stabilisiert und mit neuen Bildern und Ideen erleben
- ausgerüstet sein mit einem sicheren Ort, eventuell einem Tresor für traumatisches Material, dem Ressourcentank für harte Zeiten, der Jalousie für Abgrenzung, dem Heiltempel zum Gesunden
- die Hypnose mit einem schönen Bild und einem starken gesunden Gefühl abschließen
- bepackt mit guten Suggestionen »wie ein Bär« aus der Hypnose kommen
- die Hypnose unter einem treffenden Namen einordnen und jederzeit im persönlichen Hypnosearchiv auffinden (»Die venezianische Maske«, »Nofretete«, »Paradise is now«, »Tanzfläche des Lebens«, »Im Pool der Sicherheit«, »Beschwingt«)
- in den kommenden Nächten gute Träume haben
- und ... sich auf die nächste Hypnose freuen.

Hypnosetexte gestalten sich wie von alleine und erhalten Qualität, wenn das Augenmerk konsequent auf diesen Zielen liegt.

1.5 Spielregeln für beste Tiefen- und Langzeitwirkung

Eine wirksame Hypnoseführung berücksichtigt:

- das Spiel mit der Zeit: viele Pausen, d. h. viel Zeit, damit das Gesagte einwirkt und das suggerierte gute Gefühl intensiv erlebt wird
- das Spiel mit der Zeitform: das Geschehen möglichst im Hier und Jetzt und somit die Person im momentanen Erleben halten
- das Spiel mit der Ruhe: für vegetative Veränderungen und autonome innere Vorgänge (Tranceleistungen)
- das Spiel mit der richtigen Positionierung: die Person soll – außer bei der Traumaarbeit – nicht davor und auch nicht neben, sondern mitten *im* Geschehen sein. Nicht schlecht: »Vor dir ist ein Strand mit schönem weißen Sand. Deine Freunde sind auch da.« Besser: »Du bist am Strand ... im Kreis deiner Freunde ... deine Füße baden im feinen weißen Sand ... Sandkörner zwischen den Zehen ...«
- das Spiel mit der Freiheit: bestimmte Worte wie »vermutlich«, »mag sein« und »wohl« gewähren einen (scheinbaren) Frei-

raum für das persönliche Gestalten von inneren Bildern, die aber durch unsere Führung immer konsequent in die therapeutische Richtung geleiten. »Sie finden dort ein Kästchen, *vermutlich* aus Lindenholz. Es enthält *wohl* Samen ... *mag sein,* Sie wählen einen Lindensamen ... gehen hinaus ... und finden einen wunderbaren Ort ... stecken den Samen in die Erde ... *(hier weiter ausmalen mit Würzelchen, Keimling usw.)* ... für Ihre prächtige Linde der Zukunft ... eine Linde, sicher verankert und kraftvoll im Lot ... *(etc.)*« – Beispiel für eine Patientin mit chronifiziertem Schwindel, die die Linde als Baum mit passenden Attributen für ihre Heilung nannte.

- das Spiel mit der Trancelogik: innerer Abstand durch Betrachten von einer anderen Warte aus und außer Acht lassen von logischen Widersprüchen
- das Spiel mit der inneren Bühne: trancelogisches Erproben verschiedener Möglichkeiten auf mehreren Ebenen (von z. B. Zeit, Raum, Alter, Kontext) mit mehreren Personen, die einen repräsentieren (Ich-Anteile, Ego-States)
- das Spiel mit der Trancetiefe: immer wieder lange Integrationsphasen ohne Worte, vor allem vor dem offiziellen Ende der Hypnose
- das Spiel der Intensität: Aufzeichnen der Hypnoseanleitungen für die Selbsthypnose, was den Effekt der psychotherapeutischen Sitzung vervielfacht.

1.6 Hypnose braucht Muße

Gib der Hypnose Zeit, gib ihr Raum!

Obwohl die meisten Hypnoseanleitungen im folgenden Kapitel im Schnitt nur zwei Schreibmaschinenseiten lang sind, ergibt der Text mindestens eine halbe Stunde Hypnose. Eine kleine Pause nach jedem Satz lässt Gedanken wandern, Gefühle erspüren, Bilder entwerfen, Ideen entwickeln, Verlorenes wiederfinden, Verborgenes entdecken.

Nach der Hypnose braucht es auch ein paar Minuten Zeit. Weniger für eine Nachbesprechung, welche kurz gehalten wird, um den Effekt nicht zu stören, als vielmehr für die Sammlung und zuverlässige Rücknahme der Trance.

So braucht eine hypnotherapeutische Sitzung meiner Erfahrung nach mehr als die normale Einheit einer psychotherapeutischen Sitzung von 50 Minuten. Im ausführlichen Vorgespräch wird der Stoff für die aktuelle Hypnose gesammelt und außerdem die geheimnisvolle Verbindung auf der unbewussten Ebene (für den Zeitraum der Therapiesitzung) geknüpft, die den Therapeuten sensibel und intuitiv werden lässt. Die nachfolgende Hypnose gewährt »freundliche Weiten«, so hallt jedes Wort nach. Ich selbst setze immer 100 bis 120 Minuten für eine hypnotherapeutische Sitzung an.

1.7 Gute Hypnoseanleitungen sind Gemälde

Gute Hypnoseanleitungen sind präzise, klar, plastisch, farbenfroh, bildhaft und greifen Bekanntes mit Wiedererkennungswert auf.

Rot wie Tomate, grün wie Gurke, gelb wie Banane ... *don't worry! Be ...!*

Alles in schönem Rahmen und immer mit dem Gefühl im Hier und Jetzt. Wenn wir dabei aussprechen, was wir wünschen und erreichen wollen, entstehen ressourcenfokussierte, lösungszentrierte und wirkungsorientierte Trancereisen, die oft ungeahnte Möglichkeiten erschließen. Nutzen wir Sprache fantasievoll, lenken wir liebenswürdig in neue Bahnen: »Sie dürfen alles denken ... Sie dürfen auch alles Denken Ihrem Unbewussten überlassen ...«

Es ist nicht falsch zu sagen: »Beobachte jetzt aufmerksam deinen Atemrhythmus ...« Die nüchterne Aufforderung, die Atmung zu beobachten, blockiert jedoch eher die Trance, die ich einleiten möchte, denn ich veranlasse, dass der andere von außerhalb seiner selbst kopfgesteuert seine körperlichen Vorgänge kontrolliert.

Gefördert wird die Trance dagegen durch die gefühlsbetonte Anregung, in der etwas – ohne einen Funken von Aktivität – von selbst abläuft und die Person im Erleben ist: »Du schwingst im Rhythmus deiner Atemzüge ... leicht und frei ...«

Das Wichtige, das, was verbleiben soll, gehört an den Schluss. Ein junger Mann unter Chemotherapie, den immer wieder große Ängste befielen, sagte sich zur Selbstermutigung: »Den Ärzten vertrauen, nicht den Ängsten!« Für die Hypnose fanden wir die bessere Reihenfolge: »Nicht den Ängsten, den Ärzten vertrauen!« So findet er auch seinen Satz für die Reise, die er mit seiner Freundin nach der Therapie gemächlich angehen will: »Wir sind nicht Eilende, sondern reisend Heilende.«

1.8 Handfeste Suggestionen, permissiv eingebettet

Der konsequent ressourcenfokussierte und konstruktiv lösungsorientierte Hypnosetext zeichnet sich aus durch:

- klare, einfache Sätze, manchmal auch nur Satzfragmente, die das Wesentliche aussprechen
- möglichst Verben anstelle von Substantiven, da Verben dynamisch sind
- Ersetzen von medizinischen Diagnosen durch Begriffe wie »Symptom«, »Symptomatik«
- Auswechseln der Begriffe »Problem«, »Konflikt« gegen »Thema«, »Aufgabe«, »Herausforderung«
- eine kreativ konstruktive Wortwahl; so heißt es z. B. nicht »suchen«, sondern »finden«
- klare und pfiffige Suggestionen, die unter die Haut gehen, wie die Einschlafformel: »Ich atme ein ... ich atme aus ... ich schlafe ein ... ich schlafe aus ... ich atme ein ... ich atme aus ... ich schlafe ein ... ich schlafe aus ...«
- melodiösen Input – Stimme trägt, Musik federt ab
- »Go with the flow!« – Intuition des Therapeuten, der selbst die Trance nutzt
- Beachten des Umstandes, dass unser Verstehen in Trance immer wörtlich und kindhaft ist.

Und kaum ist sie eingetreten, die Trance, die wundersame, wirkt sie, je stimmiger, desto wirkungsvoller ... je treffender, desto ergiebiger.

Hier ein paar Beispiele aus den Tranceanleitungen in Kapitel 2. Dort ist auch zu finden, wann diese Suggestionen erfolgen, und zwar meist im dritten Drittel der Trance, weil sie dann am tiefsten ist.

- Sie trainieren im Raum der Trance ... Schritt für Schritt ...
- Sie sind an der See ... es tut Ihnen gut ... Sie spüren den Wind in den Haaren ... das Salz auf den Lippen ... und starke innere Kraft ... und auf einmal wissen Sie: »Das Leben ist schön!«
- Ihr Körper kraftvoll ... Ihr Kopf klar ... Ihre Seele heiter!
- Und unbemerkt und leise machen sich Ihre Gedanken auf die Reise ... sie wollen mehr erleben ... Neues erfahren ... sie schwingen sich auf ... jagen ausgelassen den Küstenvögeln nach ... und fliegen vergnügt mit ihnen die Küstenlinie entlang ... weiter Richtung Westen ... um das Abendrot noch lange

zu genießen … und dabei vollkommene Ruhe zu geben … weil ihnen das Fliegen so viel mehr gefällt … die Leichtigkeit … das Abenteuer … die Weite …

- Und so weitet sich der Spielraum Ihres Lebens … ein tiefer Atemzug … und beschwingtes Blut fließt durch die Adern …
- In Achtern kreisen Sie genüsslich im Wasser … ganz für sich … und wenn Sie sich von außen, vielleicht von oben, betrachten … sehen Sie eine wunderschöne junge Frau … vollkommen entspannt … im Geglitzer von Mosaiksteinchen … Celine … der Heilung hingegeben. Und Sie fühlen deutlich: Es wird alles gut!
- Wie ein Freudenfeuer durchläuft der Strom der Befreiung Ihren Körper … setzt leuchtende Energie frei … mobilisiert den Stoffwechsel … balanciert das hormonelle Geschehen … regelt die vegetativen Vorgänge … und das komplexe Zusammenspiel aller inneren Organe … Unnötige Fettzellen brennen im inneren Feuer …
- Gesundheit ist deine Perspektive … Stärke die Devise!
- Draußen Regenwelt … drinnen Kerzenschein … Duft … Musik … ein Geschehen, das sich einfach ergibt … ohne Planung … harmonisch … ohne Wollen … wie in Trance …
- Wie magnetisch angezogen nähern sich die Hände … ganz von selbst … Erlebnisse mit guten starken Gefühlen fügen sich zusammen … verbinden sich … frischen sich auf … beleben die Gegenwart … nehmen Raum ein … und sie wacht auf … die trubelig-lebensbejahende Lust … die Lust als Frau … Gespielin … Geliebte …
- Empfindung von Süße … von zarter Lust … gesunder Leidenschaft … feiner Erotik … umwerfender Wildheit …
- Wunderschön die Küste, an der dein Schiff entlanggleitet … sanfte Hügel … verwunschene Wege … wilde Schluchten … besonnte Hochebenen … schattige Täler … samtige Almen … liebliche Auen … der Wind genau der richtige … das Wasser herrlich … es glitzert im Sonnenlicht … und du wie in Trance … Schauer rinnen deinen Körper hinab … Geruch von Haut in deiner Nase … Parfum … Schweiß … Gefühl von Haut an Haut … warm, wohlig, vertraut …
- Sie werden unglaublich stark sein … und wunderschön spielen! Sie spüren das jetzt in jeder Zelle … und das stabilisiert … und

beflügelt Sie! Vor dem Publikum sind Sie vollkommen ausgeglichen ... präsentieren mit Freude, was Sie können ... mit Freude, welch wundervolle Töne Sie Ihrem Instrument entlocken ... zauberhaft schön ... das ganze Repertoire Ihrer Gefühle auf hohem Niveau. Und Selbstvertrauen ist selbstverständlich!

- Mit elastischem Schritt ... und sicherem Tritt ... in selbstsicherem Gang entfernst zu dich von dem Startblock ... und gehst, ganz mit dir, die erste Strecke ... mit Kraft und Zuversicht im Rücken ... und Weite in der Brust ... sonnendurchflutet, auch wenn draußen Nebel herrscht, Regen fällt ... oder Schnee in der Luft liegt ...
- ... Ihre Arme weit ausgebreitet: »Ja, komm, du schönes Gefühl!«

1.9 Klare Worte

Manchmal sind klare Worte angesagt, Worte, die wir uns nur in Trance erlauben. Da können wir sie so charmant und unschuldig aussprechen, dass sie wie Musik in den Ohren klingen. Unverblümt erreichen sie den anderen auf eine fast liebenswürdige Art und Weise, räumen in der Tiefe aber kräftig auf.

Gehen Menschen beispielsweise dauerhaft schlecht mit sich um, ist das für sie selber schädigend und erniedrigend, strahlt aber auch auf die Umgebung, auf die Mitmenschen, aus. Man kann großzügig von »Umweltverschmutzung« reden.

In Trance formuliert sich das dann so: »Ohne es zu wollen, vielleicht ohne es zu wissen, ist Ihr Umgang mit sich selbst wie eine ›Umweltverschmutzung‹ ... in Ihrer inneren Welt ... in Ihrer äußeren Welt ... Sie können es besser ... Sie finden neue Möglichkeiten ... *(hier weiter ausführen)* und versprechen sich: ›Schluss mit Schmutz! Ich kann es besser! Ich bin es mir wert!‹ ... Frische Luft weht herein, klärt Ihre innere Landschaft ... *(etc., d. h. weiter ausmalen)*. Und Sie fühlen sich gerade so richtig wohl!!«

1.10 Der Zauber der letzten Worte

»Drei, zwei, eins ... fit wie ein Turnschuh kommen Sie ins Hier und Jetzt zurück!« Diese Ausleitung begeistert sicher nicht mal den Läufer von Marathon. Denn, wer will schon ein Turnschuh sein? Ich nicht!

Und, wer kennt nicht das folgende Phänomen? Bild und Gefühl eines intensiven Traums schwingen den ganzen Tag nach und versetzen in besondere Stimmung. So ist es auch mit der Hypnose. Der letzte Satz wirkt nach, das letzte Bild verbleibt.

- ... und Zeit verfliegt ...
- ... du lebst deine Träume ...
- Und du genießt ... locker und luftig ... von Blüte zu Blüte ... Ideen kommen von selbst ... überraschend neu ... duftend ... farbig ... erstaunlich leicht ...
- ... vielleicht schneller als Sie denken ... und einfacher als Sie meinen ...
- Sie hören sich selbst zu ... mit Freude ... welch Töne Sie Ihrem Instrument entlocken ... verzaubernd schön!
- Celine, es wird alles gut! Rom ist schon ganz nah!
- Und du siehst dich von Weitem auf der Traumstraße des Lebens, eine schöne Frau mit elastischem Schritt, die weiß, wer sie ist, und was sie will ... aufgeschlossen ... freudig ... klar ... lebendig ... genussfähig ... voll im Leben stehend, oh, sagen wir besser: ... gehend! Ein Bild, wie ein Gemälde ...
- Auch alle zehn Finger kehren aus den Badeferien zurück ... in bester Verfassung ... prächtiger Laune ... guter Stimmung ... frisch und erholt ... und neugierig auf Abenteuer ... auf den Saiten ihrer Bratsche ...
- ... aufmerksam für all die Farben, das Schöne, Freudige ... und das macht dich froh, gelassen und heiter.
- ... es wird Ihre Träume beflügeln und Ihre Tage erhellen ...
- Sie schwimmen im Pool der Sicherheit der Morgenröte entgegen ... getragen vom klaren Wasser ... beschienen vom ersten Sonnenlicht ... unterhalten vom Quaken der Frösche ... umtanzt von Libellen ...
- ... und du freust dich an dir als Mann!
- Die Hypnose klingt aus ... Sie kehren frisch und munter hierher zurück ... von einer Traumreise zu einer Trauminsel ...
- Sie kommen in Ihre Einmaligkeit ... in Ihre Schönheit als Mensch ... und Ihre Stärke als Mann ...
- ... frische Meeresbrise im Gemüt!
- Sie fühlen sich zufrieden und dankbar für die Zeit, die Sie jetzt durchwandern ...

- Sie schließen die Hypnose ab ... und kommen frisch ... froh ... und munter ... umhüllt von Ihrer Energie-Haut ... wieder hierher zurück.
- Sie gehen mit offenen Augen ... mit nüchternem Verstand ... und freudigem Herzen immer weiter nach vorne ... zu neuen Ufern ... dem eigenen Ufer entgegen ...
- Und Helena winkt dir zu ... sie lacht!
- ... und alles spielt sich von alleine ein ... denn die Liebe ... sie ist ein Spiel ...
- So beruhigt sich der Organismus ... das innere Haus in Eintracht ...
- Nach geraumer Weile wirst du wieder heraustreten ... und alles wird lebendig sein ... intensiv und frisch ... farbig und vital ... das Weiß der Wolken ... das Blau des Himmels ... das Gold der Sonne ... das Smaragdgrün der Landschaft ... und das pulsierende Rot in deinen Adern. Du bist in deiner Stärke ... und betrittst deinen Tag mit Freude ...
- Und irgendwann schließt sich die Hypnose ab ... leicht, wie mit einem leichten Fingerschnipsen ... und Sie sind, was Sie wirklich sind ... beschwingt ...
- Du träumst ... und schlenderst träumend in Richtung Lösung ...
- Du bist im Moment ... und der Moment ist gut ... und in sich selbst perfekt ... du spürst es ... spürst es jetzt ... du gibst ihm Zeit und Raum ... und alle Achtsamkeit ... Er ist es wert! Du bist es wert! Paradise is now!
- Tiefe, samtige Ruhe ... Mucksmäuschenstille überall ... pssst ...

1.11 Die Hypnose mit Namen hat ein Gesicht

Wenn wir für eine bestimmte Person eine Hypnose entwerfen, ist sie etwas ganz Persönliches, ein Unikat, »handmade by your very special psychotherapist«. Sie verdient einen einprägsamen Namen, der sie unvergesslich macht. So gibt es Rückmeldungen, wie:

- »Die ›Kleeblatt-Hypnose‹ beschwingt mich immer.«
- »Seit der ›Gentleman-Hypnose‹ schau ich besser auf mich.«
- »Alle Trancen habe ich regelmäßig, fast täglich gehört. In der dritten Trance ›Insel der Selbstklarheit‹ hatte ich das Gefühl, dass die Wirkung sehr tief ging und mir auch half, selbstsicherer zu sein und selbstbewusster aufzutreten. Es fühlt sich

sehr gut an. Ich habe viel dazugelernt, bewusst und unbewusst. Ganz toll!«
- »Die Worte der ›James-Dean-Hypnose‹ sind tief in mich eingedrungen und mir geht's ziemlich gut. Es ist eine große Freude.«

Die »Hypnose mit Namen« bleibt besser im Gedächtnis. Sie hat ein Etikett, ein Gesicht.

1.12 Der Therapeut als Spiegel

Egal, welche Tiefe und welche Technik, das Gefühl, immer über sich bestimmen zu können, ist Voraussetzung für eine wirklich produktive therapeutische Hypnose. Alle (Un-)Arten von Überrumpelung, Konfusion, Beeinflussung, Belehrung, Bewältigungsvorschlägen, Aufforderungen (»Lass los!«, »Lass raus!«, »Hör auf!!«) und Überzeugungsversuchen, seien sie auch noch so gut gemeint, schwächen, ärgern und machen schlimmstenfalls abhängig.

Das Schönste und letztendlich Befriedigendste, was wir Therapeuten erreichen können, ist die selbst gewählte und selbstbestimmte Veränderung des anderen durch spontan erfolgte und als stimmig empfundene Einsichten und das Nutzen der eigenen Potenziale. Der Therapeut nimmt behutsam alle Qualitäten des anderen auf und spiegelt sie in den Trancetexten positiv aufgeladen zurück. So geschehen Heilung, Entwicklung und Veränderung in der Person durch sie selbst.

Alle hier wiedergegebenen Tranceanleitungen sind solche Spiegelungen.

Sie sind ein Gewebe aus dem momentanen Eindruck, den der andere auf uns ausübt. Seine Art zu reden, seine Geschichte, sein Bild vom Funktionieren der Welt, seine Vorlieben, schönen Erlebnisse, Wünsche, Träume, Ängste und Sehnsüchte sowie seine ganz individuellen Fähigkeiten, Aussagen, Denkvorgänge, inneren Bilder und Gefühle werden sorgfältig aufgenommen, mit Fachwissen gefiltert und mit der intuitiven Erfassung abgeglichen. Die Fantasie beginnt zu wandern, der Text aber wird inhaltlich immer von der therapeutischen Zielsetzung geleitet. Übersetzt in eine neue Sprache, die Ressourcensprache, werden die Inhalte mit neuen Perspektiven und Handlungsspielräumen lösungsorientiert formuliert.

1.13 Hypnose – immer sicher, immer selbstbestimmt

Liegen aufgrund schlechter Vorerfahrungen oder einfältiger Vorurteile Ängste gegenüber einer therapeutischen Hypnose vor, geben wir den »Faden der Ariadne« an die Hand. So findet sich der Weg immer sicher zurück, hinaus aus dem Labyrinth der Trance. Die Hypnoseexpedition kann neu starten, sicher und erfolgreich.

Angst vor Kontrollverlust? – Der Faden der Ariadne

Ziel: Hypnose als sicheren, selbst gesteuerten Bewusstseinszustand erleben

Technik: Beispiel aus der griechischen Mythologie: Der Held Theseus findet aus dem Labyrinth des Minotaurus mithilfe von Ariadnes Faden wieder heraus.

Das ist eine kurze Intervention mit dem Ziel, dass du dich sicher fühlst, in therapeutische Hypnose zu gehen und dabei festzustellen, dass du immer deine Kontrolle behältst, wann immer und wo auch immer ... eine gesunde, gute Kontrolle ... auch wenn du dich gleichzeitig fließen lässt ... wohlfühlst ... entspannst ... und dir neue Möglichkeiten eroberst ...

Du kannst einfach so sitzen bleiben und die Augen offen behalten ... oder schließen ... je nachdem, wie es sich für dich richtig anfühlt ...

Und du beobachtest im Moment bei dir eine gute, gesunde, entspannte Kontrolle: Du bist ganz bei dir ... du weißt genau, wo du bist ... wer du bist ... und wie du bist ... Stimmt's?

Sehr schön ... sehr gut! Ein Finger kann sich von alleine heben, wenn das Unbewusste dazu eine Bestätigung geben möchte ...

Und wir sind uns bewusst, dass wir, je mehr wir in einer gesunden unbewussten Kontrolle sind, umso mehr Kontrolle über vegetative Vorgänge haben ... wir können Gefäße weit stellen ... oder eng ... wir können ein Gebiet unseres Körpers deutlicher fühlen ... oder unempfindlich machen ... wir können hinhören ... oder weghören ... wir können unsere inneren Bilder lenken ... ja, wir können sie verschönern ... wir können unsere Gefühle leben ... oder beiseitelassen ... wir können in die Vergangenheit wandern ... oder in die Zukunft ... oder einfach auch im Hier und Jetzt sein.

Allein wir selbst bestimmen das.

Du kannst das jetzt mal ausprobieren ...

Du spürst in deine Hände hinein ... und lässt sie warm werden ...

Du fühlst deine Füße auf dem Boden aufstehen ... und lässt sie guten Kontakt zur Erde haben ...

Du fühlst in deine Stirn ... und kannst sie angenehm kühl werden lassen ...

Du kannst genau meinen Worten zuhören ... du kannst deinen eigenen Worten lauschen, wenn du dir im Stillen sagst: »Ich bin jetzt gerade ganz wachsam.«

Und du brauchst auch gar nichts von alledem zu tun ... und kannst deinen eigenen Wünschen folgen. Du bist frei!

Das Fantastische an einem guten und positiven gesunden Trancezustand ist, dass wir viel, viel mehr Kontrolle über uns haben, als wenn wir normal wach sind ... und vielleicht in Eile ... nicht achtsam, uns dabei den Zeh anstoßen (... so wie ich heute) ...

In einer positiven therapeutischen Trance dagegen sind wir achtsam ... sehr bewusst ... sehr bei uns ... in uns ... setzen unsere Schritte aufmerksam ...

Ich weiß, du bist jetzt nicht in tiefer Trance ... das braucht es auch nicht ... eine leichte Trance ist gut ... und du spürst diese Achtsamkeit ... sehr schön ... und du verstärkst jetzt diese Achtsamkeit ... in einer positiven therapeutischen Trance ... achtsam und klar ... aufmerksam für dich ... du atmest ... atmest ruhig ... atmest achtsam ... spürst achtsam jede Regung deines Körpers ... spürst, du fühlst dich immer wohler und wohler ... aufmerksam in dir selbst ...

Manchmal verlaufen wir uns ... manchmal verfahren wir uns ... da nehmen wir den Faden der Ariadne auf – wie damals Theseus ... und gehen sicher an diesem Faden entlang den Weg wieder zurück ... bis zum Ausgang zurück ...

Selbst aus einem Labyrinth ... und sei es noch so verwinkelt – finden wir zurück zum Ausgang ... von wo aus wir gestartet sind ... wir atmen tief durch ... und beginnen den Weg von Neuem ... erfolgreich nun ... und vollkommen sicher ...

Das passiert mal, dass man sich verläuft. Dann scheint es so, als ob man sich immer verliefe. Aber da nehmen wir einfach den Faden der Ariadne auf ... so wie damals Theseus ...

Und du hältst deinen eigenen Faden in der Hand ... du spürst es ganz fein ... und deutlich zugleich: Deine Sicherheit liegt in deiner eigenen Hand!

Und falls du dich mal verirrst oder auch nur verwirrt fühlst, nimmst du deinen Faden auf ... er führt dich zurück ... sicher und zuverlässig ... du kommst heraus aus der Trance ... und findest neue Wege in eine angenehme, sichere Trance ... auf deine persönliche Art und Weise ...

Und in Zukunft achtest du immer darauf, wie es für dich persönlich wirklich gut und angenehm ist, in Trance zu gehen ... in eine schöne, superschöne Trance ... den Faden der Ariadne immer in der Hand ... deinen Faden ... den Faden der/des ... *(Name der Person)*

So stabilisiert sich das System ... du fühlst dich sicherer und sicherer ... und falls du dich je noch einmal verlaufen solltest, nimmst du deinen Faden auf ... er ist immer zuverlässig da. Er ist aus einem ganz besonderen Material ... der hält über das ganze Leben ...

Und so kommst du frisch ... wach ... klar ... froh wieder zurück ... fähig, neue Wege zu gehen ... immer in einer guten, gesunden inneren Kontrolle ...

1.14 Die Hypnoseinduktion – langatmig und intensiv oder kurz und effektiv

Die Einleitung der Hypnose kann ausführlich sein oder sparsam. Das hängt ab vom momentanen Therapieziel, der Art der hypnotherapeutischen Intervention, dem Menschen in seiner aktuellen Verfassung, aber auch der Erfahrung in therapeutischen Trancezuständen und der Trancefähigkeit.

Ausführliche Einleitung für mehr Trancetiefe

- Eine ausgiebige Induktion mit dem Ergebnis einer guten Trancetiefe ist die beste Voraussetzung für die Akzeptanz klarer Suggestionen und ist angezeigt bei Menschen mit rigiden und zwanghaften Persönlichkeitsanteilen. Position: Im Sitzen oder Liegen.
- Da tiefe Hypnose die Voraussetzung für intensive Ruhe, vegetative Stimulierung, Regeneration und Heilung ist, empfiehlt sich auch bei psychosomatisch bzw. somatisch erkrankten Personen eine ausführliche Einleitung der Hypnose. Position: Im Liegen.

Knappe Einleitung für eine leichte Trance

- Für eine gute psychotherapeutische Mitarbeit während der Hypnose sollte die Trance nicht tief sein. Lange Induktionen sind daher Energie- und Zeitverschwendung. Position: Im Sitzen.
- Wird mit ideomotorischen Signalen gearbeitet, vertieft sich die Hypnose im Laufe der Kommunikation auf unbewusster Ebene sowieso von alleine, weshalb auch hier eine minimale Induktion ausreicht. Position: Im Sitzen oder Liegen, je nach Intervention.
- Kaum oder keine Induktion braucht ein Mensch in traumatischer Verfassung, im Schock, in starker Verunsicherung, bei schwerer akuter Erkrankung. Aber das ist nicht Thema dieses Buches. Position: Im Sitzen.

Diese Erklärung zur Trancetiefe verstehen die meisten Patienten, die zu Beginn der Therapie oft meinen, Hypnose wäre nur dann professionell, wenn sie tief wie ein Ziehbrunnen ist. Hypnose hat nichts mit Ohnmacht zu tun, aber viel mit Aufmerksamkeit.

In den hier aufgezeichneten Hypnoseanleitungen zeigt sich eine große Variation von Induktionen, begonnen mit hoher Achtsamkeit – zum Beispiel auf die Atmung und den Körper (Bsp.: »Celine à la plage« und »Ich genieße mein Spiel!«) – bis hin zu dem saloppen Satz bei Beginn der Tranceanleitung »Tut das meinem Herzen gut?«:

Sie sind schon ein alter Hase. Ich meine, in der Hypnose.

Und so geht es dann weiter:

> Sie kennen Hypnose ... können Hypnose ... Sie lehnen sich einfach zurück ... schließen die Augen ... drei ruhige Atemzüge ... die Atmung fließt ruhig ... hypnosegeübt ... hypnosetrainiert ... das Wort »Hypnose« im Ohr ... fühlen Sie sich schon anders als zuvor ... schon beginnt sie ... immer leichter ... immer tiefer ... immer einfacher ... raus aus dem Gewühl ... hinein ins Wohlgefühl ... Ihr Körper warm und schwer ... der Kopf gedankenleer ... der Brustraum luftig weit ... die Seele schon bereit ... meine Stimme aus der Ferne ... das Unbewusste führt Sie gerne ... es braucht ja gar nicht viel ... Sie gleiten dahin ... zum Ziel ...

Oder im Beispiel: »Ich bin so gerne schön!«

> Mit den Flügeln der Hypnose schwing dich nun auf ... in deine inneren Bilder ... in deine Intuition ... und in die immense Kraft deines Unbewussten ...! Atme dich mehr und mehr in dieses angenehme Sein ... so entfalten sich in dir wunderbare Potenziale ... angeregt durch meine Worte ... getragen von unser beider Energie ...

1.15 Warum »in Hypnose zählen«? Wozu die Luftballons?

Das »Reinzählen« in Hypnose dient der Aufmerksamkeitsfokussierung und ist die suggestive Leitlinie in die Hypnose. Es kann von 1 bis 5, bis 7, bis 10, bis 20 oder 21 gezählt werden, das ist im Prinzip egal. Die Suggestion heißt: »Ich zähle ... und du gehst in Hypnose«. Nach der Hypnose geht man die Zahlen einfach wieder zurück, kommt wieder ins Hier und Jetzt, frisch, froh und frei.

Textbeispiel »In Hypnose zählen«

> ... und während ich von 1 bis 7 zähle ... sinken Sie in die ausgebreiteten Arme der Hypnose ... 1 ... und 2 ... und 3 ... 4 ... und 5 ... und 6 ... und 7. Schön!!

Und die Luftballons?

Es geht um die Provokation einer Handlevitation. Auch hier kann man sich etwas anderes einfallen lassen wie Luftkissen, Hebebühnen,

Lastenkräne, Windböen, Möwenflüge oder das einfache Anheben der Hand mit der banalen, aber suggestiven Behauptung, dass sie nun in der Luft stehe.

Eine Handlevitation beschleunigt die Vertiefung der Trance. Wodurch? Sie verändert die Wahrnehmung des Körperschemas durch die als fremdartig empfundene Hand- und Armstellung. Die Handlevitation irritiert und öffnet dadurch spontan für Tranceprozesse.

Die Handlevitation ist zudem ein Indikator, dass der Patient nicht schläft, sondern wirklich in Hypnose ist und somit suggestibel.

Textbeispiel »Luftballons«

Luftballons schweben herum ... bunte ... wunderschöne Luftballons ... in frischen Farben ... sie tanzen in der Luft ... und zwei, drei schweben immer näher heran ... kommen ganz dicht ... die Sonne spiegelt sich in ihnen ... sie lassen fröhliche Bänder herunter ... die Bänder binden sich um ein Handgelenk ... und steigen luftig auf ... und nehmen ganz leicht und sacht die Hand mit ... mit jedem Einatmen wird die Hand leichter ... und leichter ... und leichter ... und leichter ... und die Hand beginnt sich zu heben ... schwebt ein wenig ... allein mit den Luftballons ... die Hand steigt höher und höher ... während Sie tiefer und tiefer in Trance sinken ... in tiefe Erholung ... in Wärme ... in Wohlgefühl. Schön! Einfach schön!

Ihre Hand zeigt Ihnen, wie man schwebt ... loslässt ... die Hand fühlt sich vollkommen sicher ... leicht und frei ... sie ruht in der Luft ... fühlt sich sicher gehalten ... ein Luftkissen reicht ihr, um sich völlig sicher in der Luft zu fühlen ... frei und leicht ... So schön ...! Sie genießen die Situation ... lächeln ... die Stirn glatt ... der Blick ruhig ... die Atmung fließend ... der Körper entspannt ...

Natürlich sind der Fantasie für die Hypnoseinduktion keine Grenzen gesetzt, man kann auch zur Vogelfeder werden.

Textbeispiel »Wie eine Feder«

Gut ... spüre noch mal nach, ob du wirklich sehr gut und bequem sitzt ... wohlig ... warm ...

... du gleitest in deine Hypnose ... so einfach ... so leicht ... wie eine Feder, die ein Vogel in hohem Flug verliert ... die Feder schwebt noch eine Weile in gleichbleibender Höhe ... sinkt dann ... sinkt schwebend ... trudelt manchmal ein bisschen im Wind ... um dann tiefer und tiefer zu gleiten ... frei ... ganz gemächlich ... alles Äußere unwichtig ... unwichtig, ob die Sonne scheint ... ob Regen fällt ... du sinkst wie eine Feder ... in schwingender Bewegung ... tiefer und tiefer ... um irgendwann zur richtigen Zeit ... genau den richtigen Platz zu finden ... um auf sicherem Terrain zu landen ... die Konzentration gebündelt auf dein Ziel ...

1.16 Und wohin bringen einen hypnotherapeutische Fantasiereisen nun?

Je nach Stimmung, Zielvorstellung und persönlicher Vorliebe versetzen Fantasiereisen in karibische Hängematten, gemütliche Höhlen, bringen uns an magische Kraftquellen oder führen den Trancereisenden ins Archiv des unbewussten Wissens. Mit ihnen finden sich Erlebnisse, die schön und vermutlich auch ressourcenreich sind. Sie fliegen hoch in die Lüfte für weiten Abstand, von wo aus sie Blicke in Zielträume oder in Traumziele gewähren und geistige Distanz für Klarheit, Vernunft, Objektivität, Handlungsfähigkeit und Meisterung schaffen. Sie lassen – wie schon zu Zeiten der Antike – in den berühmten Heilschlaf sinken und zaubern den Haltsuchenden an den Strand einer ruhigen kleinen Bucht, wo schon der runde Vollmond wartet. Das Gemüt erhellt sich beim Tanz der Mondstrahlen auf dem Wasser, und gute Suggestionen für Ermutigung, Zukunftsorientierung und eine gesunde Selbstorganisation (z. B. für die Zeit während einer Chemotherapie) halten erfolgreich Einzug.

Die folgende Übersicht erläutert das Vorgehen anhand eines Beispieltextes.[1]

1 Die Tranceanleitung »Vollmond am Strand« können Sie kostenfrei als Audiodatei herunterladen unter carl-auer.de/vollmond-audiotrance.

»Vollm☺nd am Strand«	Didaktische Erläuterung
1. Liebe(r) …,	1. Gute Suggestionen von Anfang bis Ende: persönliche Ansprache: »Du bist gemeint!«
2. dies ist eine Wohlfühltrance … ganz persönlich für dich.	2. Einführung der Idee vom »Wohlfühlen«
3. Sie basiert auf der langjährigen, positiven Erfahrung mit vielen anderen Menschen in einer ähnlichen Situation.	3. Vermittlung von Sicherheit, da sie als bewährtes Konzept deklariert wird
4. Ohne dein Zutun, also ganz von alleine, bewirken die Worte, Bilder und Vorstellungen, dass du dich stabil und wohl fühlst …	4. Entlastung durch die Erklärung, nichts tun zu müssen, da die Worte, Bilder, Vorstellungen von alleine wirken
5. … vor, während und mit der Therapie …	5. Diese Wirkung hält über die gesamte Dauer der Therapie an.
6. Alle unnötigen Gedanken lösen sich in ein wundervolles Nichts auf …	6. Erschreckende Informationen aus Aufklärungsgesprächen sowie Sorgen und Ängste verschwinden.
7. … ein sicheres Gefühl macht sich in dir stark …	7. Ein sicheres Gefühl breitet sich von selbst aus.
8. achtet auf Zuversicht … und Wohlbefinden …	8. Dieses Gefühl sorgt für dich.
9. Falls du die Augen noch geöffnet hast, schließe sie nun einfach …	9. Augenschließen für nun kommendes Visualisieren und Dissoziieren
10. und atme ruhig weiter … genieße vor allem das erleichternde Aufatmen und das entspannende Ausatmen … die kühlende Luft beim Aufatmen … und die angenehm feuchte Wärme beim Ausatmen …	10. nur eine kleine Induktion über die Atmung, da durch die Situation an sich sowieso schon leicht in Trance/dissoziiert distanziert
11. So beginnt die Trance … von selbst …	11. Die Trance beginnt jetzt, und zwar ohne persönliche Aktivität.
12. … und … wie im Traum … gelangst du an einen Ort, der dir besonders guttut … in ein Erlebnis, das für dich ganz besonders ist …	12. hinführen an einen schönen Ort, Beginn der Dissoziation
13. … zum Beispiel …	13. freie Wahl, welcher Ort gewählt wird: »zum Beispiel«

»Vollm☺nd am Strand«	Didaktische Erläuterung
14. „... in eine wunderbare Vollmondnacht am Strand ... *(ab hier leise Meereswellen einblenden)* ...	14. auswählen eines beispielhaften Erlebnisses, das als Ressourcenort der Person bekannt ist
15. im Kreis deiner Freunde ... viele kleine Lichter ... im feinen weißen Sand ... vor dir glitzert das Meer ... Mondstrahlen ... tanzen auf dem Wasser ... Plaudern und Lachen ... kleine Wellen ... plätschern an den Strand ... die klare Bucht ... ruhig und weit ... die schöne Landschaft ... vom Mondlicht sanft beschienen ... die Frische des Meeres ... in Nase und Lungen ... zärtlich ... streichelt der Wind deine Haut ... verspielt ... baden die nackten Füße im feinen weißen Sand ...	15. bildhaft plastisches Ausmalen durch positiv besetzte Worte wie: glitzern, tanzen, plaudern, lachen, plätschern, streicheln, verspielt, baden
16. ... Luftballons schweben umher ... leicht und munter ... heiter und frei ... lassen fröhliche Bänder hinunter ... die bindest du um dein Handgelenk ...	16. Suggestion von Leichtigkeit und Freiheit, Initialisieren der Handlevitation
17. Sie ziehen deine Hand ganz sacht in die Höhe ... immer leichter und leichter ... lassen sie schweben ... leicht und frei ... wie ein Lufthauch des Meeres schwebt deine Hand ... und du mit ihr ... leicht und frei ... einfach schön! Und wie deine Hand höher und leichter schwebt, gleitest du in ein angenehmes Sein ... tiefer und tiefer ... einfach richtig gut ... tiefer und tiefer ... ganz leicht ... wie im Traum ... einfach so ... richtig schön ...	17. Vertiefung der Hypnose durch Handlevitation und entsprechende Suggestionen für den folgenden Abschnitt
18. Und in diesem schönen Erleben ... bekommt dein Körper – durch einen kleinen Eingang – hochwillkommene, kraftvolle Verstärkung ... Heilmittel – fein abgestimmt, genau richtig für dich – fließen durch deine Adern, lösen kranke Zellen	18. Deklaration der Chemotherapeutika als Heilmittel, die das Beste bewirken

»Vollm☺nd am Strand«	Didaktische Erläuterung
auf … schaffen Raum für die gesunden …	
19. Du bist einfach offen für diesen heilsamen Einfluss … während die Heilmittel … fein für dich abgestimmt … genau dorthin strömen … wo sie hilfreich sind … für deine Gesundung …	19. Förderung der Akzeptanz der Medikation
20. Und dein intelligenter Körper nimmt diese Hilfe dankbar an … und verwertet sie ganz wunderbar … genau so, wie er sie gut brauchen kann.	20. Idee vom Körper, der eigenverantwortlich und intelligent reagiert
21. Diese Heilmittel – fein abgestimmt, genau richtig für dich – fließen durch deine Adern, lösen kranke Zellen auf … schaffen Raum für die gesunden.	21. Wiederholung von Punkt 18 zur Verstärkung der Suggestionen
22. Du schaust aufs Meer … die vielen kleinen Lichter werfen Reflexe auf den Sand … verbreiten frohe Stimmung … tiefe Ruhe und Zuversicht … Verbundenheit … Geborgenheit …	22. Aufrechterhalten der Dissoziation mit Bildern von Lebendigkeit, Frohsinn, Geborgenheit
23. Und du fühlst dich sicher, wohl und frei: • dein Atem ruhig und tief … • Sauerstoff strömt reichlich durch deine Zellen … und belebt deinen Körper • du trinkst gern und ausgiebig • leckeres Essen stärkt dich • tiefer Schlaf erholt dich • ruhig … vertrauensvoll … sicher … geborgen und zuversichtlich • und du fühlst dich jetzt gerade richtig gut! • mit guten Träumen, im Vertrauen, dass alles der Heilung dient … deiner Gesundung, deiner Entwicklung … deiner Zukunft …	23. klare Suggestionen in Bezug auf eine gute Verfassung, gesunde Körperreaktionen und seelische Kraft

»Vollm☺nd am Strand«	Didaktische Erläuterung
24. Du weißt, dass du gesund leben willst ... in tiefem Vertrauen in deine Kräfte ... und in die Intelligenz deines Körpers ... und ... deiner Seele ... *(Pause)*	24. Suggestionen für Zukunftsorientierung und Selbstvertrauen
25. Und während du dich besser und besser fühlst, lässt du dich tiefer und tiefer in diesen heilsamen Trancezustand sinken ... nimmst dir alle Zeit der Welt ... *(Pause)*	25. nochmalige Vertiefung der Trance
26. Dies kommt in deinem ganzen Körper an ... und du träumst noch ein bisschen weiter ... im sauberen hellen Sand mit den vielen kleinen Lichtern ... der frischen, kühlenden Meeresluft ... dem leichten Wind, der dich zart umfächelt ... ganz im Einklang mit dir ...	26. weitere Vertiefung der Dissoziation, d. h., ganz woanders, in dem schönen Erleben sein ... »Ganz im Einklang mit dir!«
27. Während dein Körper noch in der heilsamen Trance verbleiben mag, weil er fühlt, dass ihm das guttut ... spürst du irgendwann deutlich, du kommst als Person zurück ... ins Hier und Jetzt ... und nimmst dieses wunderbare Erlebnis mit ... ins Hier und Jetzt ... so geht Heilung weiter, mit dir als Person ... ganz wach und klar ...	27. Rücknahme der Trance »im Kopf«, belassen der Trance »im Körper« (wie bei allen körperlichen Erkrankungen)
28. Du kehrst zurück ... frisch ... klar ... erholt ... frohen Mutes, dankbar für alles, was deine Heilung bewirkt ...	28. Suggestionen von Frische, Klarheit, Erholung, um die Trance zu beenden, gekoppelt mit der Möglichkeit, sich dankbar zu fühlen für alles, was die Heilung bewirkt
29. Ein Schatten war auf dein Leben gefallen ... aber du gehst gestärkt aus ihm hervor ... und dein Leben wird reicher und intensiver sein als zuvor ...	29. Bestätigung der Erfahrung, dass etwas Schlimmes passiert ist, und damit auch Würdigung der Gefühle. Es wird aber gleichzeitig betont, dass damit ein Neubeginn verbunden ist. (Tatsächlich wird der junge Mann, für den diese Hypnose ursprünglich entworfen wurde, nach der Chemotherapie sagen: »Jetzt fängt mein Leben richtig an!«)

»Vollm☺nd am Strand«	Didaktische Erläuterung
30. Und jedes weitere Mal, wenn du dies hörst, wird die heilsame Wirkung stärker und stärker …	30. posthypnotische Suggestion, dass bei jedem Wiederholen dieser Hypnose die gute Wirkung stärker wird
31. … und äußere Zeit verfliegt …	31. Suggestion zur Zeitverkürzung, d. h. für eine subjektiv verkürzte Zeitwahrnehmung während der Behandlungsdauer.

Übersicht 1: Didaktisch erläuterter Beispieltext

2 Hypnose im Flow: Vertrau deiner Kompetenz und Intuition!

2.1 Lernen, Prüfung und Performance

Nichts bereitet besser auf eine Prüfung oder einen Auftritt vor als eine gute Hypnose. Beim Proben auf der inneren Bühne in Trance erleben wir uns angstfrei, in super Verfassung, mit kühlem Kopf und wachen Sinnen. Das prägt sich tief ein und wir durchschreiten die Herausforderung voller Schwung.

Entgegen meinem Plädoyer für wenige Worte ist nun, gerade zu Beginn des Hauptkapitels, »Helenas Reise« eine längere Geschichte. Das erklärt sich damit, dass es eine einmalige Anleitung für Jugendliche ist, die nach einer ausführlichen Einweisung in den Trancezustand eine großartige Entdeckungsreise anbietet. »Wie eine 1« ist dafür an Knappheit kaum zu überbieten.

2.1.1 Helenas Reise durch den Kopf

Ziel: leicht lernen ... gut behalten ... klug wiedergeben ...

An einem wunderschönen Ort beginnt die fantasievolle Wanderung durch den Kopf mit Besuch von Kurzzeitspeicher, Langzeitspeicher, Raum der Logik, Raum der Ausführung, Sprachzentrum und Schriftzentrum, wobei positive innere Bilder mit guten Suggestionen angereichert werden: »... und du musst nicht die Beste (der Beste) sein ... aber du darfst gut sein! ... einfach so ... federleicht ...«

Hypnoseanleitung

Prolog

Helena ist ein gescheites Mädchen, aber mit der Schule total im Stress, vor allem bei schriftlichen Prüfungen. Deshalb kann sie auch schlecht einschlafen. Helena steht für junge Menschen, Mädchen und Jungen, die Druck mit dem Lernen haben, so wie du.

Wenn man Helena fragt, was für sie der Inbegriff von Freiheit ist, beschreibt sie einen Platz im Olivenhain ihres Großvaters. Dieser Ort liegt bei einem großen Felsen. Von dort aus kann man sehr schön aufs Meer schauen.

Für dich ist es wahrscheinlich ein anderer Ort, aber du kannst dir so einen Platz sicher vorstellen.

Sie sitzt mit offenen Augen da, ebenso wie du ... und schaut ruhig auf einen Punkt ... genauso wie du. Und gleich werdet ihr gemeinsam eine Reise machen, um etwas zu entdecken ...

Hypnoseinduktion durch Augenfixation

So schaust Du jetzt einfach auf den Punkt und lässt die Augen da ruhen ... wie ein Vogel, der sich nach einem weiten Flug auf einem Ast niederlässt ... und da ausruht.

Du atmest normal ... ruhig und regelmäßig ... und schaust auf diesen Punkt.

Und wenn man länger auf einen Punkt schaut ... dann verschwimmt er so ein bisschen ... und wandert ... das ist ein natürliches optisches Phänomen ... und du wirst immer noch den Raum um dich herum wahrnehmen ... aber mit der Zeit kommt es einem leicht so vor ... als ob man durch einen Tunnel schaue ... auch das ist normal ... lustig und interessant ... und natürlich ...

Die Augenlider werden schwerer, wenn man so unentwegt auf einen Punkt schaut ... und vielleicht auch durch diesen Punkt hindurch ... und wann immer du willst ... kannst du deine Augen schließen ... dich ein bisschen zurücklehnen und einfach spüren, wie du ins Träumen kommst ...

Dissoziation an einen schönen Ort mit sensorischem Erinnern zur Intensivierung

Und während Helena dort bei ihrem Felsen ist ... mit den Olivenbäumen ... dem Blick aufs Meer, bist auch du an deinem besonderen Ort ... geschützt ... sicher und frei.

Die Nase kann sich erinnern ... wie es da riecht ... es ist ein besonderer Geruch ... Bei Helena riecht es nach Oregano ... Thymian ... Pinien ... Meeresbrise ...

Und die Haut kann sich erinnern, wie es sich da anfühlt ... die Wärme ... der laue Wind ... der frische Wind ... auf den Wangen ... auf den Armen ... an den Knien ...

Die Ohren erinnern sich … an das Zirpen von Zikaden?… manchmal lauter … wie in Wellen lauter … manchmal leiser …

Und die Augen erinnern sich genau, wie es da ausschaut … und sehen es jetzt …

Und du weißt, dass du hier bist, und kannst gleichzeitig da sein, an deinem schönen Ort … du spürst dich atmen … der Körper erinnert sich … so in der Natur … keine Anforderungen … vielleicht fernes Glockengeläut von Schäfchen … Wind, der hoch am Himmel die Wolken zaust … ganz frei …

Zählen und Hervorrufen einer Handlevitation zur Trancevertiefung

Aber was du wahrscheinlich noch nie erlebt hast an deinem Ort, ist, dass da Luftballons herumschweben … vielleicht kannst du die jetzt entdecken?

Neben dem Blau des Meeres … dem Silbergrün der Olivenblätter … den blondtrockenen Gräsern … siehst du jetzt auf einmal knallig bunte Luftballons herumfliegen … ich weiß auch nicht, wo die gerade herkommen … egal … sie sind da … schweben näher … ja, dicht zu dir hin … und ein … zwei … drei … stehen jetzt direkt über einem Handgelenk … und lassen Bänder hinunter … die binden sich um dein Handgelenk … und ziehen deine Hand … egal, welche … langsam in die Höhe … höher und höher …

… so kann es sein, dass du einen kleinen Ruck spürst … dein Arm wird jetzt plötzlich ganz leicht … hebt etwas ab … nur mit deinen Luftballons …

Und während ich von 1 bis 7 zähle … kann deine Hand … leichter und leichter werden … höher und höher steigen … alleine durch die Kraft der Vorstellung … 1 … und du hörst meine Stimme … aber vielleicht nur mit einem Ohr … das andere Ohr hört die Geräusche der Natur … den Wind … und 2 … die Hand wird leichter … und leichter und hebt sich … und der Ellbogen beugt sich … die Luftballons steigen sachte nach oben … vorsichtig … und nehmen die Hand mit hoch … 3 … und 4 … ja, super … und sie kommen höher und höher … und du machst das Spiel einfach mit … 5 … und leichter … du kannst mit geschlossenen Augen schauen, ob das Segelboot auf dem Meer von rechts nach links zieht ... oder von links nach rechts ... 6 ... da kann die Hand von alleine hochschweben ... 6 ½ ... gut ... schön ... und: 7!

Und die Hand kann nun einfach wie auf einem Luftkissen liegen ... genau, sehr gut ... sehr schön ... und jetzt ist der Moment, wo die Hand dir hilft zu zaubern, damit du mehr erkennst ... und verstehst ...

Du bist nun ganz klar ... aufmerksam ... konzentriert ...

Bestätigung der intelligenten Kompetenz

Und du weißt, du bist klug ... hast Humor ... Talent ... schmiedest gerne Pläne ... du hast ein gesundes Gehirn ... und einen klaren Verstand ... du trainierst deinen Kopf, seitdem du klein bist ... und dein Gehirn ist gut entwickelt ... komplex und reaktionsschnell ... dein Arbeitsgedächtnis für aktuelle Informationen und dein Langzeitspeicher für Langzeitwissen sind fabelhaft ausgebildet ... und können auf Hochtouren funktionieren ...

Das ist unglaublich interessant und wirklich eine Forschungsreise wert ...

Und so steigst du nun wie ein Forscher durch eine kleine Öffnung, vielleicht so etwas wie eine Dachluke, einfach in deinen Kopf ... und beginnst darin herumzuwandern ...

Beginn der Reise, erste Station: »Kurzzeitspeicher«

Als Erstes schaust du dir deinen Kurzzeitspeicher an, das sogenannte Arbeitsgedächtnis ... dort findet sich alles aus den letzten Stunden vor ... ja sogar noch von heute aus der Schule ... kunterbunt durcheinander gewürfelt ... da muss man richtig aufpassen, dass man über nichts drüberstolpert ... alles ist da ... und du wirst erstaunt sein, dass du Sachen findest, die du bewusst gar nicht registriert hast ... die du aufgenommen hast, ohne es zu bemerken ... ohne auch nur einen Funken von Aufmerksamkeit ...

Du entdeckst eine Fülle an Material ... und erkennst: Dein Gehirn ist sehr komplex ... total gut verschaltet ... auffassungsfähig ... und so neugierig ... alle Nervenzellen warten geradezu gierig auf neuen Input ...

Zweite Station: »Langzeitspeicher« und nochmalige Zielbenennung

Du staunst ... und wanderst staunend weiter ... wanderst weiter in deinem Gehirn und kommst in den Langzeitspeicher ...

Das ist doch unglaublich! ... da gibt es Dinge, an die wirst du dich noch in einem dreiviertel Jahrhundert erinnern ... aber daran brauchen wir heute nicht zu denken ... heute geht es um das Aktuelle, das, was du brauchst für dein Ziel ... und dein Ziel ist ... entspannt in der Schule das Gelernte abzurufen und zu formulieren ... und so wanderst du durch das Langzeitgedächtnis ... durch diesen Speicher ... und du wirst dich wahrscheinlich wundern, was für eine hervorragende Ordnung jetzt hier herrscht ... diese Abteilung stellt das beste Archiv in den Schatten ... es ist phänomenal, wie im Langzeitgedächtnis alles organisiert ist ... und wie immer wieder schwuppdiwupp das Wichtige aus dem Kurzeitgedächtnis reinflutscht ... vor allem nachts im Schlaf ... es ordnet sich da prima ein ... ins passende Regal ... in den richtigen Zusammenhang ... egal welches Thema ... Bild ... Wort ... Zahl ... Satz ... Kombination ... geradezu fantastisch ...

Dritte Station: »Raum der Logik« – ideomotorische Rückkoppelung

Und du gehst weiter ... in den Raum der Logik. Der Raum der Logik ist der Ort, wo vernünftige Kombinationen entstehen und intelligente Schlussfolgerungen gezogen werden ... da bilden sich auf Fragen die richtigen Antworten ... da fügt sich zusammen, was zusammengehört ... folgerichtig und logisch.

Du merkst sehr schnell ... dieser Raum ist wunderbar klar und übersichtlich ... da wird kombiniert ... und du brauchst gar nichts zu tun ... du hältst einfach inne ... wir nennen das »Nachdenken« ... aber die Verbindung entsteht von alleine ... weil dein Gehirn das selber macht ... und sucht, forscht und findet ... nochmals exakt überprüft und verwirft, wenn es falsch ist ... und erst dann zusammenfügt ...

Vierte Station: »Raum der Ausführung« mit den Abteilungen Sprachzentrum und Schriftzentrum

Und erst wenn alles korrekt ist ... erst wenn es stimmt ... geht es weiter in den Raum der Ausführung ... diesen Raum besuchst du jetzt ... du siehst, er hat zwei Abteilungen ... eine für die Sprache ... das Sprachzentrum ... wo alles ganz flüssig in Tonformung und Stimme übergeht ... spontan ... klar ... wie nach kluger Überlegung ...

Die andere Abteilung ist die für die Schrift, das Schriftzentrum ... hier wird alles, was vom Gehirn als richtig bewertet worden ist, über den Kopf in deinen Arm geleitet ... vom Arm in die Hand ... und nun kannst du es mit feinmotorischen Bewegungen niederschreiben ... klar, eindeutig, gelassen ... gut lesbar ...

Das sind zwei großartige Zentren ... dieses Sprachzentrum ... und das Schriftzentrum ... und durch die ungeheure Vielfalt und Vernetzung des Gehirns kann immer noch ein bisschen mehr Strom ... Licht ... Energie ... und Geschwindigkeit gefunkt werden ... und alles arbeitet einwandfrei ...

Welch eine Reise! Kurzzeitspeicher ... Langzeitspeicher ... Verarbeitung im logischen Zentrum ... durchchecken ... abwägen ... klären ... korrigieren ... nochmals prüfen ... für richtig befinden ... Sprachzentrum ... Schreibzentrum ... Wiedergabe ... logisch ... gescheit ... richtig und gelassen ...

Verdopplung der Trance durch Levitation auch der anderen Hand und Vertiefung der Trancebilder

Und du schaust auf das tiefblaue Meer ... alles geht von alleine ... und so kann auch die andere Hand ein bisschen leichter werden ... weil das die Hand ist, die nun zaubert, dass du dich mehr entspannen kannst ... weil es damit reibungsloser geht und schneller ... und du deswegen auch leichter einschläfst, weil du dich auf dich verlassen kannst ... und dir mehr vertraust ...

Die Hand wird leichter und leichter ... und das Luftkissen schiebt sich auch unter diese Hand ... deine Hand schwebt leicht ... und du mit ihr ...

Du sinkst in einen schönen Traum ... jedes Puzzlesteinchen, das du lernst, fügt sich zu den anderen ... und das bildet sich jetzt farbig und deutlich vor deinem inneren Auge ab ...

Lernen ist wie auf einen Berg zu steigen ... je höher du kommst, umso weiter wird dein Horizont ... und du steigst immer höher ... begreifst immer mehr, wie sich alles zusammenfügt ... dein Überblick wird immer weiter ... du wirst immer kompetenter und selbstbewusster ... schöner und gescheiter ... begehrenswerter ... erfolgreicher ... und es geht alles leicht von der Hand ...

Sehr gut ... sehr schön ... und träume den Film noch zu Ende ...

Reorientierung an den guten Ort und nochmals gute Suggestionen

Und dann kommst du einfach wieder zu deinem guten Ort ... und fühlst dich so sicher und zuversichtlich, dass das alles gut läuft ...

Und du lernst mit Neugierde Neues ... Unwichtiges wird sofort aussortiert ... Wichtiges wird behalten ... du steigst immer höher ... begreifst immer mehr ... und in Zeiten von Prüfungen und Schulaufgaben wirst du dich einfach verlassen auf dieses wundervoll komplexe Geschehen in deinem Gehirn ... du wirst dich ruhig hinsetzen ... und mündlich oder schriftlich alles Gelernte einwandfrei formulieren ... und wiedergeben ...

Du kannst das ... du hast das ganze Outfit dazu ...

Und, du musst nicht die Beste oder der Beste sein ... aber du darfst gut sein!!!

Optional, falls der Schlaf beeinträchtigt ist, Suggestionen für guten Schlaf

Und abends schläfst du einfach ein ... du hast jetzt so ein Vertrauen in dich ... du schläfst schön ein, wenn du ins Bett gehst ... und erholst dich ...

Du kannst dir beim Einatmen sagen: »Ich schlafe ein« ... und beim Ausatmen: »ich schlafe aus« ... und »bums«, da schläfst du auch schon ... und es ist gut, nachts ausreichend lange zu schlafen. Erstens kannst du dann richtig Kraft schöpfen ... und zweitens können sich in der Zeit deines Schlafes die erstaunlichen Dinge im Kopf von alleine ereignen ...

Ausleitung

Und jetzt zähl innerlich in deinem Tempo von 7 zurück bis 1!

Deine Arme und Hände sind wieder ganz normal.

Du bist wach und frisch, fit und klar!

Behalte nur den schönen Ort in dir ... so kannst du jederzeit dahin zurückkehren ... und immer wieder lernen ... einfach so ... federleicht ...

Und Helena winkt dir zu ... sie lacht!

2.1.2 Wie eine 1

Ziel: eine 1 ☺

Technik: kurze Hypnoseinduktion, Dissoziation an einen guten Ort, klare Suggestionen für ein gutes Gelingen, erfolgreiches Durchleben der Prüfung in Trance

Hypnoseanleitung

Du möchtest deine Prüfung durchlaufen »Wie eine 1!«

Das ist möglich ... und einfacher, als du meinst ... denn ...

Du hast dich auf deine Prüfungen vorbereitet ... hast gelernt ... das Wissen ist in dir da ... auf Abruf bereit.

Nur noch ein wenig Hypnose ... und du bist während der Prüfung ruhig ... gelassen ... vernünftig ... und klug ... und alles läuft wie von selbst ...

So, schließ du nun einfach die Augen und lehn dich zurück ... drei ruhige, tiefe Atemzüge entspannen dich bis in alle Winkel ... *(Pause)*

Alles um dich herum unwichtig ... nur noch wichtig bist du ... nur noch wichtig ist dein Ziel ...

Und sobald die Hypnose beginnt, wird dein Kopf ganz leicht nach vorne sinken ... einfach loslassen ...

... du atmest ruhig ... der Kopf sinkt nach vorne ... tiefe Ruhe breitet sich aus ... die Hypnose hält Einzug ... und macht dich ruhig und gelassen ... *(Pause)*

Du findest dich an einem schönen Ort wieder ... er strahlt eine wunderbare Ruhe und vergnügte Stimmung auf dich aus ... und du sinkst in gelassene Achtsamkeit und achtsame Gelassenheit ... *(Pause)*

Du bist an diesem schönen Ort ... in wunderbarer Ruhe ... in guter Stimmung ... gelassen ... achtsam ...

Und du erlebst dich – zu deinem Erstaunen – wie mit einem zweiten Ich in dieser Prüfung ... ruhig ... gelassen ... ausgeruht ... achtsam ... vollkommen konzentriert auf den Stoff der Prüfung ... im Wissen, dass du die Materie beherrschst ... *(Pause)*

Du bist mit allen Sinnen dabei ... wach ... klar ... fokussiert ... und deine glasklare Aufmerksamkeit hält über die ganze Zeit der Prüfung an ... deine Aufmerksamkeit liegt auf dem Wesentlichen ...

Ruhig und gelassen gehst du auf die Fragen und Aufgaben ein ... und stellst mit Erstaunen fest, dass sie leicht und verständlich sind ... die richtigen Antworten kommen dir wie selbstverständlich in den Sinn ... du antwortest klug ... logisch ... verständlich ... hoch konzentriert auf das Wesentliche ... *(Pause)*

Die Zeit vergeht in ruhigem Fluss ... und du erlebst dich durchgehend als dynamisch und energievoll ... dein Rücken fühlt sich selbstbewusst ... deine Augen sind offen und klar ... deine Atmung frei ... der Kopf kühl ... dein Geist wach ... *(Pause)*

Dein Verstand lenkt das Schiff deines Wissens mit wacher Aufmerksamkeit und tiefer innerer Ruhe an allen Klippen zielstrebig vorbei ... das Gelernte ... gut abgespeichert ... ruft sich wie von alleine ab ... das Abgerufene wird in kluge vernünftige Worte umgesetzt ...

Alles bestens ... du bist stolz auf dich ... du durchläufst die Prüfung »Wie eine 1!«... *(Pause)*

Schneller, als du es für möglich gehalten hast, sind die Aufgaben erledigt ... die Fragen beantwortet ... die Materie ist dargestellt ... und du atmest auf und fühlst dich wohl.

Alles erledigt ... alles gut gemacht!

Wie im Spiel hast du auf der Bühne der Trance die Prüfung schon durchgespielt ... du fühlst dich gut vorbereitet ... du wirst die Prüfung gut durchlaufen ... »Wie eine 1!«

Und weil du das weißt, kannst du wach und froh und klar wieder hierher kommen und mit Ruhe den kommenden Tagen entgegensehen.

2.1.3 Viele Wege führen ... nach Ischia ... ins Ziel ...

Ziel: Selbstwert und Selbststärkung für eine Prüfungssituation (hier für eine Flugreise und einen Auftritt)

Technik: Hervorrufen einer Trance durch wiederholtes Ansprechen von Trance; die Trance als inneren Begleiter deklarieren, mit dem man Herausforderungen leichter begegnen kann

Die Insel Ischia sollte durch einen der jeweiligen Person entsprechenden Ort ersetzt werden.

Hypnoseanleitung

Der Hypnose ein Motto geben

Diese Hypnose heißt »Panik«?

Nein! »Vorfreude!«

Ansprechen von Ressourcen und Auslösen von Neugierde

Du bist eine kompetente Person ... du wunderst dich selbst ... mit dem Kopf hast du schon verstanden ... es ist ein tieferes Thema, das nicht einfach gelöscht werden kann ... aber heute bekommt es neue Impulse ... für neue Perspektiven ... und einen neuen Umgang mit dem Leben ... und wir sind hier an einem guten Ort ... genau der richtige, um etwas aufzulösen ... und zu bereinigen.

Hypnoseinduktion

Du lässt dich atmen ... mit geschlossenen Augen ... zurückgelehnt ... vertrauensvoll ...

(Falls die Trance nicht gleich erfolgt)

... oder vielleicht tust du auch einfach nur so ... egal ...

Hinführen zum Thema

Viele Wege führen nach Rom ... und noch mehr Wege führen nach Ischia ... ins Ziel ...

Es gibt steinige Wege ... holprige Wege ... sorgenvolle und schwierige Wege ... und ganz andere Wege nach Ischia. Aber wieso solltest du einen schweren Weg nehmen ... einen mühevollen ... einen sorgenvollen? Das hast du nicht verdient.

Ansprechen von unbewussten Leistungen

Du fühlst dich mehr und mehr wohl ... du gibst ab ... denn, auch wenn du es nicht glaubst ... dein Thema liegt längst schon ... *(geheimnisvoll)* in anderen Händen ...

Trancevertiefung

Deine Hände aber ... liegen entspannt auf den Lehnen ... können schwerer werden ... oder leichter ... alles ist in Ordnung ... du atmest Waldluft ... kleine Geräusche um dich herum ... Sehr schön!

(Zur Ablenkung ein scheinbar anderes Thema ansprechen)

Manche Menschen müssen für Prüfungen sehr hart arbeiten ... viel Energie einsetzen ... sich richtig anstrengen ... gehen zur Prüfung und fühlen sich nicht wohl ... nicht ausgeruht ... nicht leistungsstark ...

Angebot, die Trance zu nutzen und sie durch wiederholte Benennung zu vertiefen

Fein raus sind diejenigen, die das auf andere Art und Weise erledigen: Sie gehen einfach ein wenig in Trance ... sie lernen in Trance ... sie arbeiten in Trance ... sie speichern ab in Trance ... gehen zur Prüfung in Trance ... erledigen die Prüfung in Trance ... denken nur an das Ziel ... und feiern den Erfolg ... mit und ohne Trance ... vielleicht im Tanz ...

Sie durchlaufen alles auf angenehmste Art und Weise ... denn ... die Trance ist Ihr treuer Begleiter ...

Trancevertiefung

Und sie kommt auch zu dir ... während du dich mehr und mehr entspannst ... dich zurücklehnst ... und ruhiger und ruhiger atmest ... hier in dem Sessel ...

Förderung der positiven Dissoziation und Personifizierung der Trance als freundlicher Helfer

... die Trance kommt zu dir ... besänftigt dich ... gibt Halt und Mut ... spricht zu dir: »Ich bin bei dir.«

Du sagst: »Ich muss immer alles alleine machen.« Und die Trance antwortet: »Ich werde dich begleiten ... ich bin bei dir, wenn du mich brauchst ... ich verhelfe dir zu deiner Fröhlichkeit ... deinem Humor ... zu deiner Attraktivität ... ich gehe mit dir den Weg nach Ischia ... schön ... einfach und leicht ... und vorher verbringen wir die Zeit in herrlicher Vorfreude.«

Es gibt viele Wege ... aber ihr wählt einen schönen aus ... leicht und frei ...

Ruhig ... entspannt ... gelassen ... gehst du deinen täglichen Verpflichtungen nach ... erledigst deine Aufgaben ... erlebst deine Freuden ... ein normales reichhaltiges Leben einer berufstätigen Person mit vielen Interessen ...

Durchlaufen und Vision der zukünftigen Zeit

Und du beginnst jetzt ... im inneren Spiel ... wie eine Vor-Speise ... die »Vor-Reise«...

Und die starke Trance begleitet dich ... treu und zuverlässig ... und du wirst mit jedem Tag ausgeglichener und ruhiger ...

Positive Suggestionen

Die Tage vergehen und die Reise rückt näher ... das Ereignis kommt näher ... die Ruhe steigt ... das Wohlbefinden nimmt zu ... die Vorfreude wächst ... die Freude an der Herausforderung ... die Sinne freuen sich auf Ischia ... die Haut freut sich auf warmen Abendwind ... das Ohr auf die schöne Sprache und frohes Lachen ... das Auge auf die Farben ... die Nase auf den Duft von Jasmin ... Zitronenblüte und Meeresluft ... und der Gaumen auf Schmackhaftes vom Mittelmeer ...

Alles in dir freut sich ... und der Kopf steigt auch noch ein ...

Alles wird sich regeln ... du wirst es gut schaffen.

Es gibt viele Wege nach Ischia ... du wählst den besten ...

Die Trance begleitet dich treu und zuverlässig ...

Immer wieder nimmt sie dich bei der Hand ... die Trance ... fast unmerklich ... ganz zart ... trancezart ... und die Amsel zwitschert ... ein Flugzeug hoch in der Luft, wer weiß, wohin ... glücklich ... munter ... und froh ... du bist schon ein wenig da ... auf Ischia ...

2.1.4 Auf der Anhöhe des Wissens

Ziel: fit für die Prüfung

Technik: Induktion tiefer Hypnose, Mesmer'sches Streichen, Hypnose-Infusion, klare Suggestionen

Hypnoseanleitung

Formulierung des Zieles für die heutige Hypnose

So, liebe(r) Frau (Herr) ... jetzt machen wir eine wunderbare Hypnose ... für Sie und für Ihre Begabung, für Ihre Aufgaben und Ziele ...

Anleitung zur Entspannung und damit Initiierung des Trancezustandes

Sie kennen schon die gute Wirkung von Hypnose. Sie kennen das Gefühl, sich langsam, langsam, nach und nach zu entspannen und dabei ein bisschen abzusinken ... und immer mehr in Ruhe zu kommen ... Sie hören eine Stimme, die zu Ihnen spricht ... und wenn Sie mit der Aufmerksamkeit näher zu sich hingehen, hören Sie sogar Ihr eigenes Atmen ...

Sie hören, wenn die Luft hereinströmt ... und wieder hinausfließt ... und die Atmung wird tiefer und ruhiger ...

Sie bemerken, wie Ihre Schultern sich angenehm entspannen ... auch Ihre Oberarme sind angenehm schwer, warm und entspannt ... die Unterarme und Hände sind angenehm schwer, warm und entspannt ... Schultern, Oberarme, Unterarme, Hände und Brustraum ... angenehm schwer, warm und entspannt ... Brustraum und Bauchraum sind angenehm schwer, warm und entspannt ... Brustraum, Bauchraum und Becken angenehm warm und entspannt ... Becken, Hüften, Oberschenkel sind angenehm warm, schwer und entspannt ... Becken, Hüften, Oberschenkel, Unterschenkel ... angenehm schwer, warm und entspannt ... auch die Füße angenehm warm und entspannt. ...

... der Kopf luftig ... frei ... kühl ...

Anregung zur Dissoziation an einen anderen Ort

Sie sind an einem Ort, an dem Sie gerne sind ... genau der richtige Ort, um etwas Besonderes zu erleben ... auf einer Wiese ... oder an einem Strand ...

Sie schauen in den Himmel ... in dieses leuchtend blaue Blau zum Eintauchen ...

Trancevertiefung durch eine Art Mesmer'sches Streichen

Und mag sein, Sie fühlen einen leichten Luftstrom über Ihrem Gesicht ... warm, ruhig und energievoll ... die Luft streichelt Ihr Gesicht glatt ... die Luft streichelt Ihre Stirn glatt ... die Luft streichelt Ihre Wangen glatt ... entspannt Ihre Schläfen ... alles ruhig ... glatt und gelöst ... der Kopf wird weit und frei ... ruhig und klar ... sehr gut ... sehr schön ... und Ihre Schultern sinken gelöst zurück ... sehr gut.

Erste Phase der Suggestionen – noch indirekt, da erst leichte Trancetiefe

Sie lieben es, sich zu engagieren ... tatkräftig ... ideenreich ... und genau dafür erhalten Sie jetzt kraftvolle Unterstützung ...

Am blauen Himmel über Ihnen nähert sich nun eine fantastische Wolke ... schön ... schillernd ... sie trägt alles in sich, was Sie noch brauchen, um alles bestens zu machen ... so wird diese Prüfung eine gute Herausforderung, der Sie sich mit Freude stellen ... und die Sie richtig glücklich macht ...

Technik: »Hypnose-Infusion« mit zarter Berührung an der Mitte der Stirn

Die Hypnosewolke schwebt über Ihnen ... es entsteht eine Verbindung ... vermutlich hier, wo ich Sie gerade sachte berühre ... und wie durch einen kleinen Eingang fließt in Sie hinein, was Sie brauchen ... um zu organisieren und zu verknüpfen, was vorhanden ist ... denn alles ist in Ihnen ...

Trancevertiefung

Und während ich jetzt von 1 bis 7 zähle, sinken Sie tief in Hypnose ...

Sie empfangen aus dieser Hypnosewolke alles, was Sie brauchen ... um innerlich zu sortieren ... Ihr erlebtes Wissen ... Ihr angeeignetes Wissen ... 1 ... ihr Engagement für das Leben ... 2 ... sehr gut, tiefer und tiefer ... es beginnt sich auszubreiten ... Wissen ... und Fähigkeiten. ... 3 ... sehr gut ... 4 ... 5 ... 6 ... ... und nicht, bevor die 7 erklingt, werden Sie in so einer angenehmen inneren Verfassung sein, dass nichts besser ist, als dieses unbewusste Lernen zu erlauben ...

Verknüpfungen entstehen ... Einordnungen ... gesunde Hierarchien ... Distanz ... Überblick ... 7 ...

Anregung unbewusster Prozesse im Sinne des Therapieziels und nochmalige Trancevertiefung

Sie kennen das. Sie stehen auf einem Berg und sehen das Land mit seinen vielen Einzelheiten ganz klar von oben ... die Felder, die Wälder, die Seen, die Bauernhäuser und die Siedlungen, in der Ferne die große Stadt ...

Genauso stehen Sie auf der Anhöhe Ihres Wissens ... Sie haben über alles Gelernte einen guten Überblick ...

Egal, welche Frage auftaucht ... es ist alles vorrätig ... die richtige Antwort auf die richtige Frage ... eins zu eins ... zwei zu zwei ... drei zu drei ... vier zu vier ... fünf zu fünf ... sechs zu sechs ... sieben zu sieben ... klar, sinnvoll, akkurat ... auch wenn die Frage weit entfernt scheint, dort am Horizont ... Sie sehen, fühlen und wissen die Antwort ganz in Ihrer Nähe ... kombinieren mit Gleichmut ... Sie haben gelernt ... Sie haben erfahren ... Sie verfügen über Ihr Wissen ...

Zweite Phase der Suggestionen – direktiv

Sie haben einen klaren Kopf ... Sie schaffen die Prüfung ... Sie haben Ziele ... Ziele, die Sie erfüllen werden ... Sicherheit und Vertrauen sind Ihre Begleiter ... Sie spüren das ... jetzt ...

Sie machen das sehr gut ... fügen eins zum anderen, ganz automatisch ... ganz gelassen ... und werden erfreut sein, mit welcher Leichtigkeit Sie die Antworten und Lösungen niederschreiben, weil Sie es wissen ... sei es durch Lernen, sei es durch Intuition ...

... und immer noch fließt aus der Hypnosewolke genau das in Sie hinein, was es noch braucht an Ruhe, Stärke, Selbstvertrauen ... in einem unablässigen Strom ... genau für Sie, richtig für Sie ...

Sie nehmen alles auf ... mit spielerischer Freude ... alles im Überblick ...

Sie ruhen in sich ... Ihre Gedanken frei ... eine gesunde Distanz ... das Ziel vor Augen ...

Sie legen die schriftliche Prüfung mit Leichtigkeit ab ... ebenso die mündliche ...

Und Sie werden stolz auf sich sein ...

Posthypnotische Suggestionen für den Nutzen dieser Hypnose

Und jedes Mal, wenn Sie diese Hypnose hören, werden Sie einen zarten Lufthauch verspüren ... Ihre Gesichtszüge werden glatt ... sie entspannen sich ...

Sie werden mal am Meer ... mal in den Bergen sein ... ganz nach Belieben ... und noch tiefer in Hypnose sinken und noch mehr dazugewinnen ... und Sie werden sich daran freuen und sich wohlfühlen.

Integrationsphase
Jetzt bleiben Sie einfach noch ein bisschen in Hypnose ... ganz nach Ihrem Belieben ...

Tranceausleitung
Danach zählen Sie von 7 bis 1 und kommen bei 1 dann sehr erfrischt, geklärt, in gutem Befinden und voller Zuversicht wieder ins Hier und Jetzt zurück.

2.2 Ichstärke, Entfaltung und Selbstorganisation

Wurde Veränderung in Trance schon »vor«erlebt, geschieht sie anschließend in Wirklichkeit wie von alleine. Dieses »Vor«-Erleben in Trance kann auf unterschiedliche Weise vollzogen werden.

Wir können einfach kreativ Abstand nehmen, die »Tanzfläche des Lebens« ausrollen und plötzlich über immens viel Spielraum verfügen oder an der Isar joggen und den Problemen erfolgreich davonlaufen.

Wir können uns aber auch zunächst in einer Idealvision von außen betrachten, um danach in diese Person quasi einzusteigen und das Gefühl von innen zu erleben.

Für die Bratschistin, die uns unter 2.10.1 begegnen wird, sah das folgendermaßen aus:

Erster Schritt: Visualisierung der eigenen Person in der Zukunft
Sie sehen im Licht der Scheinwerfer eine junge Frau ... eins mit der Musik ... sie spielt, spielt hinreißend schön ... Sie hören ihr zu ... versunken in ihr Spiel ...

Zweiter Schritt: Assoziation mit der eigenen Person in der Zukunft
Und Sie schlüpfen hinein in diese Person ... Sie erleben sich im Scheinwerferlicht beim Betreten der Bühne ... Sie sind in der Aufmerksamkeit des Publikums ... fühlen die wohlwollenden Blicke auf Ihrem schönen Aussehen ... auf Ihrem Lächeln ... auf Ihren Händen, die das Instrument halten ...

Sie verneigen sich ... nehmen Platz ... konzentrieren sich ... setzen zum Spiel an ... und gewinnen mit dem ersten Ton ... Sie gewinnen die anderen ... und Sie gewinnen aber auch sich selbst ... das löst tiefe Freude aus ... beflügelt Sie ... Sie sind voller Kraft ... und seelenvoll der Musik hingegeben ... mit dem Spiel ganz im Augenblick ... in wunderbarer Harmonie mit Ihrem Ausdruck ... in Liebe für das Werk an sich ... tief in Ihnen das klare Wissen: »Musik ist meine Bestimmung ... meine Erfüllung ...«

So sind Ihre Arme weit ausgebreitet: »Ja, komm, du schönes Gefühl!«

2.2.1 Kreative Distanz

Ziel: Abstand vom Symptom oder Problem und dadurch andere Perspektive und erweiterte Option für neue Herangehens- bzw. Handlungsweisen

Technik: kurzes Fokussieren auf das Symptom/Problem, danach Konzentration auf alle Sinnesebenen (die Vorschläge wie »würzige Kräuter« oder »Lippenstift« sind individuell abzuändern), Suggestionen zu neuer Perspektive und Handlungsspielraum

Hypnoseanleitung

Sitze bequem zurückgelehnt ... atme dreimal tief durch. *(Pause)*

Denke *(nur daran denken, nicht vertiefen!)* jetzt an deine Frage/das Problem, die/das dich beschäftigt. *(Pause)*

Schaue nun entspannt in die Ferne und betrachte in Ruhe Farben ... Formen ... Licht ... Schatten ... Umrisse ... *(Pause)*

Schließe nun bitte die Augen und nimm alle Geräusche wahr: *(zum Beispiel)* Stimmen ... Lachen ... Musik ... Vogelgezwitscher ... das feine Rauschen des Windes ... das ferne Bellen eines Hundes ... das stete Zirpen von Zikaden ... Glockengeläut ... dein eigener Atem ... die Stille ... du bist ganz Ohr! *(Pause)*

Nimm nun ganz aufmerksam wahr, was zu riechen ist: *(zum Beispiel)* Duft von Pinien ... von warmer Erde ... Gras ... würzige Kräuter ... das nahe Meer ... dein Parfum ... Sonnencreme ... deine Haut ... du bist nur Nase! *(Pause)*

Und jetzt, schmeck mal! *(zum Beispiel)* Das Aroma von Kaffee ...? Pikantes ... Süßes ... Salziges? Ein Hauch von Meersalz, wenn du deine

Lippen leckst …? Lippenstift … Sonnencreme …? Alle Konzentration liegt in deiner Zunge! *(Pause)*

Spüre die Unterlage, auf der du sitzt/liegst …

Spüre, wie die Kleidung auf deinem Körper aufliegt …

… fühle die Temperatur deines Körpers …

… die Luft auf deinen Wangen …

… den sanften Druck deiner Lippen, die einander berühren …

… das Heben deiner Brust beim Einatmen … und Senken beim Ausatmen …

Du bist ganz in deinem Körpergefühl! *(Pause)*

Angenehme Trance breitet sich in dir aus … sinken … und schweben … ganz hier … ganz jetzt … frei … sinken … und schweben … nachgeben … nachlassen!

Tiefe Ruhe … Weite … Überblick … Übersicht … Einblick … Einsicht … mehr und mehr verbunden mit der tiefen Intuition in dir … sinken … und schweben … *(lange Pause)*

Wie aus weiter Ferne näherst du dich deinem Thema neu … anders … mit frischem Gespür … neuem Blick … angereichert … handlungsfrei … handlungsfähig … handlungsmächtig …

Was ist anders? Was verspürst du im Moment? Beobachte neugierig und wertfrei! *(Pause)*

Ein Lächeln zieht auf … vielleicht sogar Amüsement … du betrachtest dein Thema mit Lächeln … Schmunzeln … deine Mundwinkel ziehen sich hoch!! Du atmest tief durch! *(Pause)*

Du genießt die neue Sicht auf die Dinge … träumst … und schlenderst träumend in Richtung des Ziels …

2.2.2 Tanzfläche des Lebens – Handlungsspielraum

Ziel: emotionale Freiheit, Selbstwert, Offenheit für neue Begegnungen

Technik: vgl. ideomotorische Technik »Raum schaffen« (Kaiser Rekkas 2013a) und haufenweise gute Suggestionen; im Sitzen ausführen

Hypnoseanleitung

Hypnoseeinführung/Prolog

Eine neue Zeit bricht an ... mit neuen Menschen ... und neuen Kräften ... neuen Herausforderungen ... es ist eine wundervolle Zeit ... und jetzt fügt sich in Hypnose hinzu, was Sie noch brauchen, um erfolgreich zu sein ... bei Ihren Projekten ... Zielen und Wünschen ... *(Pause)*

Hinleiten zum Thema

Und warum nicht ... warum sollte Ihnen nicht eine Person begegnen ... genau die richtige ... die schon irgendwo auf jemanden wartet, genau wie Sie? Warum nicht sollte es da noch viel mehr geben, was Sie im Leben erfahren, lernen und genießen dürfen? *(Pause)*

Und Sie brauchen überhaupt nichts anderes zu tun, als zu sein ... auf Ihre ganz persönliche Art und Weise zur Ruhe zu kommen ... und sich angenehm wohlzufühlen ... und offen für Veränderungen ... Sehr schön! Wir haben uns unterhalten, vieles geklärt, vieles ausgesprochen und manches auch nicht ... und Hypnose wirkt auch bei Unausgesprochenem ...

Beginn der ideomotorischen Arbeit mit kleiner Regieanweisung

Und jetzt bitte ich Sie, dass Sie die Unterarme anheben und die Handflächen einander gegenüberstellen. Das Unbewusste lenkt nun die Hände in den Abstand, der die Spielbreite zeichnet, die Ihnen im Moment für Ihr Projekt zur Verfügung steht. *(Die Hände sollten sich nun in die vorgeschlagene Position begeben, die Handflächen ca. 10 cm voneinander entfernt.)*

Richtig! Das ist genau der Raum, den Sie zurzeit nutzen. Er ist nicht groß ... für einen Menschen wie Sie.

Suggestionen für unbewusste Arbeit

Und Sie lehnen sich zurück ... und atmen gut durch ... und das Unbewusste arbeitet jetzt konzentriert daran, den Spielraum zwischen den Händen geräumiger werden zu lassen ... nicht Sie machen das, und auch nicht meine Stimme ... Ihr Unbewusstes allein erweitert ... wie im Spiel ... diesen Spielraum. Und Sie beobachten staunend und staunen beobachtend, wie der Raum an Weite gewinnt, weil Sie so viel fähiger sind als Sie denken. *(Pause)*

Lassen Sie sich alle Zeit ... Weite ... Raum ... Weite ... Raum ... Weite ... Raum ...

Sie spüren Ihr stabiles Fundament ... Ihr Lebensraum wird weiter ... Ihre innere Stärke wächst ... was haben Sie alles in Ihrem Leben geleistet ... bewirkt ... erfahren ... bewältigt!

In Ihnen liegt große Stärke ... eine solide Basis ... von der aus Sie großzügig handeln ... frei denken ... anderen Menschen mit Offenheit begegnen ... *(Pause)*

Gute Suggestionen, wie aus der Gießkanne

Ihre Hände schaffen selbsttätig Raum ... Energie macht sich breit ... Sie verspüren die ganze Kraft, die Sie haben ... Ihr Temperament ... Ihr Geist ... Ihr Witz ... Ihr Humor ... Ihr Intellekt ... Ihr Wissen ... Ihre Erfahrung ... alles ist in Ihnen ... auch Ihre Neugierde aufs Leben ...

Und das ist Ihnen gerade vollkommen bewusst. *(Pause)*

Sie gehen vorwärts ... Freude breitet sich aus ...

Und die Hände haben sich schon weit voneinander entfernt ... Sie beobachten staunend: Raum entwickelt sich ... Toleranz macht sich breit ... und eine weitflächige Tanzfläche rollt sich zwischen Ihren Händen aus ... die Tanzfläche des Lebens, auf der Sie sich sicher und frei bewegen ...

Sie stehen auf der weiten Tanzfläche Ihres Leben ... Sie verhalten sich frei und ungezwungen ... strahlen Gelassenheit aus ... Unbeschwertheit ... Sie wirken anziehend ... Ihr Blick ist auf das Freudige gerichtet. Das spielt eine Rolle!! *(Pause)*

Ihre Tanzfläche wird noch geräumiger ... größer ... weil Sie weiter ausschreiten ...

Sie breiten Ihre Arme weit aus ... sehr gut ... weit und weiter ... Selbstvertrauen wächst ... und die feste Überzeugung ist da, dass Sie stabil im Leben stehen und gerade deshalb spielerisch handeln können ... offen für Überraschungen ... und Wohlwollen für sich selbst wie für andere.

Und das prägt sich gerade tief in Ihnen ein ... *(Pause)*

Integrationsphase

Sie genießen das ausgiebig ... sinken noch tiefer in angenehmes Sein ... lassen alles wirken ... *(Pause)*

Trancevertiefung

Ihre Hände sind weit voneinander entfernt ... sie sinken nun langsam in einem runden Bogen nach unten ... und finden sich in Ihrem Schoß zusammen ...

Posthypnotische Suggestion

Sehr schön, sehr gut ... die Tanzfläche Ihres Lebens hat an Weite zugenommen ... und jedes Mal, wenn Sie diese Hypnose wieder praktizieren, werden Sie alles noch intensiver erleben ... mit neuen Bildern ... neuer Kraft ... neuen Ideen ... neuer Spielbreite ...

2.2.3 Die Lichtkuppel – Schutzraum für Selbstverwirklichung

Ziel: Stärkung von Selbstwert und Selbstvertrauen

Technik: Fantasie einer schützenden Kuppel aus Licht und Energie, einfache Ideomotorik mit Heben beider Unterarme

Hypnoseanleitung

Wir haben uns ausgetauscht, ernst und auch scherzhaft, und jetzt machen wir eine wunderschöne Hypnose, damit sich in die Tiefe senkt, was wir auf der Oberfläche behandelt haben. Das Vorgespräch ist ja schon die Vorarbeit für die Hypnose ... in der Tiefe hat das Unbewusste zugehört ... Überlegungen angestellt ... neue Strategien entwickelt ... und somit schon mal das Arbeitsfeld vorbereitet ... wie ein Maler, der die Farben auswählt, Pinsel und Rollen vorbereitet, die Steckdosen abmontiert, den Raum abdeckt, um dann zügig mit dem Streichen loslegen zu können.

Das heißt: Sie brauchen nichts mehr zu tun ... alles um Sie herum: unwichtig ...

Schritte im Flur ... unwichtig ... der Ventilator vom Computer ... unwichtig ... ob es draußen regnet ... unwichtig ... was draußen die anderen beschäftigt ... unwichtig ...

Wichtig sind Sie ... wichtig ist Ihr Wohlbefinden ... und wichtig ist, dass Sie weiterkommen ... und an sich und Ihre Zukunft glauben. Dafür machen wir jetzt eine wirkungsvolle Hypnose ... und jedes Ausatmen entspannt Sie mehr ...

Ihr Gefühl ist zurzeit wohl so, wie unter einer Käseglocke zu sitzen ... Ihr Wunsch nach Kontakt, Leben, Bewegung ... und Erfüllung ist nicht so verwirklicht, wie Sie es sich erträumen ... noch nicht ...

Käseglocken haben einen Boden, auf dem die Haube steht ... Was für einen Boden hat Ihre Käseglocke? Holz ... Marmor ... Granit ... Plastik? ... ach, ich glaube nicht, dass er bei Ihnen aus Plastik ist ... es ist ein schönes Material ...

Und die Glocke? Durchsichtig? Wahrscheinlich aus Glas. Oder?

Wie eng ist sie an Ihnen dran ...? Wie weit ist sie ...? ... wie hoch über Ihnen ist die Kuppel der Käseglocke ...? Hört sie direkt über Ihrem Kopf auf ...? Oder einen halben Meter höher, oder mehr ...?

Zeichnen Sie das doch mal innerlich mit einem dicken Stift nach, genau so, wie Sie das im Moment empfinden ... dann erfahren Sie mehr ...

Alles, was wir im Vorgespräch gesammelt haben, ist in die Käseglocke hineingepackt, Ihre Herkunft ... Ihre Erfahrungen ... Ihre typischen Verhaltensweisen ... der Stress mit Ihrem Leben und sich selbst ... der Stress, immer alle Stricke in der Hand halten zu müssen ... und ... und ...

Und nun schauen Sie mal, wie diese Dinge um Sie herum lagern, in dem Raum, den diese Käseglocke bietet ... der ist nicht unendlich ...

Und nun spüren Sie mal, wie sich das anfühlt ... es wird nicht so angenehm sein, aber es ist wichtig, genau wahrzunehmen. Erlauben Sie sich, das zu fühlen ... hier im Schutzraum ... im Experimentierraum der Trance!

Sieben magische Atemzüge bringen Sie jetzt in ein unerwartet angenehmes Befinden ... und beide Hände werden leichter und leichter, wenn das Unbewusste nun anfängt, genau hier ... jetzt ... zu arbeiten und etwas tief greifend zu verändern ...

1 ... eine Hand wird leichter und leichter ... 2 ... beide Hände werden leichter ... beide Unterarme heben sich an ... hmm ... es wird leichter und leichter ... höher und höher ... tatsächlich ... das Unbewusste hebt die Käseglocke ein wenig an ... höher und höher ... und auf einmal weht da unten ein bisschen Luft rein ... so wie die Hände höher steigen ... über sieben magische Atemzüge ... kann der Deckel sich etwas vom Boden abheben ... höher und höher ...

... und höher und höher hebt sich die Glocke ... und Sie beobachten mit Erstaunen, was geschieht ... Sie fühlen sich schon freier ... vielleicht sehen Sie es ... vielleicht fühlen Sie es ... vielleicht haben Sie einfach eine Ahnung ... in der Tiefe tut sich was ... das Glas hebt sich ... wird durchlässiger ... bekommt kleine punkt-, schlitz- oder herzförmige Löcher ... Austausch wird möglich ...

Sehr schön ... sehr gut ... Sie nutzen die Möglichkeit, gleichzeitig drinnen zu sein, sich umzuschauen ... und auch heraus zu spazieren und alles von außen zu betrachten ... ja, Sie laufen um Ihre Käseglocke herum ...

Ob Sie wohl schon spüren ... wie sich diese Glocke verändert?

Die Wand der Glocke wandelt sich in Licht ... wird zur Schutzglocke ... aus reinem Licht ... aus purem Licht ... aus Energie ...

Langsam fangen die Hände an, sich zu nähern ... angezogen ... wie von magnetischer Kraft ... sie bilden jene Schutzglocke nach, genau so, wie Sie es brauchen ... wie es für Sie günstig ist ... und sinnvoll ... um sich zu entwickeln ... und erfolgreich die Regie über Ihr Leben zu übernehmen ... die Hände nähern und nähern sich ... nähern und nähern sich ... und je näher sie sich sind, umso mehr ziehen sie sich an ... das Leben gestaltet sich neu ... Sie rennen den Dingen nicht mehr hinterher ... die Dinge kommen auf Sie zu ... Sie rennen den Menschen nicht mehr hinterher ... die Menschen kommen auf Sie zu ...

Alles wird auf eine gute Art und Weise in der Tiefe integriert ... und Ideen für Ihre erfolgreiche Zukunft entwickeln sich ... und Sie fühlen sich gerade wundervoll geborgen ...

Und Sie werden mehr erreichen, mehr als viele andere ... mit Respekt für sich selbst ... Wertschätzung ... Stolz ...

Alles andere kommt von alleine ... das fühlen Sie jetzt ganz deutlich! Und dafür lassen Sie sich alle Zeit der Welt ...

Die Hände werden sich irgendwann berühren und dann niedersinken ... und sich liebevoll auf Ihren Körper legen ...

Sie empfinden intensiv Wärme ... Vertrautheit ... Sicherheit ... und Gelöstheit ... Es wird sich alles regeln ... darauf vertrauen Sie ...

Sie spüren diese Kuppel aus Licht und Energie um sich herum ... geschützt und abgeschirmt ... und Sie fühlen sich gerade jetzt so richtig wohl ... ausgeglichen ... und zuversichtlich ...

Von alleine werden Sie die nächsten Schritte setzen ... und diese Schritte gehen sich mit Leichtigkeit ... und jedes Mal, wenn Sie diese Anleitung wieder hören ... werden Sie (wieder) neue Impulse bekommen ... und das wird Ihre Träume beflügeln und Ihre Tage schöner machen.

2.2.4 An der schönen grünen Isar

Ziel: Selbstwert, Selbstvertrauen, Aktualisierung innerer Programme

Technik: eine Ressourcensituation auffinden und verstärken, innere selbstdestruktive Dialoge löschen und gute Ich-Botschaften verankern

Hypnoseanleitung

Sie sitzen mit geschlossenen Augen da ... und haben einen Wunsch für diese Hypnose und der Wunsch heißt: »Ich möchte mich in mir selbst wohlfühlen.«

Und dafür bitte ich Sie, in Ihre Ressourcensituation zu gehen, die wir gefunden haben: Joggen an der Isar *(zum Beispiel).*

Sie ziehen die Sportkleidung an ... Ihre Laufschuhe ... für die schöne Strecke an der Isar Richtung Flaucher *(ein Biergarten im Süden Münchens)* und zurück ... und während die Glocke draußen schlägt, gehen Sie aus dem Haus ... Ihren Weg entlang, zur Isar hin ... Sie kennen ihn ganz genau ... Ihren Weg ... kennen jede Biegung ... und fast schon jeden Stein ... bald sind Sie schon am Ufer der schönen grünen Isar ...

Sie laufen in Ihrem Rhythmus ... Ihr Fuß rollt elastisch ab ... überträgt federnd das Gewicht auf den anderen ... Ihr Körper läuft von alleine ... ruhig und frei ... kraftvoll und ausdauernd ... läuft eine schöne lange Strecke ... ohne Mühe ... mit einem Vergnügen, um das nur der Läufer weiß ...

Sie sind in der Bewegung ... die Brust frei ... Sie fühlen sich wohl ... und im Einklang mit sich selbst.

Der Zeiger auf Ihrer »Wohlfühlskala« steigt höher und höher ... weil Sie das Laufen so genießen ... eine reine Freude ... energievoll und frei ... kräftig und stark ... einfach wundervoll!

Der Boden unter den Füßen ... Sonne und Wind im Gesicht ... und im Gefühl immer das ruhige Strömen des grünen Flusses, den Sie so lieben ... er nimmt seinen Lauf ... selbstverständlich und frei ...

Der Zeiger auf der Wohlfühlskala steigt höher und höher ... die Intensität des schönen Gefühls nimmt stetig zu ... füllt Sie mehr und mehr aus ...

Und ich bitte Sie jetzt, Ihre Hände auf die Schenkel zu legen und in einem ruhigen Rhythmus ... rechte Handfläche ... linke Handfläche ... auf Ihre Schenkel zu tippen ... unentwegt rechts – links ... Gut so!

Eine Situation zieht an Ihnen vorbei, wie neulich erlebt ... unangenehm ... unerfreulich ... Sie haben diese Situation im Kopf, Sie können sich erinnern, Sie wissen um das Gefühl ...

Sie tippen bitte immer unentwegt weiter ... und bleiben konstant in Ihrem guten Gefühl ... Sie laufen an der Isar, sehr angenehm ... und Sie tippen rechts – links abwechselnd ... und Sie verändern etwas im Gehirn ...

Der unangenehme Gedanke erlischt ... das fade Gefühl erlischt ... das Gefühl »die Brust wie zugeschnürt«. Gelöscht!

Tippen Sie bitte unentwegt weiter ... regelmäßig abwechselnd ... rechts – links!

Ob Sie wohl schon beim Flaucher sind ... oder voller Kraft noch weiterlaufen?

Sie entscheiden über Ihre Bahn ... mit Weite in der Brust ... und dem Gefühl, Boden unter den Füßen zu haben ... in angenehmer Stimmung ... sehr schön ... alles ist richtig ...

Und wieder kommt eine alte Situation hoch ... wahrscheinlich verwaschener und verwischter ... farbloser und weiter weg ... mit den Gedanken ... und dem Wissen um das körperliche Gefühl »Enge in der Brust« und »wie zugeschnürt«. Tippen Sie bitte weiter und weiter ... immerfort ... regelmäßig abwechselnd ... rechts – links!

Und Sie laufen erfolgreich weiter ... laufen den Schatten von früher davon ... die verwischen sich ... und Sie tippen weiter ... regelmäßig abwechselnd ... rechts – links!

Sie sind der Herr in Ihrem Haus ... Sie werfen alles zum Fenster hinaus, was Sie nicht mehr brauchen ... Sie laufen an der Isar ... leicht und vollkommen frei ... die Beine bewegen sich von alleine ... die Arme schwingen im Rhythmus ... der Blick auf dem ruhig dahinfließenden Fluss ... und alte Gedanken fließen dahin mit der grünen Isar ... alte Gefühle fließen dahin mit der grünen Isar ... verblassen mehr und mehr ... *(Pause)*

Sie sorgen für frischen Wind ... mit jedem Atemzug ... Sie wissen, was Sie wert sind ... Sie spüren Ihren Körper belastbar und stark ... die Brust frei und kräftig ... mit jedem Schritt den Boden unter den Füßen ... bei jedem Tritt die Erde spürend, von der Sie abfedern ... der Fuß setzt mit der Ferse auf ... rollt elastisch ab ... und überträgt federnd das Gewicht auf den anderen Fuß ... im Gleichmaß ... stabil ... Schritt für Schritt ... im Lot ... im inneren Halt ... im Bewusstsein, Sie bringen sich vorwärts ... Sie können das ... Sie sind es sich wert ... und Sie sagen sich im Inneren: »Ich bringe mich vorwärts, ich kann das, ich bin es mir wert!« Tippen Sie weiter und immerfort ... regelmäßig abwechselnd ... rechts – links! *(Pause)*

Sie kehren um ... sind auf dem Rückweg ... laufen an der Isar stromabwärts ... ruhig und ausgeglichen ... und das Gehirn schaltet um ... es liebt es, sich wohlzufühlen ...

Sie laufen in der Gegenwart in Richtung Zukunft ... Sie haben Pläne ... Sie haben Aufgaben ... Sie stehen vor Herausforderungen und interessanten Projekten ...

Sie sehen sich in der Zukunft, als sei es heute schon ...

Und während die Hände langsam zur Ruhe kommen und sich ablegen, weil sie genug getan haben, fühlen Sie sich einfach richtig wohl ... frei ... richtig glücklich ... und zufrieden mit sich!

Verbleiben Sie noch ein wenig in Hypnose, damit sich in der Tiefe wichtige Dinge erledigen können ... Sie lassen die inneren Vorgänge von alleine ablaufen ... sei es im Herzen ... sei es im Kopf ... denn diese Hypnose wird sich direkt auf die Vorgänge im Gehirn auswirken, sodass Sie nachher, wenn Sie aus der Hypnose zurückkommen, schon merken: Sie sind Ihrem Ziel ein Stück näher.

Hausaufgabe: Üben Sie mit der in der Therapiestunde für Sie persönlich produzierten CD jetzt für 7 Tage möglichst täglich Selbsthypnose aus, dann weitere 3 Wochen in größeren Abständen, immer – wie in der Therapiestunde – mit einem deutlich spürbaren Tippen auf die Schenkel. Danach werden Sie das Problem endgültig gelöst haben und anders zu sich stehen, mit einem sehr positiven Gefühl.

2.3 Erschöpfungskrise und Burn-out

Hypnotherapeutische Leitlinie: Selbstberuhigung, Erholung, Stärkung, Regeneration und Stabilisation, dann die Faktoren der Stressgenese erkennen und mögliche (Loyalitäts-)Konflikte, Trigger, Scripts, innere Antreiber, Lebensmottos, Weltbilder und Dialoge aufdecken, entmachten und ersetzen. Zielsetzung ist auch die verbesserte Selbstorganisation in Bezug auf Abgrenzung, Selbstrespekt, Selbstwertschätzung, Selbstliebe und Selbstfürsorge.

Bei diesem Thema spielt die Modellfunktion des Therapeuten in doppeltem Sinn eine wichtige Rolle. Er sollte Vorbild für Selbstachtsamkeit sein und eine gute eigene Trancefähigkeit haben. Diese verändert seine Atmung, Stimme, Schwingung, und natürlich die Intuition. So löst die Trance des Therapeuten tiefe Ruhe aus, gewährt freundliche Weiten und trägt wie auf Wolken ...

Siehe zu diesem Thema auch Abschnitt 2.9.8 »Im Teich der Erholung«

2.3.1 Im Fluidum der Ruhe

Ziel: tiefe Hypnose, Selbstberuhigung, Erholung, Wohlbefinden, Schmerzfreiheit

Technik: Beruhigung des »inneren Hauses«, Fantasiereise

Hypnoseanleitung

Wenn Ängste und Schmerzen unser inneres Haus belagern ... Turbulenz ... Schwermut ... Trauer ... und Last ... sehnt es sich nach Erholung ... Abschalten ... nach Frieden ... Ruhe ... Abschalten ... Erholung ... wünscht liebevolle Fürsorge ... Behaglichkeit ... friedliche Stille ...

Und wer kann diese Sehnsucht nach Ruhe besser stillen als wir selbst? ... achtsam ... fürsorglich ... liebevoll ...?

So wandern Sie zu sich hin ... achtsam ...

... Schritt für Schritt ... Atemzug um Atemzug ...

... wandern ... in aller Ruhe ...

... Schritt für Schritt ... Atemzug um Atemzug ...

... durchstreifen eine Landschaft ...

... Schritt für Schritt ... Atemzug um Atemzug ...

... in der Ferne ein Haus ... Sie nähern sich ...

... Schritt für Schritt ... Atemzug um Atemzug ...

... Sie stehen vor dem Haus und betrachten es eine Weile ...

Ihr Haus ...

... ein modernes Haus in klarem Stil? ... ein üppiger Palazzo mit weitläufigem Park?

Aber etwas stimmt nicht ... die Fenster sind weit offen ... ein Fensterladen schwingt im Wind ... Vögel flattern ein und aus ... Lichter flackern unruhig ... Unruhe ...

Sie treten ein ...

... in Ihr Haus ... in Ihren Salon ... der Salon des Lebens ... Geruch von Holz ... lautes Ticken der Uhr ... eine zerbrochene Vase ... Wasserpfützen und Rosen auf dem Tisch ... Bilder schief an den Wänden ... Spiegel ... eine Karaffe ... unruhig wehende Gardinen ... verirrtes Licht ... irgendwoher Töne ...

Sie wandern herum ...

... Schritt für Schritt ... Atemzug um Atemzug ...

entdecken die Räume ...

... Schritt für Schritt ... Atemzug um Atemzug ...

betrachten genau ...

... Schritt für Schritt ... Atemzug um Atemzug ...

gemächlich schlendern Sie weiter ...

... Schritt für Schritt ... Atemzug um Atemzug ...

... steigen die breite Treppe hinauf ins obere Stockwerk ... öffnen die Türen ... schauen sich um ... sehen Vertrautes ... persönliche Dinge ...

... und wandern weiter ...

... Schritt für Schritt ... Atemzug um Atemzug ...

... die kleine Treppe hinauf ...

... und Sie befinden sich dem Verstand nicht fern ... dem Herzen ganz nah ...

Sie treten ein in einen Raum ... sehen sich aufmerksam um ... bemerken die Unruhe ... und wissen, was fehlt ...

Es fehlt Ruhe ... die innere Ruhe ...

Sie gehen zum Fenster ... lösen vorsichtig die massiven Fensterläden aus ihren Haken ... schließen sie in einer ruhigen Bewegung ... achtsam ... sorgfältig ... und schon das Schließen der Fensterläden bringt Ruhe in Ihren Raum ...

Sie sind in gedämpftes Licht getaucht ... nur hier und da ein vorwitziger Sonnenstrahl ... er funkelt durch die Ritzen ... Staubkörnchen tanzen schwerelos im Licht ...

Nach und nach schließen Sie alle Fensterläden ... in aller Ruhe ...

Sie gehen weiter durch den Raum ... Schritt für Schritt ... Atemzug um Atemzug ...

Sie schließen nun auch die Fensterflügel, einen nach dem anderen ... Fenster um Fenster ... alle Geräusche weiter und weiter entfernt ... ganz weit weg ...

Sie ziehen die Vorhänge aus dickem Samt zu ... behutsam ... umsichtig ...

Ruhe breitet sich großzügig aus ... nur noch sanfter Kerzenschimmer ... friedlich ... ruhig ... still ... samtige Stille ... besänftigend friedliche Stille füllt Ihren Raum ...

Sie pusten sachte die Kerzen aus ... der goldene Schein erlischt ... und verbleibt doch als warmer Hauch im Raum ... vollkommen ruhig ... still ... friedlich. Richtig schön!

Sie gehen auf Zehenspitzen zur Tür ... treten aus dem Raum ... ziehen sachte die Tür hinter sich ins Schloss ... Mucksmäuschenstille ...

Auf der anderen Seite des Korridors liegt ein weiterer Raum ... Sie öffnen sachte die Türe ... treten ein ... Sie schließen auch hier die großen Fensterläden ... nur noch gedämpftes Licht ... Kühle ... Schatten ... vorwitzige Sonnenstrahlen, die sich durch die Ritzen mogeln ... Staubkörnchen, die im Lichtschein tanzen ...

Sie schließen die Fensterflügel ... einen nach dem anderen ... die Welt bleibt draußen ... weiter und weiter weg ... der Raum erfüllt von friedlicher Stille ... die großen schweren Vorhänge ziehen sich zu ... samtige Ruhe ... Stille erfüllt den Raum ... nur noch hier und da goldener Kerzenschein ... ganz still, voller Frieden und tiefer Ruhe ... sicher und aufgehoben ... friedlich ... Sie pusten die Lichter aus ... Ruhe erfüllt Ihren Raum ... friedliche Stille ...

Sie gehen auf Zehenspitzen zur Tür ... stehen auf der Schwelle ... drehen sich noch einmal um ... prüfen, ob alles in Ordnung ist ... verlassen den Raum ... ziehen leise die Türe hinter sich ins Schloss ...

Mucksmäuschenstille ...

Sie wandern weiter ... tiefer und tiefer in Trance ... das besänftigende Fluidum der Ruhe füllt bald jeden Raum ... sicher ... geborgen ... aufgehoben ...

Ruhe in Ihrem inneren Haus ... tiefe Ruhe ... friedliche Stille ... wohlige Erholung ... angenehmes Sein ...

Sie blasen alle Lichter aus ... der goldene Schein der Kerzen erlischt und verbleibt doch wie ein warmer Hauch im Raum ... vollkommen ruhig ... still ... mucksmäuschenstill ...

Tiefe, samtige Ruhe ...

Mucksmäuschenstille überall ... pssst ...

2.3.2 Die goldfarbene Wolke

Ziel: auftanken und Kraft finden

Technik: Würdigung der momentanen Verfassung, Bestätigung der Ressourcen, Suggestionen für Beruhigung, Besinnung, Selbstwert, Abgrenzung

Hypnoseanleitung

Lehnen Sie sich bequem zurück ... schließen die Augen ... und atmen ein paar Mal tief durch ... das ist der beste Anfang für eine wohltuende Hypnose ... und die haben Sie wirklich verdient ...

Sie sind eine aktive Person, lebendig, leistungsstark ... und Sie haben sich sehr verausgabt ... hinter Ihnen liegt eine Phase voller Ereignisse ... voller Anforderungen ...

Nun ist die Puste ausgegangen ... die Kraft erschöpft ... das System erlahmt ... Sie sitzen unten am Grund der Talsohle ... das ist nach allem mehr als natürlich ... es gibt eindeutige Zeichen des Körpers ... eindeutige Zeichen der Seele ... gesunde Zeichen ... Hilferufe ...

Sie nehmen diese Zeichen ernst ... Sie gehen den Hilferufen des Körpers und der Seele nach ... und ... im Schutzraum einer heilsamen Hypnose ... sinken Sie in Nachgeben ... Nachlassen ... mehr als erholsam ...

Verbleiben Sie doch einfach eine Weile ... da ... am Boden der Talsohle ... lassen Sie ungeniert die Flügel hängen! Das tut gut und ist vollkommen richtig!

Sie atmen ruhig und ausgeglichen ... der Bauch gluckert vor sich hin ... und wenn nun die Zahlen von eins bis zwölf erklingen ... sinken Sie sogar noch tiefer ... tiefer ... gleichmütig tiefer ... der Schwere nach tiefer ...

Wie angenehm, die Ruhe der eigenen Atmung zu spüren ... 1 ... der Schwere nachzugeben ... 2 ... den Gefühlen freien Lauf lassen ... sicher ... 3 ... befreiend ... und ... wohltuend ... 4 ... Sie sinken tiefer und tiefer ... 5 ... wie in ein Himmelbett ... 6 ... in gesunder Natur ... 7 ... in heilsamem Klima ... 8 ... in wohltuendem Ambiente ... 9 ... gerechter Ausgleich für das Gewesene ... 10 ... friedliche Stimmung zieht ein ... 11 ... und von der Sonne angestrahlt ... auch vom reflektierenden Licht des unerschöpflichen Ozeans ... zieht am Himmel eine goldfarben schimmernde Wolke herauf ... 11½ ... und diese zauberhafte Wolke kommt schwebend näher und näher ... und wenn die 12 erklingt ... tritt diese wunderbare Wolke mit Ihnen in Verbindung ... vermutlich durch einen tanzenden Lichtstrahl ... 12!

Sie mögen die zarte Berührung verspüren ... wohl an der Stirn ... da öffnet sich das innere System ... und es fließt aus dieser goldfarbenen Wolke in Sie ein, was Sie brauchen ... um aufzutanken ... und wieder in Ihre Kraft zu kommen ... sich zu stabilisieren ...

Und während Sie tiefer in Hypnose sinken ... fühlen Sie sich zu Ihrer Überraschung wohler und wohler ...!

Licht und Luft ... Sonne und Kraft ... Ruhe und Gelassenheit ... strömen in unendlichem Fluss aus dieser Wolke ... Linderung und tiefe Besinnung ... all das, was Ihnen guttut ... strömt weiter und weiter ... bis in alle Zellen ...

Wie von Feenhand duftig berührt ... klärt sich das Gemüt ... entfaltet sich die Seele ... und Sie fühlen sich jetzt so richtig wohl ...

Ihr Körper fühlt sich leicht, warm und lebendig ... Ihr Kopf frei ... Ihr Herz ruhig und zufrieden ...

Sie ruhen ... und genießen ... und verbleiben in aller Ruhe in diesem schönen Sein ... und träumen ... genießen ...

Erst nach ausgiebigem Strömen löst sich der Kontakt ... die Wolke zieht sich wieder zurück ... und schwebt weiter ... winkt: »Bis zum nächsten Mal!«

Verweilen Sie noch so lange im Schutzraum der Hypnose, wie es sich gut anfühlt ... und runden dann die Trance ab ... zählen von 12 wieder zurück bis 1 ... um dann munter ... und gestärkt ... wieder ins Hier und Jetzt zurückzukehren ... mit angereicherter Energie ... und Achtsamkeit für sich ...

2.3.3 Celine – Beispiel einer Hypnotherapie in einer Komposition von vier Sätzen

Junge Musikerin in einer Krise: Burn-out, Selbstwertkrise, Tinnitus, Gürtelrose

Ressourcen? Musik, Talent, Ehrgeiz, Erfolg und ... der Geliebte

Celine à la plage – largo (erste Sitzung)

Ziel: Beruhigung, Erdung, Zentrierung, Stärkung, Stille im Ohr, Selbstwertstärkung

Technik: lange Induktion, »Sammeln und Loslassen«, Fantasiereise mit vielen guten Suggestionen

Hypnoseanleitung

Liebe Celine, Sie können die Augen schließen ... wenn die Augen geschlossen sind, entstehen leichter innere Bilder ... und gute innere Bilder haben guten Einfluss und Sie brauchen überhaupt nichts zu tun, Sie brauchen nichts zu verstehen ... Sie brauchen mir auch nicht zuzuhören ... Sie können aber immer mit mir reden, wenn Sie mir etwas mitteilen möchten.

Einführung der Hypnose

Hypnose ist ein erholsamer Zustand ... und Erholung ist für Sie ganz wichtig ... denn was Sie brauchen ... ist Kraft und neuer Schwung ... und Kraft und neuer Schwung ... kommen in tiefer Erholung von alleine wieder ...

Ermutigung

Erst einmal möchte ich mich bedanken für Ihr Vertrauen, dass Sie hierher gekommen sind und mir so viel von sich berichtet haben ... und ich sage Ihnen als Fachfrau: Sie werden diese Krise überwinden, Sie werden da herauskommen ... und dann werden Sie stärker sein als je zuvor ...

Fokussieren auf die Atmung

Sie fühlen, wie die Luft durch die Nase hereinströmt ... und die Lungen füllt ... der Brustkorb sich hebt ... und wie die Luft wieder hinausfließt ... der Brustkorb sich wieder senkt ...

Sie hören dieses ganz feine Geräusch der Atmung, wenn die Luft durch die Nase einfließt ... und wieder hinausströmt ...

Und schauen Sie jetzt bitte mal – die Augenlider immer geschlossen – beim Einatmen nach oben ... und beim Ausatmen nach unten ...

Machen Sie das über ein paar Atemzüge ... das beruhigt sehr schön!

... beim Einatmen nach oben ... und beim Ausatmen nach unten ...

... beim Einatmen nach oben ... und beim Ausatmen nach unten ... sehr gut!

Sie schauen beim Einatmen in den Himmel über sich ... der Himmel, der sich schützend über Ihnen wölbt ... und beim Ausatmen schauen Sie auf die Erde ... die Erde, die Sie sicher trägt ... sehr schön ... nach oben ... und dann nach unten ... Sehr schön!

Anleitung für Entspannung und Gelöstheit

Und nun ruhen die Augen ... tiefe Gelöstheit überall ... die Augeninnenwinkel entspannt ... die Augenaußenwinkel gelöst ... die Augenlider liegen sanft auf den Augen auf ... wie Blütenblätter ... die Augenbraue zeichnet einen zarten Bogen über dem Auge ... und vom Augenbereich ausgehend entspannt sich die Stirn ... gelöst und entspannt ... die Schläfen glatt, gelöst und entspannt ... die Wangen glatt, gelöst und entspannt ... die Kaumuskulatur, gelöst und entspannt ... und über den ganzen Kopf breitet sich Gelöstheit und Entspannung aus ... sehr schön! ...

Und die Entspannung fließt über das Hinterhaupt und den Nacken ... Hals und Schultern hinunter ... Ruhe und Gelöstheit und Entspannung ... auch hier ... und hier ... und hier ... Ruhe, Entspannung und Gelöstheit ... Ihre Schultern spüren ein leichtes Antippen ... sie sinken zurück, ganz entspannt ... Last fließt ab ... die Arme hinunter ... gut ... sehr schön ... gut ... bei jedem Ausatmen mehr und mehr ... nach unten ab ... aus dem Körper hinaus ... und das Ausatmen wird ruhiger ... tiefer ... und langsamer ...

Bildhafte Anregung zum Entlassen von belastenden Gedanken

Und Celine ist hier ... auf der Couch ... und ein bisschen scheint die Sonne durchs Fenster ... Ruhe nimmt zu ... und vorsichtig schleicht sich Wohlgefühl ein ...

Und die Gedanken der letzten Tage und Wochen, die mühsamen, traurigen, hoffnungslosen, belastenden Gedanken, die sich im Kopf verlaufen haben, die rollen sich ein ... rollen sich ein zu Gedankenknäueln ... sie gewinnen mit jedem Einatmen an Leichtigkeit ... steigen auf wie Luftblasen im Wasser ... sie schweben leicht nach oben ... treten aus der Stirn heraus ... schweben durch das Zimmer ... hoch an die Zimmerdecke ... steigen durch die Zimmerdecke hindurch ... durch das Hausdach hindurch ... schweben in den Himmel, bis sie irgendwo freundlich von einer Wolke aufgefangen werden ... und sich ausruhen und klären können ...

Bildhafte Anregung zum Entlassen von schweren Gefühlen

Die schweren Gefühle dagegen, die traurigen Gefühle, die belasteten und erschöpften Gefühle ... die sinken bei jedem Ausatmen der Schwere nach ... schwer nach unten ... und tropfen aus dem Körper hinaus, tropfen in die Couch, sinken hindurch ... dann in den Boden ... durch den Boden ... durch die anderen Stockwerke ... bis in den Keller ... und durch den Kellerboden in die Erde ... und die Erde fängt diese schweren Gedanken geduldig auf ...

Und es wird Ihnen immer leichter ...

Bildhafte Anregung für das Entschwinden der Ohrgeräusche

Die Geräusche aber formieren sich in Spiralen ... und in feinen Drehungen finden sie den verschlungenen Weg hinaus ... hinaus aus dem Kopf ... ein Geräusch nach dem anderen ... hinaus ... sie tönen draußen im Zimmer noch ein wenig herum ... segeln dann ab durch Fenster und Terrassentür ... toben sich im Freien noch ein wenig aus ... entfernen sich ... weiter und weiter weg ... stiller und stiller ...

Nach und nach kommt natürliche Urstille in den Kopf ... weil auch das Gehirn gerne Ruhe hat ... und einfach vergisst ...

Anregung zur Dissoziation an den schönen Strand, von dem sie im Vorgespräch schwärmte

Und Sie, Celine, kommen ins Schweben ... Sie wissen, dass Sie hier sind ... und schweben gleichzeitig woanders hin ... zu dem wunderschönen Strand ... dem schönsten Strand ... mit dem feinsten Sand ... dem klarsten Meer ... mit den wunderbarsten Wellen ... ... und der angenehmsten Temperatur ... im herrlichsten Ambiente ...

Sensorisches Erinnern zur Vertiefung der Erfahrung

Ihr Auge gleitet über die glatte Wasseroberfläche ... gleitet in die Weite ... zum Horizont ... und weit über den Horizont hinaus ...

... die Zehen tauchen tief in den Sand ...

... die Hände liebkosen sein körniges Fell ...

... die Haare im Hauch des Meeres ...

... das Ohr gibt sich dem Atem des Windes hin ...

... die Stirn erfrischt sich am kühlen Nass ...

... die Zunge leckt entzückt an salzbestäubten Lippen ...

... die Nase inhaliert Meeresbrise ...

Ideomotorische Technik »Sammeln und Ausleeren«

Legen Sie nun bitte Ihre Hände mit den Handflächen nach oben hin ... genau ... sehr schön ... die Hände bilden sich zu Schalen ... liegen da ... offen und frei ...

Nun fließt in die Schalen Ihrer Hände alles hinein, was entlassen werden soll ... es fließt und fließt, was fließen soll, in Ihre Hände ... offen und frei ... es fließt und fließt, was fließen soll, in Ihre Hände ... tiefe innere Klärung ... Beruhigung ... Ordnung ... *(Pause)*

Sie halten alles noch eine Weile in den Händen ... Sand und Muscheln ... kleine Muscheln, große Muscheln ... Holzstückchen ... Steinchen ... offen und frei ...

... und irgendwann ... aus tiefer Regie ... fangen die Hände an, sich zu bewegen und leeren die Geräuschmuscheln ... Klingelkiesel ... Brummstöckchen und den Rauschsand aus ... Ihre Hände drehen sich ganz von alleine ... ganz von alleine ... das Unbewusste dirigiert die Bewegung ... die Hände drehen sich ... mit diesen kleinen Bewegungen, die typisch sind für Trance ... sie leeren aus ... drehen sich ... leeren aus ... drehen sich ... bis sie wieder gemütlich auf den Handflächen liegen, ausgeleert ... leicht und frei!

Provokation der Handlevitation zur Trancevertiefung für höhere Suggestibilität

... so leicht, dass sie sich abheben ... die Ellenbogen beugen sich an ... die Hände heben sich ab und schweben in der Luft ... und Sie, Celine, mit ihnen ... leicht und frei ... Celine à la plage ... leicht und frei ... Celine am Strand ... schwebend ... leicht und frei ...

Suggestionen für Selbstwert und Überwindung der Krise

Luftballons tanzen in der Luft ... schillern im Sonnenlicht ... und ... tragen Worte mit sich, die nur Sie entziffern können ... Worte der Stärke und Zuversicht ...

Ein Luftballon schwebt näher ... näher und näher ... und sein Bändchen bindet sich um Ihr Handgelenk, und auf dem Luftballon steht: achtsam ... liebevoll ... umsichtig ...

Sie verstehen die Botschaft ...

Trancevertiefung

Sie sinken wunderbar tief in Hypnose ... erholsam ... heilsam ... damit Sie gesund werden ...

Erste Einführung der Instanz »Das Unbewusste«

... und das Unbewusste sorgt für Sie ... für Celine am Strand ... eine frohe ... kluge ... schöne junge Frau ...

Suggestionen für die Wirksamkeit dieser Hypnose

Sie machen das ganz wunderbar ... und jedes Mal, wenn Sie diese Hypnose wieder hören ... wird es Ihnen guttun ... Sie setzen in Ihrem Leben neue Akzente ... und wenden alles zum Guten ... liebevoll ... mit Respekt und Anerkennung für sich selbst ...

Tranceausleitung

Verbleiben Sie noch ... und genießen ... einen ganzen Ferientag ... à la plage ...

Erholt kehren Sie dann ins Hier und Jetzt zurück ... ausgeruht ... wach ... klar ... gestärkt ... mit frohem Gefühl im Herzen ...

Celine in der Villa Adriana – andante (zweite Sitzung)

Technik: lange Induktion für tiefe heilende Hypnose

Hypnoseanleitung

Einleitung der Hypnose mit Zieldefinition

Liebe Celine, alles wird gut. Alles wird wieder gut.

Ach, schließen Sie doch nun die Augen ... und atmen Sie tief durch ... es ist viel geschehen in der letzten Zeit und Sie waren sehr tapfer ... Sie haben viele Gefühle gehabt, die Gefühle auch ausgedrückt ... und es gab Tage, an denen es Ihnen nicht gut ging ... und es gab Zeiten, in denen es besser war ... und diese Hypnose ist dafür gut, dass bessere Zeiten noch besser werden und Sie peu à peu ... Schritt für Schritt ... und sehr konsequent ... vorwärts in die Gesundheit gehen: ... die Gesundheit der Nerven ... die Gesundheit der Haut ... und die Gesundheit der inneren Stimmung ...

Anknüpfen an ein positives Erlebnis

Es hat mich sehr gefreut, Ihre Erzählung vom Ausflug nach Rom zu hören, mit Marco, letzten Sommer ... da war ein Leuchten und Funkeln in Ihren Augen ... Lebendigkeit ... eine Ahnung von Glück ... und Frohsinn ...

Und Sie liegen da ... alles ist in Ordnung ... auch wenn es da noch Geräusche gibt, im Kopf ... und Gefühle, auf der Haut ... das wird gleich besser werden ... denn Hypnose beruhigt ... lindert ...

> *Technik:* im Rhythmus der Schaukel (Kaiser Rekkas 2013a) zur Symptomlinderung

Wandern Sie nun aufmerksam durch Ihren Körper ... und finden ein Plätzchen, in dem es absolut ruhig ist ... und das sich total wohlig anfühlt ... *(Pause)* ...

... und nun gehen Sie zu dem Ort hin, wo es laut ist ... und turbulent, anstrengend und nervig ... *(Pause)* ...

... und nun wandern Sie wieder zu dem Ort, wo es ganz ruhig ist.

... *(Pause)* ...

Welchen Ort haben Sie gefunden? Wo ist das?

(Celine: »Im Fuß.«)

Welcher, der rechte, der linke ... oder beide?

(Celine: »... rechte.«)

Schön, der rechte Fuß ...

Jetzt machen Sie Folgendes:

Beim Einatmen lenken Sie die Aufmerksamkeit auf den rechten Fuß, der da gelassen und bequem unter der Decke vor sich hin döst ...

... beim Ausatmen lenken Sie die Aufmerksamkeit dahin, wo Trubel herrscht ...

... beim Einatmen wieder zur Ruhe im Fuß ...

... beim Ausatmen zum Trubel im Kopf ...

... und wandern Sie nun ein paarmal hin und her ... in Ihrem Rhythmus ...

... ein ... und aus ...

... beim Einatmen wieder zur Ruhe im Fuß ...

... beim Ausatmen zum Trubel im Kopf ...

... beim Fuß atmen Sie Ruhe herein ...

... beim Kopf Trubel hinaus ...

... Stille herein ... Radau hinaus ...

Unangenehmes hinaus ... Wohlbefinden herein ... *(Pause)*

Ruhe zieht ein ... schläfrige Gelöstheit ... angenehm warm ... gute Durchblutung ... Nerven nähren ... stärken sich ...

Trancevertiefung durch Zählen und gleichzeitiges Aufgreifen und Ausschmücken des positiven Erlebnisses

Und während ich von 1 bis 7 zähle, breitet sich immer mehr wohltuende Ruhe aus ... Töne strömen aus dem Ohr hinaus ... das Ohr haucht ... hoh, hoh ... hinaus ... hoh, hoh ... hinaus ... bei jedem Ausatmen hinaus ... 1 ... und Sie finden sich auf einmal – vielleicht zu Ihrer großen Überraschung – in der Nähe von Rom wieder ... noch nicht *in* Rom ... in der Nähe ... in der Villa Adriana ... der antiken Villa des Hadrian ... und 2 ... im Ambiente des alten Rom ... zauberhafte Natur ... Frühling ... 3 ... Brunnen plätschern ... Vögel zwitschern ... Kies knirscht unter den Schritten ... 4 ... die Säulen im Park ... so aufrecht ... schon ewig ... ... würziger Duft von Pinien ... lauer Wind ... 5 ... die italienische Sprache ... wohlklingende Vokale, rund im Ohr ... weich ... und schmiegsam ... 6 ... und Sie sinken tiefer und tiefer ... in tiefe Ruhe ... tiefes Wohlbefinden ... in tiefe Liebe zu sich selbst ... und erst wenn Sie bei 7 sind, nicht vorher, werden Sie dort ... im Garten der Villa Adriana ... ein Badebecken entdecken ... nur für Sie ... verziert mit wunderschönen glitzernden Mosaiksteinen ... sie schimmern durchs Wasser ... und erst bei 7, und nicht vorher ... atmen Sie den Duft von Rosen .... Kamelien ... und Jasmin ... in der Nähe von Rom ... 7!

Suggestionen für Heilung

Und mit einem Fuß ... testen Sie das Wasser ... die Zehen erfühlen das warme, herrlich klare Wasser ... Heilwasser für Ihren strapazierten Körper ... und Ihre erschöpfte Seele ... Heilwasser für Celine ... nur für Sie ... alles ist sicher ... und Sie entkleiden sich und waten ins Wasser ... es trägt Sie wie eine komfortable Liege ... und Sie lassen sich tragen ... und lassen sich treiben ... überlassen sich dem Heilbad im Heilwasser ...

Das Wasser sprudelt in alle Zellen ... klärt und reinigt ...

Loslassen ... Reinigen ... Klären ... Erholung ... Regeneration ... in diesem wunderbar duftenden Heilbad ... in diesem herrlichen Garten ... in der Nähe einer vitalen Stadt: in der Nähe von Rom ...

Ausflug in die gesunde Zukunft – zum Greifen nah

Roma ... die Ewige ... die Hügelige ... die Lebhafte ... mit Cafés voller junger Menschen ... Lachen ... Gehupe ... Plätze, auf denen sich Freunde treffen ... Gassen, durch die Motociclette knattern ... Frohsinn ... Lebensfülle ...

Aber noch nicht heute, noch nicht jetzt ... jetzt erst Vorfreude ... Vorfreude darauf, dass es wieder so lebendig sein wird ... farbig ... fröhlich ... intensiv ... noch nicht jetzt ... jetzt noch Ruhe ... aber das Wissen ... es wird wieder so intensiv, Ihr Leben ... so schön und so glücklich und so ausdrucksstark ... auf allen Gebieten: in der Gesundheit, im Leben, in der Musik, in der Liebe ... und dieses tiefe Wissen darum ... macht Sie sicher ... und stark ...

Das ist die Zukunft ... Ihre Zukunft!

Weitere Heilsuggestionen

In Achtern kreisen Sie genüsslich im Wasser ... ganz für sich ... und wenn Sie sich von außen, vielleicht von oben, betrachten ... sehen Sie eine wunderschöne junge Frau ... vollkommen entspannt ... im Geglitzer von Mosaiksteinchen ... Celine ... der Heilung hingegeben. Und Sie fühlen deutlich: Es wird alles gut!

Abrundung der Trance

Sie werden merken, wann es Zeit ist, zurückzukehren ins Hier und Jetzt.

Sie beenden Ihr Bad, steigen aus dem Wasser, trocknen sich ab und kleiden sich an.

Die heilende Hypnose aber wird sich schützend um Ihre Nerven hüllen.

Sie werden von 7 bis 1 zurückzählen ... und sich sagen: »Celine, es wird alles gut! Rom ist schon ganz nah!«

Celine in der Muschel – allegro (dritte Sitzung)

Ziel: Stabilisation

Technik: Energiehülle, Kraftort, gute Suggestionen

Hypnoseanleitung

Die Hände liegen gemütlich auf dem Bauch ... die eine auf dem Oberbauch ... die andere auf dem Unterbauch ... die Augen sind geschlossen ... und Sie können sich wohlfühlen ...

Sie sind hier in Sicherheit ... in Ruhe ... und vollkommene Sicherheit und Ruhe sind die beste Voraussetzung für Heilung ... damit Sie Ihre Zeit bald wieder ganz normal verbringen können ... als gesunde junge Frau mit gesundem Lebensausdruck ... mit Zielen ... Plänen ... Aufgaben ... Erfüllung in der Musik ... und Freude am Sein ...

Rückschläge im Leben lehren uns, stärker zu werden ... lehren uns, uns besser zu behaupten ... lehren uns, etwas zu verkraften und zu wachsen ...

Und draußen im Hof hört man Arbeiter werkeln ... und eine Amsel singen ...

Und auch wir sind hier am Arbeiten – obwohl es sich gar nicht wie Arbeit anfühlt – damit es Ihnen besser und besser geht ... im Kopf ... und auch in der Seele ... und damit Sie robust werden ... kräftig und widerstandsfähig ...

Sie spüren unter den Händen, wie der Bauch sich hebt beim Einatmen ... und senkt beim Ausatmen ... und äußere Zeit, so wie sie die Kirchturmuhr gerade geschlagen hat, wird unwichtig. Zeit wird lang ... und breit ... hoch ... und tief ... ein ganzer Kubus von Zeit um Sie herum ... Zeit zum Heilen ... Schön!

Und wenn Sie weiter ruhig atmen und Ihr Bauch die Wärme der Hände spürt ... und Ihre Hände die Wärme des Bauches ... sinken Sie tiefer und tiefer in Hypnose ... in ein schönes Gefühl ...

Und es ist ganz eigenartig ... wenn Sie einatmen, heben sich die Hände mit an ... aber wenn Sie ausatmen, sinkt nur der Bauch wieder zurück ... die Hände bleiben da oben und beim nächsten Einatmen schweben die Hände wieder ein Stückchen höher ... und beim Ausatmen sinkt nur der Bauch zurück ... aber die Hände bleiben im Schweben ... steigen eher noch höher ...

Und so kommt immer ein bisschen mehr Luftraum zwischen Hände und Bauch ... die Hände werden leichter ... alles wird luftiger und geräumiger ... und die eine Hand hebt sich schon ein wenig mehr als die andere ... und dann zieht die andere nach ... und bei jedem Einatmen schweben die Hände etwas höher ... höher und höher ... in schwereloses Sein ...

Je höher die Hände steigen ... umso tiefer sinken Sie in eine wundervolle Trance ... höher und höher ... tiefer und tiefer ... in Trance ... in schwereloses Sein ... für Ihre Heilung, Celine. Sehr schön!

Und Ihre Hände bewegen sich leicht ... kommen leicht ins Schwingen ... und dieses Schwingen der Hände fährt die Unterarme entlang ... fließt in die Oberarme hinauf und versetzt Ihre ganze Person, Celine, in eine so wunderbare Schwingung, dass es sich alles auf angenehmste Weise löst ...

Die Geräusche *(Ohrgeräusche)* drehen noch eine Runde ... und nach dieser Runde eine Doppelkurve ... schlagen nach der Doppelkurve Purzelbäume ... vergessen sich voller Frohsinn dabei ... und fliegen genau auf den Wegen, auf denen sie hereingekommen waren, wieder hinaus ... hinaus aus dem Ohr ... hinaus ... und wissen gar nicht, wo sie auf einmal sind ... weshalb sie plötzlich da draußen sitzen ... verwirrt, draußen auf dem Ast eines Baumes im Hof ... sie begegnen den Klängen der Kirchglocke ... hören die Zurufe der Bauarbeiter ... dann den Gesang der Amsel ... es gefällt ihnen ... fast genießen sie es ...

Ihr Körper lässt nach ... entspannt sich ... tiefe Atemzüge ...

Ihr Kopf ruht und erholt sich ...

Gedanken lösen sich aus den Gehirnwindungen ... verwehen mit dem Wind ...

Und die Hände lehren Celine, wie alles leichter wird ... leichter ... und selbstverständlicher.

Die Hände schweben höher und höher ... mit jedem Atemzug ... sehr schön ... leichter und leichter ... und die Hände geben den Raum frei für eine schützende Hülle um Sie herum ...

Bei jedem Einatmen wächst diese starke, gesunde, kraftvolle Hülle ... eine zweite Haut, geschmiegt an die Körperhaut ... pure Energie ... Licht ... Kraft ... und Sie mittendrin ... geschützt und gehalten ...

Und je höher die Hände wandern, umso dichter und widerstandsfähiger wird Ihr Schutz ... so bleibt die Körperhaut in Ruhe ... die Organe in Ruhe ... das akustische System in Ruhe ... alles in einem besonderen »Celine-Schutz«: ... der Schutz der mentalen Power ... und das fühlen Sie jetzt!

Die Gedanken ruhig ... die Bilder fröhlich ... fröhlich wie Sonnenblumen ... fröhlich wie der Rittersporn ... der Klatschmohn ... wie die Margeriten ... die Maiglöckchen ... fröhlich wie die Glockenblumen ...

Die Sinne fasziniert ... vom Goldgelb der Sonnenblume, dem Enzianblau des Rittersporns, dem Rubinrot der Mohnblume ... dem Schneeweiß der Margerite und des Maiglöckchens ... Duft von Sommer ... Sonne ... und Sie heilen ...

(Pause)

Die Energiehülle liegt bald wieder wie zärtlich auf Ihnen auf ... während Ihre Hände sich langsam wieder ablegen ... und eine tiefe, glückselige Ruhe füllt Sie bald vollkommen aus ...

Diese tiefe glückselige Ruhe bringt Sie in den Park der Villa Adriana, wo Sie jetzt ... und ganz per Zufall ... ein besonders schönes Plätzchen entdecken ... und dort eine große Muschel ... eine Muschel, wie ein Instrument ... schön geschwungen ... robust von außen ... zartrosa innen ... Sie wandern hinein ... hinein in diese große perlmuttschimmernde Muschel ...

Sie fühlen sich sofort geborgen ...

Sie gehen tiefer in ihr Zentrum ... in Heilung ... Ruhe ... Kraft und Stärke ...

Ein stabiles Gefühl richtet Sie auf ... Sie fühlen sich frisch und klar und freudig ... spontan ... lebendig und abenteuerlustig ... so wie Sie sich kennen ... damals, in Rom ... und morgen, woanders. Sie finden alles ... genau das Richtige ... alle Heilstoffe ... alle Energie ... für Ihre Gesundheit ... für Ihre Karriere ... und Ihr erfolgreiches Leben ...

Und wann immer Sie sich danach fühlen, kommen Sie wieder ins Hier und Jetzt zurück ... in freudiger Stimmung ... frohen Mutes ...

Von überschäumend wild bis romantisch zartbesaitet – vivace (vierte und letzte Sitzung)

Ziel: Integration von aggressiven und depressiven Persönlichkeitsanteilen

Technik: Verteilen der zwei Persönlichkeitsanteile auf die beiden Hände, ideomotorisches Zusammenführen der Hände mit Suggestionen zu Integration und Wachstum

(Diese Hypnose folgt auf Celines Bericht, dass sie manchmal auch ungezügelt aggressiv, sogar gewalttätig sei.)

Hypnoseanleitung

Jetzt ist Celine eine Waage.

Legen Sie mal in die eine Hand Ihre Wut, Ihre kraftvolle Rage, hinein, und in die andere Hand Ihre sensible Schwäche.

In welcher Hand ist jetzt was?

Gut, hier ist die kraftvolle Rage ... und auf dieser Seite die sensible Schwäche.

Und Sie möchten in Balance sein und Ihre zwei Seiten positiv zur Wirkung kommen lassen.

So schließen Sie nun einfach die Augen! Wir haben heute viel gesprochen und sind auf Interessantes gestoßen und erst jetzt habe ich Ihre ganze Gefühlsbreite kennengelernt, von zaghaft bis wild.

Zwei Seiten, sehr gegensätzlich ... eine ist gewaltig ... kraftvoll ... überschäumend ... die andere zurückgezogen, ängstlich, depressiv und sehr sensibel. Beides in einer gelungenen Komposition wird großartige Potenziale freisetzen ...

Und das ist Ihr Wunsch! Und dieser Wunsch ist erfüllbar ... mithilfe Ihres Unbewussten.

Sie haben die eine Seite intuitiv in die rechte Hand platziert ... und die andere in die linke ... und nun schauen Sie mal mit dem inneren Auge auf das kleine Energiebündel. Das kann sich so wahnsinnig ärgern, das wird fast verrückt, wenn es getriezt wird, das platzt aus der Haut, das schäumt vor Wut ... und manchmal rastet das kleine Mädchen richtig aus ... es wird so wild, dass es sich gar nicht mehr zähmen kann ... es haut zu und kriegt vor sich selber Angst ... verbraucht unglaublich viel Energie ... und nachher verbleiben ohnmächtige Gefühle ... Hilflosigkeit ... Bestürzung ... Scham ... Verwunderung über sich selbst ... das kleine Mädchen kann es nicht wirklich in Worte fassen, es fühlt sich einfach elend.

Jetzt schauen Sie auf die andere Seite. Hier ist die Zarte ... Depressive ... Zurückgezogene ... Ängstliche, die sich nicht traut, am liebsten die Decke über den Kopf zieht ... ein sensibles kleines Ding voller Gefühle ... voller Nachdenklichkeit ...

Und sicher hat sich das Unbewusste auch schon gedacht: Das wäre doch wundervoll, wenn die beiden miteinander zu einem Ganzen vereint werden könnten ... sich ergänzen und ein gemeinsames Neues bilden würden.

Und wenn Sie nun tiefer in Hypnose tauchen, kann sich etwas ganz Besonderes ereignen ... ganz von selbst ... gelenkt durch Ihre intuitive Intelligenz ...

Sie, Celine, lehnen sich zurück ... atmen ruhig ... und vertrauen ...

Sie beobachten Erstaunliches ... die Hände fangen an, sich leicht zu bewegen ... ja, sie heben sich sachte an ... samt ihrem Inhalt ... und nicht Sie machen das ... und nicht ich mache das ... die Hände bewegen sich ... auf eine ganz geheimnisvolle Weise ... unter Führung Ihres großartigen Unbewussten bewegen sie sich sachte ... drehen sich ganz vorsichtig einander zu ... drehen sich, bis sich die zwei Seiten anschauen können ...

Die Hände, und mit ihnen die beiden wertvollen, inneren Anteile treffen sich ... Neues bahnt sich an ... die Kinder sind gewachsen ... sind Mädchen geworden ... junge Mädchen ... junge Frauen ... Frauen ... mit den Seiten: wild und energisch dynamisch ... verspielt romantisch, zartbesaitet ... musikalisch ... einfühlsam ...

Die zwei Celines stehen sich gegenüber ... schauen sich das erste Mal richtig an ... erfassen sich ... erkennen ... beginnen zu verstehen ...

Sie erkennen und verstehen: Die ungeheure Kraft, die in der Rage steckt ... diese Unerbittlichkeit ... diese Dynamik ... das Impulsive ... hat gute Seiten.

Das Zarte ... das Sensible hat hervorragende Seiten ... ist das Zartbesaitete ...

Die Zeiten des trotzigen Kindes, des Kindes, das sich nicht beherrschen kann, wild und aggressiv, die sind vorbei ... die Zeiten des schwächlichen, ängstlichen Kindes, das am liebsten die Decke über den Kopf zieht, sie sind auch vorbei.

Die rasende Wildheit ... la rage ... die Wut ... das war früher ...

Die depressive Schwäche ... das ist Vergangenheit ...

Die Wildheit birgt die Dynamik ... die Zartheit die Sensibilität ...

Die Hände nähern und nähern sich ... in tiefer Hypnose finden sie zueinander ... berühren sich ... vereinen beide Seiten zu einem einmaligen Ganzen ...

Sie singen mit ... hören sich aber auch selber zu ... ein Miteinander ... dynamisch ... kraftvoll ... energisch und zart ... wild ausgelassen und besinnlich romantisch ... eine ganze Klaviatur ... von hohen Tonlagen ... bis zu den tiefen ... harmonisch ... ein wahres Zusammenspiel ... Mit ihren zwei Seiten vereint kommt Celine zur höchsten Vollendung ...

Und Sie hören sich selber spielen ... kraftvoll musikalisch ... im richtigen Tempo ... berührt treten Tränen in Ihre Augen ... die Trance wird tiefer und tiefer ... Ihre zwei Seiten ... beide wertvoll ... beide sinnvoll ... beide wichtig für den Ausdruck Ihrer selbst ... und die Hände legen sich gemeinsam auf dem Körper ab ... ein neues »Celine-Gefühl« löst sich in Ihnen aus ... Einklang ... Syn-Phonie!! ... nur Sie, einzigartig Sie! Celine!

Ihr Repertoire, Celine, ist ein Zusammenspiel von Virtuosität ... Zartheit ... Romantik ... vertont in der Sprache der Musik ... mit dem Überschäumenden ... dem Klaren ... Kraftvollen ... Resoluten ...

Ganz Sie! Celine!

Sie werden unglaublich stark sein ... und wunderschön spielen ...! Sie spüren das jetzt in jeder Zelle ... und das stabilisiert ... und beflügelt Sie! Vor dem Publikum sind Sie vollkommen ausgeglichen ... präsentieren mit Freude, was Sie können ... mit Freude, welch wundervolle Töne Sie Ihrem Instrument entlocken ... zauberhaft schön ... das ganze Repertoire Ihrer Gefühle auf hohem Niveau.

Und Selbstvertrauen ist selbstverständlich!

Celine partout dans le monde

Es folgt eine fröhliche deutsch-französische Korrespondenz mit Grüßen aus verschiedenen Ländern und Kontinenten. Meine Hypnosen begleiten sie: »... und Sie waren eigentlich auch dabei (mit den CDs). C'est une telle joie d'être de retour et je vous remercie du fond du cœur pour toute votre aide. Je vous souhaite un très bel été, et j'espère à très bientôt, C.

Liebe Celine, ich sende Ihnen herzlichste Grüße in die weite Welt, wo auch immer Sie gerade sind. Ihre Agnes KR«

2.4 Lebenskrise und Depression

Eine gute Hypnose wirkt von Natur aus antidepressiv. Weshalb?

Sie ermöglicht in gelungen gesunder Dissoziation die Dinge aus anderem Blickwinkel zu sehen, sie gewährt Einsichten und vor allem Aussichten, von außen-oben-hinten-unten, und dank Trancelogik alles gleichzeitig, natürlich immer im Schutz der behutsam geführten Trance. Sie ist Experimentierraum und innere Bühne zugleich, um außerhalb der gewohnten Denkmuster, Bezugsmuster und inneren Dialoge – vielleicht sogar außerhalb des Systems mit seinen eingefahrenen Spielregeln – Neues zu erproben. Verwandelt sich dabei öde Landschaft in liebliches Hügelland, dann findet Veränderung tief in der Person statt. In den freundlichen Gefilden des Unbewussten wird daraufhin auch nachts im Traum experimentiert, kommuniziert, integriert, sogar gelacht und getanzt ... und gelernt: »Paradise is now!«

Eine gute Hypnoseanleitung würdigt zu Beginn das momentane Gefühl und formuliert das definierte Ziel. Erst nach Betonung der persönlichen Fähigkeiten und Kompetenzen beginnt eine sichere und wohlige Trance mit richtig gewählten Worten, die aufhorchen lassen und Neugierde wecken. Ressourcen setzen sich frei. Das innere System weitet sich spontan, wird geschmeidiger, flexibler, offen für neue Ideen, Bilder und Gefühle. Verlockende Angebote für die Reise ins aktive Leben und Ausflüge in die Welten der Zukunft lassen gefühlsintensive Momente zurück, die auf geheimnisvolle Weise beginnen, in der Person ein turbulent gesundes Eigenleben zu treiben.

Nach Michael D. Yapko ist Depression ansteckend.[2] Gute Laune ist es auch. Und die fühlt sich doch viel besser an. Eine gute Hypnotherapie mit schönen Hypnoseanleitungen, im Wechsel mit aktiven Hypnose-Interventionen, ist ein erfolgreicher und überaus erfreulicher Weg, raus aus der Depression, rein in ein stabiles, gutes Lebensgefühl.

(Die Abschnitte 2.4.1 bis 2.4.3 sind ursprünglich Hypnoseanleitungen für eine 75-jährige Dame.)

2.4.1 Das Wunder von Capri

Ziel: Aufhellung der depressiven Stimmungslage mithilfe einer positiv stimulierenden Zukunftsvision und Anregung, seine Träume zu leben

Hypnoseanleitung

Persönliche Ansprache und erste Suggestion

Liebe/r Frau/Herr ... jetzt machen wir eine schöne erste Hypnose zusammen, damit Sie sich wohler fühlen und der Himmel über Ihnen aufklart.

Wertschätzung der Person

Ich bedanke mich für Ihr Vertrauen ... ich bedanke mich für das, was Sie mir alles berichtet haben ... ich habe Sie kreuz und quer abgefragt ... und wir haben eine Menge Material gefunden zum Arbeiten und mit »Material« meine ich vor allem Ihre Ressourcen ... Stärken ... Talente ... Ihre ganz persönlichen Fähigkeiten.

2 M. D. Yapko während des Workshops »Strategic Applications of Hypnosis in Treating Depression« beim Jahreskongress der DGH 2014.

Sie haben sehr viel geleistet in Ihrem Leben ... tüchtig ... diszipliniert ... Sie haben viel gewonnen ... leider auch viel verloren. Das war Ihr Leben ... bis jetzt ... doch ... die Vergangenheit soll nicht die Zukunft bestimmen.

Idee der Veränderung

Jeder Tag ist ein neuer Tag ... jeden Tag werden die Karten neu gemischt ... jeder Tag ist auch Neubeginn ... mit Überraschungen ... und ... dank der Kraft Ihrer unerschöpflichen Intuition ... können Sie jeden Tag wieder neu gestalten.

Erklärung zur Hypnose

Im hypnotischen Zustand verbinden wir uns mit unseren inneren Stärken ... es bieten sich die besten Bedingungen, unsere Intuition zu fördern ... wir werden uns unserer unbewussten Fähigkeiten bewusster ... nutzen sie öfter ... und entwerfen leichthändiger neue Ideen über unser Leben ... Ideen, die uns im bewussten Nachdenken vielleicht nie in den Sinn gekommen wären.

Hypnose macht es also leicht ... und nichts ist schöner, als jetzt in eine sichere Trance zu gleiten ... ganz leicht ... sich wohlfühlen ... in schönem Ambiente ... ganz woanders ... Sie wissen, Sie sind hier ... Sie hören meine Stimme ...

Dissoziation an einen schönen Ort zur Trancevertiefung und zum Hervorrufen guter Gefühle

Und ... Sie haben mir von Capri erzählt ... diesem wundervollen Stückchen Land im Meer ... dieser für Sie so besonderen Insel ... Sie haben mir von Ihrem Hotel erzählt ... Ihrem Hotel auf Capri ... mit der grünen Rasenfläche ... da sitzen Sie im Sonnenlicht ... in wohltemperiertem Klima ... Ausblick auf die Weinberge ... aufs Meer ... das Blau des Meeres ... das Grün der Weinberge ... und Sie sind ganz bei sich ...

Intensivierung durch sensorisches Erinnern

Und Sie atmen tief durch ... und wenn der Bauch gluckert, ist das ein gutes Zeichen für Entspannung ... der Körper lehnt sich zurück ... Sie sitzen im bequemsten Stuhl auf der grünen Wiese ... spätnachmittags ... alles ist in ein wundervolles Licht getaucht ... auch Sie selbst ... auf der kleinen Insel im Mittelmeer ... in der Ferne der Vesuv ...

Ruhe kommt über Sie ... die Hypnose wird tiefer ... ganz von alleine ... Sie atmen diese wundervolle Luft ... Gras ... Meer ... ein bisschen Sonnenmilch ... ein Hauch von Parfum ... das Aroma von reifen Früchten ... und Espresso ...

Hypnosevertiefung durch leichte Berührung mit zwei Fingerspitzen an der Stirn – etwa 30 Sekunden lang

Ich berühre Sie ganz zart an der Stirn ... hier über der Nasenwurzel ... ganz ruhig ... klare Ruhe ... die Augen genüsslich geschlossen ... im bequemen Liegestuhl im Garten auf Capri ... alles um Sie herum unwichtig ... weit entfernt ... Sie in Verbundenheit mit sich selbst ... kommen ins Träumen ... mit jedem Atemzug sinken Sie tiefer ... und tiefer ... und tiefer ... in angenehmstes Gefühl ...

Kurze Definition des Arbeitsbegriffes »Das Unbewusste«

Das Unbewusste ... eine weise Instanz tief in Ihnen ... hat Sie schon hierher begleitet ... aufmerksam dem Gespräch gelauscht ... es kennt Ihre Ziele, besser als Sie ... es kennt Ihre Ressourcen, besser als Sie ... es regelt Dinge auf seine Art ... klug und erstaunlich einfach ...

Beginn der Trance-Utilisation mit einer Vorstellung

So schweben – überraschenderweise – vor Ihrem entspannten Auge ... Gebilde wie Seifenblasen ... sie scheinen in der lauen Luft des Mittelmeeres zu tanzen ... glänzend ... schimmernd ... reflektierend ...

Suggestion für die Erinnerung an eine Situation im Vollbesitz mentaler Stärke

Es verwundert Sie vielleicht ... Sie schauen ein bisschen genauer hin ... nehmen eine luftige Kugel ins Visier ... und erblicken darin ... zu Ihrem Erstaunen ... eine sehr positive (!) Situation aus Ihrer Lebensgeschichte: Sie ... kompetent ... souverän ... klar ... freudig ... eine Situation – bewusst vergessen ... unbewusst gespeichert ... jetzt erinnert ... und wiederbelebt ...

Ideomotorische Rückmeldung zur Information, wann das Erlebnis eintritt

Und ein Finger hebt sich ganz von allein, um anzuzeigen: Sie sehen diese Situation ... jetzt ... eindrucksvoll ... plastisch ...!

Sehr gut, sehr schön, der Finger hebt sich ... und Sie sind wie verzaubert von dem schönen Bild ... Sie sehen sich in guter Verfassung, stimmig und klar ... souverän und kompetent ...

Und diese luftige Lichtkugel schwebt weiter ... in die Weite ... hinaus auf das offene Meer ...

Suggestion für die Erinnerung an eine Situation im Vollbesitz physischer Stärke

In Ihr Gesichtsfeld schwebt die nächste Kugel ... und wieder ist eine Situation abgebildet ... eine gänzlich andere ... und Sie sind auch diesmal wie verzaubert von dem schönen Bild ... Sie sehen sich in guter körperlicher Verfassung ... ein Erlebnis ... kraftvoll ... sportlich ... belastbar ... vital ... abenteuerlustig ...

... wieder eine Situation – lang vergessen ... unbewusst gespeichert ... jetzt erinnert ... und wiederbelebt ...

Ideomotorische Rückmeldung zur Information, wann das Erlebnis eintritt

Und wieder hebt sich der Finger, sobald Ihnen die Situation deutlich wird. Ja, sehr gut, der Finger zeigt es an.

Sehr schön, auch diese Kugel schwebt weiter ...

Suggestion für die Erinnerung an eine Situation mit Herzenswärme

Und die nächste Kugel erscheint im Blickfeld ... Eine vollkommen andere Situation ... eine vollkommen andere Zeit ... vollkommen andere Fähigkeiten und Ressourcen ... Begegnung ... Liebe ... Behaglichkeit ... stimmungsvolle Atmosphäre ... all das sind Sie ... Blumenduft ... Kerzenschein ... Schönheit ...

Ideomotorische Rückmeldung zur Information, wann das Erlebnis eintritt

Und wieder hebt sich der Finger und zeigt wieder an, dass die Situation auf Ihre bewusste Ebene tritt. Sehr gut.

Sehr schön, und auch diese Kugel entschwebt in die Weite ...

Suggestion für das bildhafte Erscheinen des ganzen Spektrums an inneren Werten

Es schwirrt nochmals eine Kugel heran ... in ihr spiegeln sich all Ihre Werte in allen ihren Facetten ... bunt gemischt ... ein Potpourri Ihrer Fähigkeiten ... ein Kaleidoskop Ihrer Ressourcen und Stärken ... und Sie mittendrin ... mit Ihren Interessen und Vorlieben ...! Alles das sind Sie! Geselligkeit ... Verbundenheit ... Kontakte ... und Sie mittendrin ... in Ihrer Lebensfreude!

Lassen Sie sich viel Zeit, alles genau zu betrachten!

Und auch diese Kugel schwebt weiter ... aber in Ihnen bleibt alles lebendig ...

Trancevertiefung für tiefere unbewusste, therapeutische Vorgänge

Und während ich von 1 bis 5 zähle, sinken Sie tiefer und tiefer in eine vollkommene Trance ... so leistet das Unbewusste wichtige Arbeit:

... 1 ... es durchforstet ... und findet ... 2 ... wählt aus ... und verbindet ... 3 ... organisiert neu ... und legt Wege frei ... 4 ... für ein frohes Lebensgefühl ... 5 ...

Und ein tiefer Atemzug wird die getane Arbeit anzeigen.

Der Raum des Lebens breitet sich in Ihnen aus wie das weite Meer vor Ihnen. Je weiter Sie nach vorne gehen, umso weiter öffnet sich der Horizont ... Sie schauen sich um ... Sie finden, was Sie suchen ... mitten im Leben ... verbunden mit der Welt ...

Erleben einer vollkommen unbewusst inszenierten Vision von einer guten Zukunft

Und auf einmal ... Sie haben es wohl nicht erwartet ... schwebt eine große Kugel heran ... angekündigt von einem Gong ... viel größer als die anderen, fast majestätisch ... schillernd ... leuchtend ... die Zukunftskugel. Und Ihre Person mittendrin!

Sie sehen sich erst nur von außen. Eine glückliche Person in einer glücklichen Situation ... verbunden mit sich und verbunden mit der Welt ... voller Erlaubnis ... voller Freiheit ... voller Freude ... und Sie wissen nicht, wie Sie dahingekommen sind ... ob tanzend ... Ski fahrend ... lernend ... lesend ... schreibend ... reisend ... schauend ... hörend ... träumend ...

Sie wissen es nicht, aber Sie sehen, Sie sind da!

Und Sie steigen ein in diese Vision, wie in ein Raumschiff ... und probieren sich aus ... testen, wie es sich anfühlt, dieses Neue ... immer Ersehnte ... und jetzt Erfüllte ...

Sie fühlen sich richtig ... und willkommen in der Welt ...

Sie probieren sich aus, so wie Sie auf dem Heimtrainer trainieren, um dann bald wirklich auf den Berg zu wandern ... kraftvoll und fit ...

Sie genießen noch lange ... im Liegestuhl auf Capri ... wo Wunder geschehen ...

Tranceausleitung

Erst wenn Sie genug erfahren und gelernt haben, kehren Sie zurück ... mit einem frischen Gefühl im Herzen ... und neuen Ideen im Kopf ... und der Vorfreude, nachts im Traum immer wieder Ihre Zukunftskugel zu besuchen und für den nächsten Tag Neues zu proben ...

2.4.2 Ein herrlich grauer Novembertag

Ziel: die Lebensleistung wertschätzen, die Selbstabwertung mindern und die depressiv unzufriedene Grundstimmung aufhellen

Technik: Hypnoseinduktion mit Augenfixation, Stellvertretertechnik: Fantasiewanderung durch die seelische Landschaft

Hypnoseanleitung

An einem herrlich grauen Novembertag ist es draußen ungemütlich ... ist kalt ... stürmt und regnet ... genau richtig, um es sich im Haus gemütlich zu machen ...

Eine Kerze brennt ... und Sie schauen auf die Flamme der Kerze ...

Ihre momentanen Gedanken und Gefühle sind Basis für die Hypnose ... stimmen auf Ihr Thema ein ... sind Voraussetzung für Veränderung ...

Auch wenn Sie auf die Flamme der Kerze schauen, können Sie noch alles im Raum wahrnehmen ... den ganzen Raum ... vom Boden bis zur Decke ... alle Gegenstände ... alle Einzelheiten ... Licht- und Schattenspiel ... und draußen – hinter den verregneten Fensterscheiben – die Herbstfarben ... das Grau des Himmels, aber auch das Rot und Gelb der Blätter, die sich trotz des Sturmes immer noch am Ast halten ...

Dann passiert Interessantes ... Sie schauen nur noch auf diese kleine Flamme ... mitten in ihr leuchtendes Zentrum ... Sie hören meine Stimme ... das Sichtfeld wird kleiner ... Sie sehen nur noch die Flamme ... als ob Sie durch einen Tunnel blickten ... die Augenlider ermüden ... werden schwer ... die Silhouette der Flamme verschwimmt ... die Augen mögen sich schließen ... so geben Sie diesem Bedürfnis doch nach ... schließen Sie die Augen!

Ganz in Ruhe bei sich ... alles um Sie herum unwichtig ... nur noch das Gefühl von Sicherheit ... Ruhe ... Friedlichkeit und Wärme ...

Sie haben eine lebhafte Vergangenheit ... auch heute ist Ihr Leben vielseitig: Reisen ... Wanderungen ... Theaterbesuche ... Ausstellungen ... Begegnungen ...

Es wirkt aber so, als ob Sie das alles nicht richtig erfüllt ... oder nicht so erfüllt, dass Sie abends zufrieden ins Bett plumpsen ... morgens erfrischt aufwachen, neugierig auf den jungen Tag ... fröhlich vor sich hin summen ... und sich wohlfühlen.

Genau das aber wünschen Sie sich ... Sie möchten sich in Ihrem Leben wohlfühlen ... Sie wollen sich erfüllt fühlen ... auf eine gesunde kluge Art glücklich sein mit dem, was Sie haben ... verbunden in der Welt ... und freudig in sich ...

Ihr Leben war nicht immer so, wie es Ihren Träumen entsprochen hätte ... und aus diesem Grund ist es heute doppelt wichtig, dass Ihre Tage auf der Sonnenseite des Lebens spielen ... und Sie das uneingeschränkt genießen ...

So sinken Sie in diese Novemberruhe, in der auch die Natur nachgibt ... mit jedem Ausatmen lehnen Sie sich mehr zurück ... tauchen in Novemberfarben ... mit jedem Atemzug mehr ... genießen dieses herrliche Novembergrau ... in dem Sie einfach so sein dürfen, wie Sie sind ...

Und beginnen innerlich zu wandern ... ausgehend von dem Ort, wo Sie gerade sind ... wandern ... ohne bestimmtes Ziel ...

Sie wandern ... wandern gemächlich ... wandern in einer Natur, die genau Ihrem Gefühl entspricht ... die Formation der Landschaft, genau wie Ihr Gefühl ... die Farben, genau wie Ihr Gefühl ... das Klima, genau wie Ihr Gefühl ... die Luft, genau wie Ihr Gefühl ... der Himmel, genau wie Ihr Gefühl ... voller Wolken ... novembergrau ... schwer ... müde ...

Und mit jedem Atemzug setzen Sie einen bedächtigen Schritt vorwärts ... nehmen im Novembergrau alles intensiv wahr ... erkunden aufmerksam ... erfühlen achtsam ... verstehen ... verstehen mehr ... begreifen ... begreifen mehr ...

Sie wandern lange so vor sich hin ... *(Pause)*

Und nach geraumer Weile geschieht Wundersames ...

Wohl aus spontanem Impuls heraus beginnen Sie ... langsam, langsam ... im Wandern kleine Dinge zu verändern ... und Sie brauchen nicht zu wissen, wie ... oder was ... es sind tiefere Fähigkeiten, die jetzt zutage treten ... Ihre enorme Kraft ... Ihre Disziplin ... Ihr Glaube ... und Ihr Durchhaltevermögen ... Ihre Liebe zu den Dingen ... zur Kunst ... zur Musik ... zur Poesie ... zur Natur ... wohl auch zu den Menschen ... und zu sich selbst ...

Es begegnen Ihnen auf Ihrer Wanderung Dinge, die nicht guttun ... Sie verändern sie ... wie traumwandlerisch ...

Worte, die Ihnen nicht guttun ... Sie fahren mit der Hand darüber ... wischen sie weg ... ersetzen sie durch das, was wirklich passt ... zeichnen neu ... in neuen Schriftzügen ...

Ein Text flattert ins Ohr, den Sie nicht schätzen ... ein Ausspruch über Sie selbst, der nicht guttut. Mit all Ihrer Kraft wischen Sie ihn weg ... entmachten schwungvoll seine Wirkkraft ... tauschen ihn aus ...

Ein altes Bild hängt schräg in einem Baum ... Sie entfernen es ... und malen etwas Zeitgemäßes ...

Ein Gefühl kauert am Wegrand ... unzufrieden, bedrückt ... im Vorübergehen streifen Sie ihm mit leichter Hand die Schwere ab ... das Gefühl streckt sich ...... atmet durch ... richtet sich auf ... strafft sich ... hellt sich auf ...

Ein Sonnenstrahl trifft Ihren Weg ...

Und Sie gehen weiter ... und weiter ... und durch jeden Schritt, den Sie nach vorne setzen, schließt sich ein Loch, durch das Energie bislang abfloss, anstatt zu verbleiben ... mit jedem Tritt festigt der Fuß mit seinem Abdruck den Boden ... die Kraft bleibt in Ihnen ...

Die Landschaft verändert sich ... wirkt wie durchlüftet ... besonnt ... und mit jedem Fußabdruck, den Sie auf dem Boden hinterlassen ... stabiler ... klarer ... und fester ... und Sie wandern weiter ...

Die Landschaft wird heller ... sonniger ... farbiger ... blühender ... egal, was um Sie herum ist ... egal, ob Novemberwetter ...

So kommt auf leisen Sohlen ... nach und nach ... unmerklich fast ... Veränderung ... und je weiter Sie nach vorne gehen, desto weiter bleibt Vergangenheit zurück ... eine Vergangenheit mit Turbulenzen ... eine Lebensgeschichte mit großen Prüfungen.

Und tief im Inneren wissen Sie:

»Mein Lebensabschnitt jetzt bietet die Phase des ruhigen Glücks ... mit interessanten Leuten, mit denen ich mich interessant fühle ... wertvollen Menschen, mit denen ich mich wertvoll fühle ... klugen Menschen, mit denen ich mich klug fühle ... begeisterungsfähigen Menschen, mit denen ich mich begeisterungsfähig fühle ... liebenswerten Menschen, mit denen ich mich liebenswert fühle ...«

Gute Gefühle nehmen in Ihnen an Stärke zu ... die Flamme des Lebens brennt heller in Ihnen ... Ihre Stimmung ist zuversichtlich ... Sie freuen sich an Unternehmungen ... und freuen sich auch in Ruhephasen zu Hause, weil die schönen Unternehmungen in Ihnen nachklingen ...

Und Sie überraschen sich selbst, dass Sie manchmal vor sich hin schmunzeln, vielleicht, weil Ihnen ein Spruch von Karl Valentin in den Sinn kommt:

»Ich freue mich, wenn es regnet. Denn wenn ich mich nicht freue, regnet es auch.«

Sie fühlen Sie sich wohl und stabil ... gehen abends mit einem guten, gesunden, runden Gefühl ins Bett ... schlafen nachts mit schönen Träumen ... und wachen am Morgen auf ... neugierig auf den jungen Tag ... auch wenn er einfach ein ruhiges Sein in den eigenen Räumen ist.

Sie sind zufrieden und dankbar für die Zeit, die Sie jetzt durchwandern.

2.4.3 Ressourcen sprudeln wie Champagner

Ziel: guter Umgang mit sich selbst

Technik: Auffinden einer passenden maßgeschneiderten Ressourcensituation mit ihren Kognitionen; diese durch wechselseitiges leichtes Tippen auf die Schenkel bewusst und unbewusst aktivieren; danach Interferieren mit der Situation, die verändert werden soll (nach Sittig 2011); destruktive innere Dialoge (Selbstsuggestionen) und schlechte Gefühle werden gelöscht und neue, taugliche und hilfreiche verankert; die Ressourcensituation kann eine banale sein, muss sich aber stimmig anfühlen und ausreichend positiv aufgeladen sein

Das hier beschriebene Weingeschäft ist nur beispielgebend, genauso wie die persönlichen Traumakognitionen und maßgeschneiderten Ressourcenkognitionen.

Die Traumakognitionen heißen in diesem Fall: »Ich kann das nicht aushalten. Ich bin falsch. Man misstraut mir. Ich habe keinen Platz. Ich habe keine Wurzeln. Ich fühle mich nicht geerdet. Ich könnte auch tot sein.«

Die maßgeschneiderten Ressourcenkognitionen dazu heißen: »Ich kann damit umgehen. Ich bin richtig, so wie ich bin ... ich fühle mich akzeptiert. Ich bin vertrauenswürdig. Ich bin in der Welt zu Hause. Ich stehe mit beiden Füßen auf festem Boden. Ich fühle mich wohl und akzeptiert. Ich bin verbunden mit der Welt ... und eins mit mir! Ich bin gewollt.«

Hypnoseanleitung

Erleben der Ressourcensituation

Sie sitzen bequem ... Ihre Augen geschlossen ... Ihr Geist konzentriert ...

Gehen Sie nun in Ihre Ressourcensituation, die Sie mir eben beschrieben haben. Es ist in Frankreich ... Sie haben gejoggt ... Sie sind in einer kleinen Weinhandlung, in der Sie noch nie waren ... Sie möchten eine Flasche Champagner kaufen ... Sie wählen eine gute Flasche ... und bemerken erst jetzt, Sie haben gar kein Geld dabei ...

Der Weinhändler – zu Ihrer Überraschung aber – sagt Ihnen in schönem Französisch:

»Madame, nehmen Sie den Champagner mit und zahlen Sie ihn morgen!«

Und Sie sinken in dieses schöne Gefühl:

»Ich fühle mich akzeptiert ... ich bin vertrauenswürdig ... ich bin richtig!«

Sie fühlen es, als wäre es jetzt ... ganz deutlich ... vielleicht deutlicher als damals ... bewusster ... und Sie sind sich bewusst darüber, dass Sie diese schönen Gefühle haben ... das Unbewusste spielt die Elemente dieses Gefühls hoch ... spielt auf wie zum Tanz einer schönen Situation ... einer schönen Erfahrung ... ganz lebendig:

»Ich fühle mich akzeptiert ... ich bin vertrauenswürdig ... ich bin richtig!«

Sie hören die Sprache ... das elegante Französisch ... in der Nase Geruch von köstlichem Wein ... das Auge gleitet über Weinfässer und Flaschen ... angenehme Kühle ... Erfrischung nach dem Joggen ... das freundliche Wesen des Weinhändlers ...

Sie fühlen: »Heute steht mir die Welt offen!«

Beginn des wechselseitigen Tippens zum Vertiefen des guten Gefühls

Wenn Sie das nun intensiv erleben, nicken Sie doch einfach mal mit dem Kopf!

Sehr schön! Und jetzt fangen Sie bitte an, mit den Fingerspitzen leicht und entspannt regelmäßig abwechselnd rechts und links auf Ihre Oberschenkel zu tippen ... rechts – links ... genau ... sehr schön ... sehr gut!

Jetzt wandert dieses gute Erleben ins Gefühl ... und prägt sich für immer tief ein ... das gute Gefühl wandert in jede Zelle im Körper ... in jede Zelle im Gehirn ...

Sie fühlen, Sie sind willkommen und Sie hören sich innerlich sagen:

»Ich fühle mich akzeptiert ... ich bin vertrauenswürdig ... ich bin richtig! Ich stehe mit beiden Füßen auf festem Boden. Ich fühle mich wohl und akzeptiert ... ich bin verbunden mit der Welt ... und eins mit mir! Ich bin gewollt.«

Richtig schön leuchtet dieses einzigartige Gefühl klar in Ihnen auf ... löst angenehme Gedanken aus:

»Ich bin willkommen. Ich lebe! Ich bin lebendig!«

Das gute Gefühl mit den Ressourcenkognitionen wird an dieser Stelle mit den bekannten hilflosen inneren Dialogen interferiert, wobei die guten Aussagen klar und laut gesprochen werden, die schlechten eher leise.

Und Sie tippen bitte weiter ... da kommen alte Parolen dazwischen: »Das ist furchtbar. Ich kann das nicht aushalten. Ich habe keinen Platz. Ich habe keine Wurzeln. Ich fühle mich nicht geerdet.«

Und sofort schaltet sich ein: ›Ich lebe! Ich bin lebendig! Ich fühle mich eins mit der Welt und geborgen! Ich lebe! Ich bin lebendig! Ich bin eins mit der Welt und geborgen!‹

Und Sie tippen bitte weiter ... und wieder kommen alte Parolen dazwischen: »Ich kann das nicht aushalten. Ich bin nicht richtig. Ja, ich bin falsch. Man misstraut mir. Ich habe keinen Platz. Ich habe keine Wurzeln. Ich fühle mich nicht geerdet. Ich könnte auch tot sein.«

Dagegen tritt kraftvoll an: »Ich kann damit umgehen ... ich fühle mich akzeptiert ... ich bin vertrauenswürdig ... ich bin richtig! Ich stehe mit beiden Füßen auf festem Boden. Ich fühle mich wohl und akzeptiert ... ich bin verbunden mit der Welt ... und eins mit mir! Ich bin gewollt.«

Ich spreche das jetzt etwas durcheinander aus, Sie tippen unentwegt weiter, damit vernetzt sich im Gehirn Neues, Positives:

»Ich kann das nicht aushalten.«

»Ich kann das bewältigen.«

»Ich bin falsch.«

»Ich bin richtig, so wie ich bin ... ich fühle mich akzeptiert.«

»Man misstraut mir.«

»Ich bin vertrauenswürdig!«

»Ich habe keine Wurzeln. Ich fühle mich nicht geerdet.«

»Ich stehe mit beiden Füßen auf festem Boden.«

»Ich habe keinen Platz.«

»Ich habe meinen Raum. Ich bin in der Welt zu Hause. Ich bin willkommen.«

»Ich könnte auch tot sein.«

»Ich bin gewollt. Ich lebe! Ich bin lebendig! Ich bin in meinem Weingeschäft!! Ich bin dort willkommen!!!«

Sie sehen in das liebenswürdige Gesicht des Weinhändlers ... Sie fühlen sich stark und geerdet ... Sie tippen bitte weiter ... rechts ... links ... rechts ... links ...

»Ich kann das nicht aushalten.«

»Ich kann das bewältigen.«

»Ich bin falsch.«

»Ich bin richtig, so wie ich bin ... ich fühle mich akzeptiert.«

»Man misstraut mir.«

»Ich bin vertrauenswürdig!«

»Ich habe keine Wurzeln. Ich fühle mich nicht geerdet.«

»Ich stehe mit beiden Füßen auf festem Boden.«

»Ich habe keinen Platz.«

»Ich habe meinen Raum. Ich bin in der Welt zu Hause. Ich bin willkommen.«

»Ich könnte auch tot sein.«

»Ich bin gewollt. Ich lebe! Ich bin lebendig!«

»Ich bin in diesem Weingeschäft ... ich möchte eine schöne Flasche Champagner für den Abend haben ... da ist der Weinhändler, der mich gar nicht kennt ... und ich kann den Champagner einfach mitnehmen ... ich bin vertrauenswürdig ... ich bin sympathisch für ihn ... er freut sich, dass er eine nette Kundin hat ... und diese Kundin bin ich ... ich fühle mich gut.«

»Ich stehe auf festen Füßen! Ich bin auf diesen Füßen gerade eine lange Strecke gejoggt ... ich stehe jetzt in dem Weingeschäft und der Händler schenkt mir sein Vertrauen und gibt mir den Champagner.«

Und Sie nehmen Ihren Champagner ... gehen zum Ausgang des Weingeschäftes ... fühlen sich einfach nur wohl ... wohl und geerdet ...

Suggestionen in Bezug auf Veränderung

Und während die Hände zur Ruhe kommen, verstärken sich die Halt gebenden Gedanken ... bekommen so viel mehr innere Präsenz ... es überwiegt das Kraft gebende Wohlfühlen ... gibt so viel mehr Ausdauer ... und so viel mehr Lust am Leben!

Erproben der Veränderung, Entschluss zur Veränderung, Verankerung der Veränderung

Sie bleiben dort stehen ... in der Tür ... auf der Schwelle zum Weinhandel ... und es ist Ihre Entscheidung, wann Sie aus diesem gemütlichen Weingeschäft hinausstreten ... wann Sie in etwas Neues hineintreten wollen ... und die Welt auf neue Weise betrachten ...

Und wenn es ein klares inneres »Ja« gibt, dann gehen Sie einen Schritt hinaus und prüfen, wie es anders ist!

Wenn es nur ein zaghaftes »Ja« gibt, dann gehen Sie noch mal zurück in das Geschäft ... und tanken noch mal auf ...!

Sie riechen den schönen Duft des Weines ... hören die elegante französische Sprache ... Sie schauen dem Weinhändler in sein rundes liebes Gesicht ... und vernehmen Ihre innere Stimme, die ihnen sagt: »Ich lebe ... ich bin lebendig ... ich bin eins mit mir und der Welt ... ich stehe mit meinen Füßen fest auf der Erde.

Hoppla, hier bin ICH!!«

Verankern des guten Gefühls

Sie haben mit dem Tippen die guten Gefühle sicher im Körper verankert ... die guten Gedanken gut im Gehirn eingeprägt ... und wenn Sie aus der Tür des Weinhandels hinaustreten, ins Licht der Zukunft ... sind Sie lebendig ... eins mit der Welt ... wohlig ... voller Vertrauen ... und gehalten ...

Der Champagner als Metapher

Ressourcen sprudeln wie Champagner ... perlend ... kraftvoll ... sprudeln Sie froh und frei ... mit frohen und freien Gefühlen ... sprudelnd ... perlend ... kraftvoll ...

Sie erproben die neuen Fähigkeiten nachts im Traum ... und gehen in die nächsten Tage ... in Ihre Zukunft ... sprudelnd ... perlend ... kraftvoll ... froh und frei ...

2.4.4 *Go with the flow*

Ziel: psychische Stabilisierung, Selbstwertstärkung, Vitalisierung

Technik: Assoziation an einen Kraftort, Zählen, Handlevitation, Ansprechen von Ressourcen, Verbinden mit Stärken, klare, eindeutige Suggestionen, Zukunftsahnung

Hypnoseanleitung

Nach ausführlichem Vorgespräch: Tranceeinleitung

Sie haben die Augen geschlossen und brauchen sich nicht mehr zu äußern. Sie können jederzeit mit mir sprechen, aber vielleicht ist es viel angenehmer zu ruhen.

Beruhigung und Fokussierung

Und Sie hören Ihre eigene Atmung ... Sie hören, wie die Luft hereinströmt und wieder hinausbläst ... Sie hören die feinen Geräusche ...

Sie fühlen, wie die Luft beim Einatmen kühl ist und trocken ... beim Ausatmen warm und leicht angefeuchtet ...

Ihre Atemzüge werden ruhiger ... und vielleicht empfinden Sie ein leichtes Fließen im Körper ... angenehm ... begleitet von meiner Stimme.

Anregung gedanklicher und gefühlsmäßiger Freiheit für therapeutische Vorgänge

Und bei jedem Einatmen sammeln sich die Worte und Bilder, die momentan noch im Kopf umherschwirren ... sie werden luftig ... fliegen beim Ausatmen aus Ihrem Kopf hinaus ... steigen höher ... schweben in die Luft ... in den Himmel über Ihnen ... und werden oben von den Wolken aufgefangen ... auch die letzten Wortfetzen, die noch umherirren und die Sie jetzt nicht mehr brauchen ...

Es ist gut, für eine Weile den Kopf frei zu haben ... so wird es auch in der Seele geräumiger und leichter ...

Dissoziation weg vom Hier hin zum Kraftort für das Freischalten unbewusster Arbeit

Viele Menschen lieben die See ... die See mit ihren hohen Wellen ... mit ihrer Brandung ... der unendlichen Weite ...

Gischt im Gesicht ... und Salz auf den Lippen ... Wind in den Haaren ...

Und während Sie einerseits hier sind, können Sie sich auch an der See einfinden, an einem schönen Platz, der Ihnen guttut, den Sie besonders mögen ... der Sie erfrischt und auftankt ...

Induzieren der sensorischen Erinnerung zur Trancevertiefung

Das Auge erkennt die Landschaft wieder, die Weite des Horizontes ... die endlose Fläche des Wassers ...

Jodhaltige Luft in Nase und Lungen ... würzig ... eindeutig Seeluft ...

Die Brandung der See im Ohr ... das Rauschen ... ein Zischen ... urige Kraft der Natur ...

Der Wind bläht Ihre Jacke ... die Arme weit ausgebreitet ... fühlen Sie sich leicht und frei ...

Provokation der Handlevitation zur Hypnosevertiefung und ideomotorischen Rückkopplung

Die steife Brise weht ins Gesicht ... bläst unter Ihre Hände ... eine Hand – Sie werden es gleich spüren, die rechte oder linke – bekommt Auftrieb ... der Wind trägt die Hand ... sie hebt sich leicht und frei ... nutzt wie ein Paragleiter die Thermik ... leichter und leichter ... hebt sich ... schwebt ... kommt höher und höher ... ganz wunderbar ... höher und höher ... und Sie gleiten tiefer und tiefer in Hypnose ...

Erstes Ansprechen von Ressourcen

Und entspannen sich mehr und mehr ... dieses sichere Sinken gibt Halt ... innere Kontrolle gewinnt an Stärke ... und Sie fühlen im Moment genau diese Stärke, die Sie Ihr ganzes Leben begleitet hat ... auch wenn es oft nicht einfach war.

Weitere Trancevertiefung durch Zählen; Hinführung zum Thema

Und während ich von 1 bis 7 zähle, gehen Sie in eine so wundervolle, kraftvolle Hypnose ... 1 ... dass Sie bald schon beginnen ... auf die Geschichte von damals eine Doppelbelichtung zu geben ... 2 ... Neues von heute ... Neues von hier, um das Damals zu heilen ... 3 ... Neues in die Wege zu leiten, damit Sie heute, morgen und übermorgen und in der Zukunft befreit sind ... und alte Bilder und Gefühle verblassen ... 4 ... die Vergangenheit bestimmt nicht die Zukunft! 5 ... das, was bleibt, ist der Stolz, den Sie verspüren, Ihre Sache gut gemacht zu haben ... sehr gut sogar ... auf Ihre persönliche Art und Weise ... 6 ... und jeder Tag ist ein neuer Tag! 7!

Suggestionen für den Beginn unbewusster Arbeit mit nochmaliger Assoziation zum Kraftort

Sie sind an der See ... es tut Ihnen gut ... Sie spüren den Wind in den Haaren ... das Salz auf den Lippen ... und diese tiefe innere Kraft ... und auf einmal wissen Sie:

»Das Leben ist schön!«

Klare stärkende Suggestion

Und Sie fühlen jetzt ganz intensiv, Sie sind »im Flow« ...

Sie laufen mit dem Wind ...

... und der Wind bläst fröhlich: Du bist willkommen!

... er pfeift tüchtig: Du bist richtig!

... raunt eindringlich: Du bist wichtig!

... stürmt machtvoll: Ich steh zu Dir!

Und Sie sagen sich: »Go with the flow!«

Das sinkt tief in Sie ein ... richtet Sie auf ... tönt kraftvoll durch Ihren inneren Raum.

Tränen trocknen ... und Ihre Kraft wächst!

Und Sie fühlen sich im Moment so richtig wohl!

Zukunftsvision

Schemenhaft ... weit weg noch ... hinten in den Dünen ... schlendert eine Person ...

Sie ähnelt der Ihren ... sie scheint gelassen ... zufrieden ... glücklich ... und stolz zu sein ... froh und zuversichtlich ... Richtig schön!

Wie genau Sie sie wohl erkennen?

Gehen Sie doch ein bisschen näher an sie heran!

Anregung einer selbstständigen unbewussten Abrundung der Arbeit

In Ruhe kommen Sie in Kontakt mit Ihrem Zukunfts-Ich ... Sie erkunden alles genau ... so geht es Ihnen besser und besser und Sie werden gesund ... frei ... und erlöst ... handlungsfähig ... mit wachsender Freude am Leben!

Tranceende

Irgendwann zählen Sie ganz ruhig, von sieben bis eins ... und kehren ... klar und guten Mutes ... ins Hier und Jetzt zurück ... frische Meeresbrise im Gemüt!

2.4.5 Im Pool der Sicherheit

Ziel: Entspannung, Entkrampfung, Entängstigung

Technik: sicherer Ort, sehr detailliert

Hypnoseanleitung

Entlastung

So, liebe/r Frau/Herr X, jetzt machen wir zusammen eine Profi-Hypnose, damit es Ihnen besser geht. Wir haben uns lange besprochen ... wir haben die Hypnose schon ausgearbeitet ... Sie haben viel beschrieben und betont, was Ihnen wichtig ist ... ich habe alles notiert ... und wir werden das jetzt umsetzen ... und das Schönste daran ist, dass Sie überhaupt nichts tun müssen ... Sie ... liegen da, und ... Sie ... atmen ... Sie ... lehnen sich zurück ... und erholen sich ... denn das, was Sie mir beschrieben haben ... ist anstrengend ... fast zu anstrengend ... und jetzt geht es genau darum, von dieser Anstrengung weg zu kommen und Sie können das ... auch wenn Sie noch nicht wissen, wie ... oder nur theoretisch wissen, wie ...

Induktion über Nutzen einer Erfahrung: morgendliches Schwimmen in einem See

Und Sie liegen da ... Sie spüren sich atmen ... und wenn Sie sich atmen spüren ... kann es sein, dass ganz von alleine ... die Atemzüge weiter werden ... langsamer ... heller ... und freundlicher ... und während draußen die Glocke anzeigt *(im Hintergrund läuten die Kirchenglocken)*, dass Zeit vergeht ... wird es innerlich zeitlos ... und ebenmäßig ... durch die Ruhe der Atmung ... die die vegetativen Funktionen beeinflusst ... beruhigt ... harmonisiert ... und Sie machen tiefe Atemzüge ...

Sie atmen ein ...

... und beim Ausatmen ... fühlen Sie, wie Ihr Körper ins Schweben kommt ...

... einatmen ...

... und beim Ausatmen fühlen Sie, wie Ihr Körper ins Schweben kommt ...

... einatmen ...

... und beim Ausatmen fühlen Sie Ihren Körper schweben ...

... einatmen ...

... und beim Ausatmen fühlen Sie Ihren Körper schweben ...

... einatmen ...

... und beim Ausatmen fühlen Sie Ihren Körper schweben ...

... wie damals, als Sie so herrlich geschwommen sind, in Ihrem See ... einfach schwebend getragen vom Wasser ... sehr schön ... sehr gut ... *(längere Pause)*

Und wie angenehm ist dieses Nachlassen ... und Vertrauen ...

Sie dürfen alles denken ... Sie dürfen alles Denken aber auch dem Unbewussten überlassen ... und sich einfach nur noch wohl fühlen ...

Trancevertiefung durch Zählen mit Handlevitation und Ansprechen der Ziele dieser Sitzung

Und während ich von 1 bis 7 zähle, gehen Sie so tief in Hypnose ... wie Ihr Unbewusstes es heute für richtig empfindet, um genau das zu verändern ... was jetzt angesagt ist ... damit Sie Ihre kleinen und größeren und großen Ziele erreichen ... die für Sie weit weg sind ... noch ... oder vielleicht nur weit weg erscheinen ... und ein Flug von 14 Stunden erscheint viel, aber die Minuten vergehen ... und die Stunden vergehen ... eine nach der anderen ... und laufen dahin, ganz selbstverständlich ... und auf einmal ist man da ... und betritt neues Land.

Und alles das können Sie ... wenn jetzt ... 1 ... das Unbewusste Sie in so tiefe Trance bringt ... 2 ... dass in dieser Trance so viel geschieht ... 3 ... sich öffnet ... heilt ... verändert ... klärt ... bewältigt ... neu strukturiert ... 4 ... dass alles viel leichter wird, ungeahnt ... ungewollt leichter ... 5 ... und eine Hand wird leichter ... leichter und leichter ... und hebt sich ab von der Unterlage ... und vergisst die Schwere ... die Hand beginnt schon damit ... sehr schön ... kommt höher und höher ... höher und höher ... steigt auf ... 6 ... gewinnt fließend an Höhe, so wie Sie fließend in Trance gleiten ...

Einführen eines sicheren Ortes (in der Fantasie): der »Pool der Sicherheit«

Und hinfinden zu Ihrem »Pool der Sicherheit« ... höher und höher und erst bei ... 7 ... und nicht vor 7 ... ist die Hand so leicht, in einer so guten Position ... der Winkel perfekt ... der Standort genau der Richtige ...

Der Pool der Sicherheit ... Sie finden ihn ... während die Hand höher und höher steigt ... höher und höher ... da ist Ihr Pool der Sicherheit ... egal welche Strudel, Wirbel, Aufregungen um Sie herum ... im Pool der Sicherheit ist das System in Ruhe ... sehr gut ... und höher und höher und höher ... und die Hand hat an Höhe gewonnen ... und ein Finger kann sich ganz von alleine anheben ... 7 ... wenn Sie da sind ... im Pool der Sicherheit ...

Ruhe ... Sicherheit ... Stille ... Auftanken ... egal, was um Sie herum ist ... wie morgendliches Schwimmen im Glanz der frühen Sonne ... in einem glatten See ... das Spiegeln des Wassers ... alles nur für Sie da ... absolute Sicherheit ... Zuversicht ... und Sie fühlen, Sie sind mittendrin, im Pool der Sicherheit ...

Körperliches Entspannen und Wohlbefinden

Und Ihr Körper liebt das ... Ihr Körper genießt das ... und Ihr Körper freut sich an Wohlbefinden ... eingehüllt in Helligkeit ... Duft ... Ruhe ... der Organismus warm durchblutet ... das Nervenkostüm gut versorgt ... es erinnert sich ... an gesunde Funktionen ... kühlt sich herunter, normalisiert sich ... genießt es, getragen zu werden ... gesunde Funktionen ... das Körpergedächtnis aktiviert sich ... die Gefäße elastisch ... straff ... dynamisch ... guter statischer Halt ...

Seelisches Auftanken

Die Seele lüftet sich ... streckt sich ... auf Klängen ... auf Gesängen ...

Geistiges Umschalten und Verändern innerer Dialoge

Ein Zeitraum, in dem der Kopf vergessen kann ... und ich weiß nicht, wie es geschieht ... und ich weiß nicht, ob Sie wissen, wie es geschieht ... und ob man überhaupt weiß, wie es geschieht ... aber innere Gespräche verändern sich ... Sie reden im Guten mit sich ...

Absprache, sich in der Therapie auch mit tiefer liegenden Themen zu befassen, was spontane Entlastung bewirkt

Und wir versprechen uns jetzt, dass wir uns um das Hintergrundthema kümmern werden ... das Thema, das Sie zu mir gebracht hat ... wir werden uns darum kümmern ... ausreichend und ausgiebig ... und weil wir uns darum kümmern werden ... kann sich Ihr Befinden jetzt eindeutig verbessern ...

Positive Suggestionen

Sie kehren den alten Gefühlen den Rücken ... Sie werden es noch nicht verspüren ... es beginnt aber heute ... und auf jeden Fall werden Sie sich nach Ihrer Hypnose besser fühlen ... stabil ... robust ... im Lot ...

Fantasiespiel mit Personalisierung der Angst

Und die alten Gefühle? ... Sie werden Ausflüge machen ... gehen vielleicht heimlich mal alleine auf Tour ... ganz ohne Sie ... finden das prima ... erholen sich von Ihnen ... kommen nur noch ab und an mal auf Besuch ... klopfen bei Ihnen an ... aber Sie werden sagen: »Och, ihr Alten ... ich hab euch eigentlich wirklich nicht so vermisst.« Da werden sie aber schmollen, die ollen Tanten ... oder noch mal aufdrehen ... aber nicht wirkungsvoll ... sie werden größere und längere Ausflüge machen ... Sie aber werden wirklich gut ohne sie auskommen ... weil andere Dinge in Ihrem Leben so viel wichtiger sind ... weil Sie sich immer mehr in Ihrem Pool der Sicherheit aufhalten ... in Freiheit ... da, wo das Leben spielt ... und Sie werden längere Reisen machen ... und schönere ... und es richtig genießen ...

Integration der Arbeit

Und jetzt lassen Sie sich noch Zeit, davon zu träumen ... wie das Leben anders sein wird ... wie Sie sich wohl und stabil fühlen ... und wie Sie immer mehr in Ihrem Pool der Sicherheit ruhen ... und ich bin still ...

Und jedes Mal wenn Sie diese Hypnose hören ... wird es wirkungsvoller sein ... und Sie mehr und mehr stabilisieren ... egal wie hoch um Sie herum die Wellen schlagen ... denn Sie schwimmen im Pool der Sicherheit der Morgenröte entgegen ... in einem ganz glatten See ... getragen vom klaren Wasser ... beschienen vom frühen Sonnenlicht ... unterhalten vom Quaken der Frösche ... umtanzt von Libellen ...

Angebot der selbstständigen Tranceausleitung

Irgendwann werden Sie das Bedürfnis haben, die Hypnose abzuschließen ... dann zählen Sie zurück ... von 7 bis 1 ... und kommen ganz wach ... frisch und klar ... wieder hierher ... mit dem Gefühl, am richtigen Platz zu sein ... in Ihrer Mitte ... in Ihrer Sicherheit ...

2.4.6 Die Gentleman-Hypnosen – antidepressive Hypnoseanleitungen für ihn

Die folgenden sieben Hypnoseanleitungen sind für einen Herrn im besten Alter, also Mitte 60, im fortlaufenden Therapieprozess entworfen. Er litt unter Depressionen mit Selbstwerteinbrüchen, Selbstvorwürfen, Unruhezuständen, Herzrasen, Dauerstress und Erschöpfung, Einsamkeitsgefühlen und Schlafstörungen. Seine Ressourcen sind starke Willenskraft, großer Ehrgeiz, die Liebe für Fußball, Tanz und Mathematik. Die Zielsetzungen der Therapie sind Ruhe, Entspannung, Zuversicht, Selbstwert, Selbstverständnis, Selbstvertrauen und das Auffinden neuer Aufgaben im Leben.

Die Kornkammer – Ressourcen

Ziel: erste Sitzung, Einführung in Hypnose, Ressourcenfindung, Ruhe, Entspannung, Zuversicht

Technik: Klient liegt bequem, die Hände ruhen auf dem Bauch, Handlevitation, sicherer Ort, gute Suggestionen

Hypnoseanleitung

Jetzt machen wir eine schöne Hypnose, unsere erste gemeinsame Hypnose.

Sie kennen sich schon aus mit Entspannungsverfahren, mit Meditation, mit Trance bei Bewegung und in der Ruhe ... und Sie haben Ziele, wichtige Ziele, richtige Ziele ... und in Hypnose kann das Unbewusste einem helfen, Ziele leichter zu erreichen ...

Sie liegen entspannt da, Sie brauchen nichts zu tun und nichts zu verstehen ... Hypnose geht ganz ohne Anstrengung ... Sie dürfen sich zurücklehnen ... Sie atmen einfach ruhig ... Sie können mir zuhören ... Sie brauchen mir auch nicht zuzuhören ... Sie können ganz woanders sein, wenn Sie möchten ... vielleicht gibt es einen besonders schönen Ort, wo Sie noch lieber sind als hier ... dann gehen Sie doch mal dorthin und schauen sich um ... und fühlen sich einfach wohl.

Und ich bedanke mich für Ihr Vertrauen, dass Sie mir so viel von sich berichtet haben ... und ich bin vollkommen überzeugt davon, dass sich Ihre Wünsche erfüllen werden. Sie haben so viel erreicht in Ihrem Leben ... Sie haben so viele Ressourcen ... so viel Potenzial ... so viel Kraft ... Ausdauer und Durchhaltevermögen! Und jetzt ist es wichtig, Dinge sich von alleine ereignen zu lassen ... jetzt ist es an der Zeit, die Früchte des Lebens zu ernten ... jetzt tut es gut, sich mehr und mehr wohlzufühlen!

Spüren Sie jetzt in Ihre Hände, die gemütlich auf Ihrem Bauch liegen ... Ihre Hände genießen es, auf der Wölbung des Bauches zu liegen und beim Einatmen angehoben zu werden ... und beim Ausatmen wieder zu sinken ... höher ... und tiefer ... höher ... und tiefer ... höher ... und tiefer ... ruhig und entspannt ... *(im Rhythmus der Atmung gesprochen)*

Und die Hände werden die Wärme Ihres Bauches genießen ... und der Bauch die Wärme Ihrer Hände ... ein überraschendes Gefühl ... Zugehörigkeit und Geborgenheit ...

Und von beiden Händen ausgehend fließt nun dieses angenehme Gefühl in unablässigem Strömen hinauf in die Unterarme ... durch die Armbeugen ... in die Oberarme ... in die Schultern ... und ergießt sich mit einem tiefen Aufatmen in Ihren Brustraum ... in den Bauchraum ...

... beim Ausatmen strömt ab, was abströmen soll ...

... beim Einatmen bahnen sich Ruhe und Entspannung hinauf bis in die Schultern ... in Brustraum und Bauchraum ... breiten sich weiter aus ... fließen weiter in die Beine ...

... beim Ausatmen strömt ab, was abströmen soll ...

Und während ich jetzt von 1 bis 10 zähle, gehen Sie mit dieser Ruhe und Entspannung ... angenehm und sicher ... tiefer und tiefer ... in eine produktive Trance, um sich wohler zu fühlen und zu erfahren und zu lernen ... jetzt ... heute ... hier ... wie Sie diese Ruhe immer wieder auslösen können ...

1 ... so kommt sichere Ruhe ganz von alleine in Sie, immer, wenn Sie sie brauchen ... 2 ... und nicht nur, wenn Sie sie rufen, sondern ganz von alleine ... ein leichtes Gefühl ... leichter als leicht ... womit sogar die Hände ein leichtes Gefühl entwickeln ... und bei jedem Einatmen ein wenig mehr in die Höhe schweben ... dort verbleiben, beim nächsten Einatmen noch höher kommen und wieder da verbleiben ... beim übernächsten Einatmen wieder höher und in dieser Höhe bleiben ... so sind sie auf einmal vollkommen leicht ... 3 ... so leicht, dass sie sich abheben ... einfach weil sie/Sie loslassen ... 4 ... und weil das Unbewusste Ihnen hilft, nachzulassen, loszulassen und sich gleichzeitig sicher und stabil zu fühlen ... 5 ... gut ... 6 ... gut ... Ihr Gesicht gelöst, die Partie um Ihre Augen entspannt, die Augeninnenwinkel entspannt, die Augenaußenwinkel entspannt, die Augenlider leicht auf den Augen aufliegend ... 7 ... die Stirn glatt und entspannt ... die Nasenpartie ... Wangen ... glatt und entspannt ... auch die Schläfen ... die Hände leichter und leichter ... 8 ... und vielleicht schweben Luftballons ganz in Ihrer Nähe ... ob Sie die wohl schon gesehen haben? ... lassen fröhliche Bänder hinunter ... und während Sie mir wohl nur mehr

mit einem Ohr zuhören und mit dem anderen etwas ganz Anderem lauschen, binden sich ein paar Luftballonbänder um Ihr Handgelenk und ziehen es leicht noch höher ... leichter und leichter, höher und höher ... während Sie so tief in Trance sinken, wie das für Sie heute richtig ist ... nicht mehr, nicht weniger ... und Sie machen es sehr gut! ... 9 ... Ihre Hand schwebt leicht in der Luft ... Ihre Finger berühren luftig nur luftige Luft ... die Hand liegt auf der Luft ... sie genießt das ... sehr gut, sehr schön ... sie schwebt ... und die 10 erklingt ... Ihre Hand schwebt ... und Sie mit ihr!

Sie sind an einem schönen Ort, der nur Ihnen gehört ... das Auge erkennt ihn wieder ... das Ohr hört die Klänge, die es mag ... Sie riechen, wie es dort riecht ... und Sie fühlen sich hier sofort heimisch und vertraut ... wohl ... sicher und geborgen ... die Ruhe wird immer tiefer ... und Sie erleben intensiv das schöne Gefühl, nach dem Sie sich immer gesehnt haben ...

Dieses schöne Gefühl wird in Wellen mit jedem regelmäßig ruhigen Herzschlag durch die Adern gepumpt ... und Sie fühlen sich elastisch und stabil ... tragfähig und flexibel ... für die Zukunft ... Ihre Zukunft! ... elastisch und stabil ... tragfähig und flexibel ...

(lange Pause)

Und während sich die Hände wieder langsam ablegen, speichert sich dieses Gefühl tief in Ihnen ein ... Ihr Bild von sich wird klarer und eindeutiger ... Sicherheit und Stabilität ... Halt und Struktur ...

Ihr Unbewusstes ist wie eine reiche Kornkammer ... Sie werden erstaunt sein, welche Schätze Sie noch entdecken können ...

Und Sie kommen ins Träumen ... Träume eröffnen Räume ... bewegen ... lehren ... verändern ... Sie schlendern mit Muße auf Ihren Traumpfaden ... machen schöne Entdeckungen ... vergessen ... lernen ... erinnern ... wachsen ...

Ruhe und Zuversicht nehmen immer mehr Raum ein ... und werden ein Teil Ihrer selbst ...

Währenddessen werde ich diese Hypnose für Sie überspielen, sodass Sie sie immer wieder hören können, daran weiter lernen und sich an dem Lernen erfreuen ...

Ganz nach Ihrem Gefühl werden Sie demnächst gemächlich zurückzählen von zehn bis eins … um dann ganz frisch und wach und klar wieder ins Hier und Jetzt zurückkehren … im Wissen um Ihre reich gefüllte Kornkammer …

Trainieren im Schutzraum der Trance – Fitness für die Nerven

Ziel: Angstbewältigung, Stabilität, Ich-Stärkung, schnelles Hervorrufen guter Gefühle durch hypnotisches Erinnern von Erlebnissen des Wohlbefindens, des Selbstwertes, Selbstrespektes und der Kompetenz

Technik: »Die drei Zauberworte« (Kaiser Rekkas 2011, S. 69 ff.): In Hypnose werden nacheinander drei positive, beeindruckende Erfahrungen erinnert und wiederbelebt. Dabei sollte es sich um Situationen handeln, in denen 1. körperliche Kraft und Stärke, 2. geistige Klarheit und Kompetenz, 3. Liebe und emotionale Wertschätzung erfahren wurden. Diese Erfahrungen sollen intensiv gespürt und verankert werden und dann einen treffenden Namen bekommen. Danach kommt die im folgenden Text beschriebene Vertiefung. Die hier beschriebenen drei Worte sind Beispiele und entsprechend zu ersetzen.

Hypnoseanleitung

Jetzt haben Sie schon so schön gearbeitet heute und wir prüfen gleich noch mal nach, wie gut das funktioniert. Ich formuliere für Sie die von Ihnen gewählten drei Worte, die in Zukunft automatisch und immer etwas Gutes in Ihnen auslösen werden, und zwar: körperliche Kraft, Stärke und Ausdauer … geistige Klarheit und Souveränität … und das Gefühl von Geborgenheit, Liebe und Glück.

Das erste Wort lautet »Naturbursche« und – ob Sie wollen oder nicht – bei diesem Wort, das Sie gewählt haben, fühlt sich Ihr Körper automatisch anders an … gestrafft … dynamisch aufgerichtet … energievoll … kräftig. Das Wort »Naturbursche« bewirkt Wunder in Ihrem Körper.

»Naturbursche«

Was Sie im Moment fühlen und erleben, speichert sich tief in Ihnen ab und kann jederzeit wieder abgerufen werden.

Ihr zweites Wort lautet »Klarheit«. Das Wort »Klarheit« löst sofort alle Nebel auf. Wenn Sie am frühen Morgen zu einer Bergwanderung aufbrechen ... sind die Täler oft noch nebelverhangen ... aber auf einmal, ab einem gewissen Höhenmeter, stoßen Sie durch die Wolkendecke, die Sonne strahlt ... azurblauer Himmel. Alles ist klar sichtbar ... prägnant und deutlich. Das bewirkt das Wort »Klarheit« in Ihrem Geist.

»Klarheit«

Was Sie im Moment fühlen und erleben, speichert sich tief in Ihnen ab und kann jederzeit wieder abgerufen werden.

Das dritte Wort lautet »Melanie« und bedeutet für Sie etwas ganz Persönliches. Und in dieses Vertrauen lassen Sie sich hineinsinken wie in eine Hängematte, mit jedem Atemzug mehr ... und fühlen sich sicher, geborgen und warm umhüllt. Das bewirkt das Wort »Melanie« in Ihrer Seele.

»Melanie«

Was Sie im Moment fühlen und erleben, speichert sich tief in Ihnen ab und kann jederzeit wieder abgerufen werden.

Diese drei Worte – »Naturbursche«, »Klarheit«, »Melanie« – werden in Zukunft immer wieder und an jedem Ort – und vielleicht überraschenderweise – Ruhe, Klarheit und ein kraftvolles Gefühl auslösen: immer schneller, immer öfter, immer mehr ... sodass Sie immer deutlicher spüren, wie Sie sich auf sich selbst verlassen können ... wie Sie sich bei sich selbst anlehnen ... und sich selbst der beste Freund sind ... akzeptiert ... wertgeschätzt ... und willkommen ...

Sie finden hinein in Ihre innere Ruhe ... vollkommen entspannt ... ganz im Hier und Jetzt ... Sie brauchen nichts zu tun ... Sie sind auf einmal da ... vollkommen in Ruhe ... gelöst ... mit sich selbst in Frieden ... mit sich selbst im Einklang ... gelassen ...

Sie handeln aus der Ruhe heraus, vernünftig und klug ... die Atmung ruhig und tief ... der Körper in Balance ... die Gedanken besonnen ... die Seele heiter ...

Sie trainieren jetzt im Schutzraum der Trance ... mit aller Zeit der Welt ... Schritt für Schritt ... Sie erproben sich auf der inneren Bühne ... üben ... genauso, wie Sie neue Tanzschritte einüben ... und bald meistern Sie Ihr Leben mit neuem Repertoire: vernünftig und gelassen ...

Die Gentleman-Hypnose – Selbstrespekt

Ziel: Selbstberuhigung, Ichstärkung, Selbstwert, Selbstrespekt

Technik: gute, eindeutig klare Suggestionen, der höfliche Gentleman als Synonym für respektvollen Umgang, in diesem Fall mit sich selbst

Hypnoseanleitung

Mit frischem Mut und guter Laune geht es jetzt mit der Gentleman-Induktion in die Gentleman-Hypnose ... für Stabilisierung, ruhigen Rhythmus, Ausgeglichenheit und ... Selbstrespekt ... denn ... kommt »Mann« in ein gewisses Alter ... kommt er in die Gentleman-Phase ... da entwickeln sich naturgemäß Charme und Esprit ... Wohlwollen und Großzügigkeit ... Verständnis und Großherzigkeit ... ... nicht nur im Umgang mit anderen, sondern auch im Kontakt mit sich selbst.

Jetzt lehnen Sie sich erst einmal zurück ... Sie kennen ja schon Hypnose und Sie wissen, es ist ganz anders, als man sich das mal vorgestellt hat ... im Prinzip sind Sie mehr bei sich ... mehr in sich ... und in Kontakt mit Ihren vielen Qualitäten ... in einer guten inneren Kontrolle ...

Sie brauchen nichts zu tun und nichts zu verstehen ... alles geht von alleine ... und Sie haben Fortschritte gemacht, die vielleicht klein scheinen mögen, die aber große Wirkung zeigen ... Fortschritte, die andere Fortschritte nach sich ziehen, welche wiederum Fortschritte provozieren ... und so wird es immer weitergehen ... immer mehr Gelassenheit, Ruhe, Selbstbestimmung und schöne Begegnungen werden die Folge sein ... so wie Sie sich das wünschen ... und vielleicht noch viel mehr ...

Und Sie liegen da und die Atmung wird tiefer ... das Herz schlägt sanfter ... der Geist beruhigt sich ... denn selbst das Gehirn schaltet um auf mehr Offenheit und Toleranz, auf neue Ideen und die Möglichkeit zu erinnern ... aber auch ... zu vergessen ... und jeder Atemzug bringt Sie mehr in Ihre innere Ruhe ... jedes Einatmen macht Sie weiter ... und jedes Ausatmen lässt fließen, was fließen soll.

Und wenn Ihnen meine Stimme weiter weg erscheint, sind Sie näher bei sich ...

Sie fühlen, vieles ist vorbei, verblasst, hat sich erledigt ... Gefühle sind mit dem Wind des Vergessens verflogen ... und Neues entwickelt sich, sodass Sie vielleicht ab und an auf die Idee kommen, sich zu fragen: »Was für ein Glückspilz bin ich doch, dass ich so viele schöne Dinge erleben darf?«

So gab es in den vergangenen Tagen und Wochen sehr wohl Lichtblicke ... schöne Erlebnisse ... Sie haben vieles davon notiert, damit es besser im Gedächtnis haften bleibt ... gute schöne Erfahrungen, die, wenn Sie daran denken, wiederum gute, schöne Gefühle auslösen ...

Und während eine Hand ein bisschen leichter wird ... und vielleicht auch die andere Hand ein bisschen leichter wird ... die eine Hand sich ein bisschen anhebt ... und auch die andere Hand sich ein bisschen abhebt ... werden Sie noch mehr nachlassen und angenehm tiefer in Hypnose sinken ... ein dankbares Dankeschön an sich selbst aussenden und an Ihr geheimnisvolles Unbewusstes, für eine Entwicklung, die Sie sich schon Ihr ganzes Leben gewünscht hatten ... und die nach und nach Wirklichkeit wird.

Und Sie vertrauen darauf, dass gute Erfahrungen immer mehr Raum einnehmen, all die guten Situationen ... selbst in der Warteschlange im Supermarkt ... im Terrassenkaffee, wo Sie nach einem Platz fragen ... beim Anruf einer Werbefirma ... ja sogar im Traum können Sie anders reagieren ... souverän und gelassen ... mit Witz ... Charme ... und Humor ... ganz Gentleman ... und Sie gönnen sich schöne Tage, an denen Sie sich gestatten, es sich gut gehen zu lassen ... und die Spendierhosen zur Abwechslung für sich selbst anzuhaben.

Und das haben Sie wirklich verdient! Das steht Ihnen gut!

Ihr Herz freut sich daran ... Ihr Herz entspannt sich und die Blutgefäße, die das Herz versorgen, sind von gesunder Elastizität ... in einem guten Tonus ... und die Nerven, die dem Herz Impulse geben, arbeiten einwandfrei ... das Herz schlägt ruhig und ausgeglichen ... im Takt ... den Bedingungen des Körpers angemessen.

Das Herz vergisst Anstrengungen ... findet zurück in gesunde Funktion ... und Sie wissen Ihr Herz zu beruhigen ... indem Sie Ihr Gemüt beruhigen und immer wieder mal drei ruhige Atemzüge einschalten ... so wie jetzt ... drei ruhige Atemzüge ... ein Gentleman ... auch Ihrem Herzen gegenüber ...

Machen Sie jetzt doch mal drei ganz ruhige, tiefe Atemzüge, bitte! ...

Gut so!

Und Sie versprechen sich jetzt:

Ich behandle mein Herz wie ein Gentleman!

Ich behandle meinen Körper wie ein Gentleman!

Ich gehe mit meinen Gedanken um wie ein Gentleman!

Ich gehe mit meinen Gefühlen um wie ein Gentleman!

Ich begegne mir als Person wie ein Gentleman: achtsam ... vorsichtig ... umsichtig ... zuvorkommend ... respektvoll ... wertschätzend!

Seien Sie ein Modell für Ruhe und Ausgeglichenheit ... Balance und Tragfähigkeit ... Achtsamkeit und Selbstrespekt!

Beim Tanz wissen Sie Balance zu halten und selbstsicher Ihre Schritte zu setzen ... und das überträgt sich jetzt – während Sie ruhig atmen – auf andere Bereiche: große Schritte, kleine Schritte ... Schritte nach vorne, zur Seite, nach hinten ... mal flüssig ... mal gehalten ... immer in Balance ... in einer harmonischen Mischung aus »sich fließen lassen« und »in einer guten Kontrolle sein« ... »mitgehen« und »in innerem Halt bleiben« ... »beschwingt sein« und »den Boden unter den Füßen spüren« ...

Und das Unbewusste wird sich nachts im Traum immer wieder damit beschäftigen, Tanzschritte zu Fortschritten gestalten ... auf der Bühne Ihres Lebens ... in Szenen des täglichen Lebens ... und Sie werden sich weiter verändern ... und Sie werden sich daran freuen ...

In atemgleicher Ruhe genießen Sie noch ein wenig die innere Bewegung, die für Sie angemessen und stimmig ist ... und sinken in einen hypnotischen Traum und erleben, wie alles immer leichter wird und Sie charmant und selbstbestimmt ... ruhig und zugewandt ... mit einer heiteren Selbstachtung durchs Leben schreiten ...

Bleiben Sie eine Weile dabei und ich bin still, damit sich ereignen kann, was sich ereignen soll, damit Sie sich erobern, was für Sie wichtig ist.

Entspannt und souverän – Selbstsicherheit

Ziel: entspannt und souverän

Technik: Hypnoseeinleitung nach einer Idee von Bongartz, Aufpäppeln des inneren Kindes

Hypnoseanleitung

Jetzt kommt die durchschlagende Hypnose für Ihren großen Wunsch, den wir in einem sehr schönen Satz zusammenfassen können: »Ich möchte mich aus einem entspannten Zustand heraus souverän verhalten können.«

Dieser Wunsch wird uns leiten ... und Sie gehen in eine leichte Hypnose, die sich von alleine vertiefen wird ... so machen Sie es sich jetzt gemütlich, damit Sie sich wohlfühlen ... damit Sie gut durchatmen können ... und Ihr Wunsch in Erfüllung geht ...

Ihre Hände liegen bequem, die eine ein bisschen anders als die andere ... und ich bitte Sie, Ihre Aufmerksamkeit zuerst in die rechte Hand zu lenken, wie sie da so schön liegt ... und jetzt machen Sie mal etwas, was Ihnen vielleicht komisch vorkommt: Stellen Sie einfach innerlich im Stillen Ihrer rechten Hand die Frage: »Was ist Entspannung?«

Und die Hand wird nach einer kleinen Weile mit einem wohligen Gefühl der Entspannung antworten ...

Nun fragen Sie (mal) die linke Hand: »Was ist Entspannung?«

Jetzt wird Ihnen auch bald die linke Hand mit einem wohligen, gelösten Gefühl von Entspannung antworten ...

Und nun lenken Sie die Aufmerksamkeit hinunter in den rechten Fuß und fragen Sie mal den rechten Fuß: ›Was ist Entspannung?‹

Bald wird Ihnen auch dieser Fuß mit einem gelösten, entspannten Gefühl antworten ... und dann fragen Sie den anderen Fuß: »Was ist Entspannung?«

Bald wird auch dieser Fuß mit einem entspannten Gefühl antworten ...

Und wenn Sie nun Ihr Herz fragen: »Liebes Herz, was ist Entspannung?«, wird das Herz mit einem herzlich warmen Wohlgefühl antworten ... und wird ein über alles entspanntes Blut überall entspannt hinfließen lassen ...

Und so breiten sich ... völlig von alleine ... und in kleinen Wellen ... Entspannung, Ruhe ... Gelöstheit ... und Wohlbefinden aus ...

Und auch der Kopf wird sich mit dem gut entspannten Blut wohlfühlen ... und Sie kommen in eine solche Ruhe, dass es sich geradezu fantastisch anfühlt.

Und während ich von 1 bis 7 zähle, wird eine Hand leichter ... und leichter ... und leichter, bis sie sich abhebt und alles loslässt, was noch an Schwere auf ihr lastet ... und der Ellbogen beugt sich und die Hand hebt sich ... hebt sich und hebt sich ... der Luftraum zwischen Kissen und Handfläche wird breiter und luftiger ... und Sie finden sich – erwartet unerwartet – an einem schönen Ort wieder, der für Sie der Inbegriff von Ruhe ist ... 1 ... Geborgenheit ... 2 ... Stille ... 3 ... Sicherheit ... 4 ... leichter und leichter ... es ist gut, der Hand einen Impuls zu geben, dass sie sich hebt ... 5 ... und es ist gut, bei der Hypnose auch ein bisschen mitzuspielen ... 5 ½ ... und so gewinnt die Hand an Höhe und je höher die Hand kommt, umso tiefer sinken Sie in Hypnose ... 6 ... um Ihr Ziel zu erreichen, das wir eben formuliert haben ... genau ... leichter und leichter ... höher und höher ... 6 ½ ... ... Sehr gut, sehr gut und ... 7 ... Sehr schön ...

Sehr schön! Nun bitte ich das Unbewusste, aus Ihrer frühen Lebensgeschichte eine Situation aufzufinden, die mitverantwortlich ist für das, was Sie überwinden wollen ... und der »Ja-Finger« macht ein deutliches Zeichen, wenn das Unbewusste diese Situation herausgegriffen hat.

(Fingerzeichen abwarten)

Sie sind an Ihrem schönen, sicheren Ort ... geborgen, geschützt ... Sie fühlen sich wohl an diesem Ort und lassen das Unbewusste arbeiten ... ganz in Ruhe ... mit seiner Kompetenz ... Intelligenz ... seinem enormen Wissen ... und seiner großen Liebe für Sie ... und das Unbewusste hat diese Situation herausgegriffen als eine der verantwortlichen Situationen für das Problem von heute ... es geht zu diesem Kind von damals und gibt ihm das, was es in der Situation braucht: Halt, Ruhe und das sichere Wissen »Ich bin richtig«; »Ich bin wichtig«; »Ich bin liebenswert«.

Und gleich einem umsichtigen Gärtner pflanzt das Unbewusste dieses Wissen wie ein zartes, junges Pflänzchen ein: »Ich bin richtig«; »Ich bin wichtig«; »Ich bin liebenswert«.

So füllen sich Lücken ... und das Gefühl im Heute verändert sich.

An der Vergangenheit selbst können wir nichts ändern, aber wir können der Vergangenheit im Heute etwas zufügen ... wir können sie nochmals belichten ... wie einen Film doppelt belichten ... Neues, Gutes zufügen ... Heilsames ... Nährendes ... Stärkendes ...

Und der »Ja-Finger« wird noch drei Zeichen geben, um anzuzeigen, dass sich in der Tiefe Wichtiges tut ... 1 ... 2 ... sehr gut ... 3 ... sehr gut!

Und das Kind hat mehr Raum ... mehr Zeit ... mehr Gefühl für sich ... tankt auf ... fühlt sich einfach anders ... erlebt sich als wertvoll ... und behauptet sich mehr und mehr ... auf eine gute Art und Weise ...

Eine Welle der Wärme, der Ruhe und Gelöstheit durchfließt Sie ... und Sie erfahren jetzt, wie es ist, sich in einem entspannten Zustand zu erleben ... und sich aus diesem entspannten Zustand heraus zu verhalten ... zu sprechen ...

Ihre Hände, Ihre Füße, Ihr Herz, Ihr gesamter Körper, Ihr Kopf, Ihr Geist ... und vor allem Ihre Seele ... entspannt und souverän ...

Sie fühlen sich wohl ... probieren sich spielerisch aus: Sie reden, man hört Ihnen zu ... Fragen, Antworten, Geschichten, Bonmots, ein Witz, ein ernster Satz ... Sie können das alles ... Sie brauchen nichts aktiv zu tun, Sie lassen es abspielen, wie einen Film, dem Sie beiwohnen ... eben noch auf der Bühne der Trance ... morgen auf der Bühne des Lebens ...

Und wenn Sie genug gelernt haben, zählen Sie von 7 bis 1, und kommen klar und frisch und wach ins Hier und Jetzt zurück ... entspannt und souverän.

Ich muss kein James Dean sein! – Selbstwert

Ziel: Selbstwert, Selbstverständnis, Selbstvertrauen

Technik: Spiel auf der inneren Bühne zum Erproben neuen Verhaltens

Hypnoseanleitung

Schließen Sie die Augen ... und lehnen sich zurück ... wir haben gerade länger gesprochen ... und das Fazit ist: »Seien Sie so, wie Sie sind!«, »Seien Sie der, der Sie sind!«.

In der letzten Zeit werden Sie stetig achtsamer ... bemerken zunehmend mehr, sind sensibler für Situationen, in denen Sie in die Enge kommen, in Strenge und alten Grimm ... in Gefühle und Ausdrucksarten von früher, so, wie Sie es als Kind bei Ihnen nahestehenden Menschen erlebt haben ...

Heute eröffnet sich also die großartige Möglichkeit, aus alten Gefühlen und Reaktionen auszusteigen ... anders zu empfinden und anders zu reagieren ... Ihrem Alter, Ihrer Kompetenz entsprechend ... und der Situation angemessen ...

Wie das geht? Ganz einfach ... nur vier Schritte:

1. aufmerksam sein
2. innehalten und sich zurücklehnen
3. drei ruhige Atemzüge machen
4. unbewusste Kompetenz einschalten.

Jetzt üben Sie das mal!

Erster Schritt: Formen Sie Ihre rechte Hand so, als wenn Sie gemütlich auf einer Computermaus ruht. Gut! Nun scrollen Sie mal, wie am PC gewohnt – ich nehme an, mit dem Mittelfinger – ganz aufmerksam durch Ihr Innenleben ... rauf und runter ... hin und her ... registrieren Sie jetzt dabei ... wertfrei ... achtsam ... alles, was Sie vorfinden: Spannungen ... Enge ... Unruhe ... Stress ... Angst ... schauen Sie sorgsam nach innen ... tasten Sie haarfein ab ... und alles ist in Ordnung, was Sie feststellen. *(Pause)*

Zweiter Schritt: Halten Sie nun inne ... verweilen Sie! *(kleine Pause)*

Dritter Schritt: Machen Sie jetzt bewusst drei sehr ruhige Atemzüge! Achten dabei auf langsames Ausatmen! *(kleine Pause)*

Vierter Schritt: Sagen Sie sich jetzt im Stillen: »Ich brauche nichts zu tun. Ich brauche nichts zu verstehen!« Beobachten Sie, wie diese zwei kleinen Sätze Sie entspannen und natürlich werden lassen ... gelassen und gelöst ... spontan und selbstverständlich ... »Ich brauche nichts zu tun. Ich brauche nichts zu verstehen!« ... und Sie gehen in eine leichte, produktive Trance *(kleine Pause)* ... und Ihr Bewusstsein entspannt sich und Ihr Unbewusstes übernimmt eine kluge, natürliche Führung.

Sie entspannen sich und aus der Entspannung heraus handeln Sie natürlich und selbstverständlich, Sie bewegen sich frei ... Sie atmen ruhig ... das Herz schlägt gleichmäßig ... der Verstand ist klar und offen ... Sie fühlen sich eins mit sich ... in sich stimmig ... Sie sind ganz Sie selbst ... und sprechen aus, was Sie sagen möchten ... nähern sich Menschen, die Sie sympathisch finden ...

Und jetzt sagen Sie sich einmal probehalber im Stillen: »Ich bin richtig, so wie ich bin.«; »Ich bin richtig, so wie ich bin, ich bin nicht James Dean und nicht George Clooney. Ich bin der, der ich bin, und ich bin in Ordnung so.«

Wie fühlt sich das an? *(kleine Pause)*

Und jetzt testen Sie doch mal ... Sie haben drei Bühnen ... Sie können immer hin- und hergehen, wie ein Zuschauer ... ein großer Platz mit drei verschiedenen Bühnen ...

(Im Folgenden ist der Text nur beispielgebend und muss auf den Klienten abgestimmt werden.)

Die erste Bühne liegt ganz links ... Das ist die Szene mit Ihrem Sohn ... Sie sehen, ihr spielt Fußball und der Junge agiert völlig anders, als Sie das eigentlich wollen ... und jetzt, mit Ihrer neuen Kompetenz, verändert sich etwas ... Sie sind humorvoll ... lustvoll im Spiel ... und das Spiel nimmt neue Züge an ... es ist eine reine Freude, euch beiden zuzusehen ... man merkt, es ist ein FußballSPIEL!

Sie gehen zur nächsten Bühne, da läuft eine andere Szene ab ... Sie sehen, Sie sind zusammen mit Kollegen ... Sie reden ruhig, langsam, deutlich, verständlich ... ganz natürlich selbstverständlich ...

Und Sie wandern weiter zur dritten Bühne, ganz rechts ... Sie sehen sich einer Frau begegnen ... natürlich und selbstverständlich ... im Gespräch ... im Blickkontakt ... immer im Gefühl »Ich bin in Ordnung ... ich bin so wie ich bin ... das ist mein Typ ... ich habe Humor ... bin freudig ... ich liebe das Leben!« ...

Sie wandern herum und erleben ... verweilen und schauen ...

Und irgendwann steigen Sie ein ... Sie sind selbst auf den Bühnen ... spielen sich selber ... sind mittendrin in der Handlung ... im Spiel ... im Gefühl ... und Sie erleben mit aller Intensität:

Die Scham weicht ... der Charme kommt ... und Sie erleben das mit Erstaunen ...

Und in Zukunft werden Sie sich manchmal dabei ertappen, wie Sie sich im Stillen sagen: »Ich bin richtig, so wie ich bin! Ich bin o. k.!«

Und jedes Mal, wenn Sie diese Hypnose wieder durchspielen, kommen Sie mehr in Ihre Einmaligkeit ... in Ihre Schönheit als Mensch ... und in Ihre Stärke als Mann ...

Tut das meinem Herzen gut? – Selbstachtsamkeit

Ziel: Selbstachtsamkeit und guter Umgang mit dem Körper, speziell dem Herzen

Technik: kleine Körperreise

Hypnoseanleitung

Sie sind schon ein alter Hase. Ich meine, in der Hypnose ...

Sie kennen Hypnose ... können Hypnose ... Sie lehnen sich zurück ... schließen die Augen ... drei ruhige Atemzüge ... die Atmung fließt ruhig ... hypnosegeübt ... hypnosetrainiert ... das Wort »Hypnose« im Ohr ... schon fühlen Sie sich anders als zuvor ... schon beginnt sie ... immer leichter ... immer tiefer ... immer einfacher ... heraus aus dem Gewühl ... hinein ins Wohlgefühl ... der Körper warm und schwer ... der Kopf gedankenleer ... der Brustraum luftig weit ... die Seele schon bereit ... meine Stimme aus der Ferne ... das Unbewusste führt Sie gerne ... es braucht ja gar nicht viel ... Sie gleiten dahin ... zum Ziel ...

Sie haben Ordnung geschaffen in Ihren Räumen ... ausgemistet im Keller ... Baustellen mit Schutt, Staub und Schmutz ... Karren schieben ... Lasten tragen ... schuften wie ein Esel ... müde Glieder am Abend, schmerzende Muskeln am Morgen ... archiviert im Dachboden ... Parkett verlegt ... restauriert ... modernisiert ...

Herrlich!! Das ist Veränderung!

Ihr Leben wird üppig ... aufgeräumt ... befriedet ... ausgeglichen ... einfach schöner ...

Sie sind es sich wert, in einem schönen Ambiente zu wohnen ... entschlackt ... frisch renoviert ... zeitgemäß ... sinnvoll geordnet ... und

Sie genießen das richtig ... frische Luft ... Blumensträuße ... Kerzenschein ... heimelige Atmosphäre. Ein gutes Zeichen!

So ist es an der Zeit, sich um das *innere* Haus zu kümmern ...

Und während Sie tiefer und tiefer in Hypnose sinken ... fangen Ihre innere Kräfte achtsam an, etwas Besonderes zu leisten ... aber diesmal mit leichter Hand ... sie durchstöbern das innere Haus ... entrümpeln ... entsorgen ... ordnen ... restaurieren ... um Neues, Zeitgemäßes einzurichten. So wird auch Ihr inneres Haus sauber und geordnet ... mit schönem Licht und warmer Atmosphäre ...

Sie betreten Ihr inneres Haus ... und wandern umher ... wie jemand, der es zum ersten Mal betritt und alles erst einmal so richtig auf sich wirken lässt ...

Sie wandern durch Ihre Etagen ... und betrachten was Sie vorfinden ... kommen zu einem strapazierten Herzen, das sich abmüht, mit Ihnen Schritt zu halten ... und dabei so manches Mal aus dem Takt gerät ...

Heilsame Kräfte geleiten Sie in tiefe Besinnung ... innere Wandlung vollzieht sich ... Und die Frage kommt auf: »Tut das meinem Herzen gut?« Das Herz schüttelt verneinend den Kopf ...

Sie halten inne ... verweilen ... achtsam ... sorgen für Ihr Herz ... treten einen Schritt zurück ... das Herz strahlt ... und schlägt in ruhigem Takt.

Und immer wieder stellt sich die Frage: »Tut das meinem Herzen gut?« ...

Das bringt Sie auf den richtigen Weg ... Sie sind achtsam ... verlangen sich nur so viel ab, wie (es) Ihnen guttut ... gehen nur das ein, was Ihnen gut bekommt ...

Sie sorgen für Ihr Herz auf der körperlichen Ebene ...

Sie sorgen für Ihr Herz auf der Gefühlsebene ...

... immer mit sich in Kontakt ...

... und das Herz schlägt im Takt ...

Das Herz schüttelt bei Stress verneinend den Kopf ...

Es lächelt bei Achtsamkeit ... es lächelt ... lächelt Sie an ...

... und Sie sorgen mehr und mehr für Ihr Herz ... das Herzstück Ihres inneren Hauses ...

Denn Ihr Herz sorgt für alles ... vom Keller bis zum Dachstübchen ... und Sie sorgen ab jetzt für Ihr Herz: achtsam ... gesund ... liebevoll ...

So läuft es rund in ruhigem, gleichmäßigem Takt und kann noch viele viele, viele Jahre das innere Haus versorgen ... gesund ... leistungsstark ... kraftvoll ... intakt im Takt ...

Das Zwiegespräch mit dem Herzen wird Sie leiten ... ruhiger machen ... gelöster ...

Sie tragen Verantwortung für Ihr Herz ... liebevoll ... rücksichtsvoll ... das pendelt Sie ein ... bringt ins Gleichgewicht ... Ihr Schiff des Lebens segelt in ruhigen Gewässern ...

Und immer wieder ... bei Sturm ... und Hagel ... hohem Wellengang und Blitzgetöse ... taucht die Frage auf: »Tut das meinem Herzen gut?« ... Und Sie erfahren sofort die Antwort ...

Sie richten sich danach und reagieren ruhig, entspannt und souverän ... klug und umsichtig ...

So beruhigt sich der ganze Organismus ... das innere Haus ... in Eintracht ...

Auf zum eigenen Ufer! – Dank für Therapieerfolg und Perspektiven

Ziel: zum Therapieabschluss Zusammenfassung und Absicherung der Entwicklung, Ermutigung für weitere Schritte

Technik: Sammeln der erreichten Ziele, Bearbeiten eines kleinen Rückfalles, Verankern des guten Gefühls durch wechselseitiges Tippen auf die Schenkel

Hypnoseanleitung

Vertrautes Liegen auf der vertrauten Couch ... mit der vertrauten Stimme ... und mit vertrautem Gefühl ... in einen vertrauten Zustand sinken ... in ein Befinden, das Sie nicht nur kennen, sondern von dem Sie wissen, dass es Ihnen guttut ...

Sie lernten ... kamen vorwärts ... und erreichten die Ziele, die Sie sich gesteckt hatten ... vielleicht auf anderen Wegen, als Sie gedacht hatten ... und werden noch weitere Ziele erreichen, von denen Sie nicht mal zu träumen wagen ...

Liegen Sie sich nun so richtig ein ... lassen Sie sich sinken und spüren Sie, wie Ihre Atmung langsam tiefer wird ... regelmäßiger ... und ruhiger ...

Seit Beginn unserer Therapie ist viel geschehen ... eine kontinuierliche Verbesserung des Befindens ... auch Stärkung ... zunehmende Ruhe ... wachsendes Selbstvertrauen ...

Sie hören meine Stimme ... und wandern ... schrittweise ... mit jedem Wort, das in Ihrem Ohr erklingt, zu einem schönen Platz ... ein guter Ort, den Sie kennen ... und Sie kennen so viele. Sie wählen einen aus, der für heute der allerbeste ist, um noch Wichtiges zu erledigen ...

Und Sie spüren sich hier ... Sie atmen hier und Ihr Körper taucht in angenehmes Sein ... und gleichzeitig sind Sie mehr und mehr an diesem idyllischen Ort ... Sonnenlicht fällt in feinen Strahlen durch Blätterwerk ... Geräusche der Natur ... ein Summen ... irgendwo Glucksen von Wasser ... erdiger Geruch von Waldboden mit Pilzen ...

Und während Sie fünf betont ruhige Atemzüge machen, sind Sie mehr da als hier ... inmitten eines Ambientes, wie maßgeschneidert für Sie ... genau richtig ... schön ... stimmig ... und Sie schauen sich um ...

Der Körper kraftvoll ... der Kopf klar ... und die Seele heiter!

Und wie selbstverständlich formuliert sich das Wort »Dankeschön« ... ein Dankeschön für die Entwicklung, die Sie erleben durften ...

Dass Sie nun so sind, wie Sie sich heute erleben, hat mit Ihnen zu tun ... Ihrer Person ... Ihrem Wollen ... Ihren Anlagen ... Ihren Fähigkeiten ... und Ihrer Neugier auf ein besseres Leben ...

Sie wollten weitergehen und Sie sind weitergegangen ... und sind da, an Ihrem guten Ort ... ganz präsent ... im Bewusstsein Ihrer Fähigkeiten ... Möglichkeiten ... und Ihrer Kraft ... Sie haben das gemacht ... von außen kam nur Anregung und Energie ... die Bewegung aber geschah innerlich, unter kluger Regie Ihres Unbewussten ...

Und dieses Dankeschön ... formuliert mit eigenen inneren Worten ... flutet in Strömen durch Ihr Innenleben, durch die bewussten und unbewussten Gefilde ... und landet genau dort, wo es mit Freude gehört und aufgenommen wird:

»Danke für die Entwicklung!«

»Danke, dass ich das erleben darf!«

(Pause)

Und vielleicht ist es nicht überraschend, dass Ihnen gerade jetzt ein Erlebnis in den Sinn kommt, bei dem Sie so richtig gespürt haben: »Oh, ich bin weiter, ich kann das ja, es gelingt mir ... ich habe dazugewonnen. Es ist anders!« ...

Dieses Erlebnis taucht präzise in Ihnen auf ...

Sie fühlen sich belastbar ... klar ... humorvoll ... mittendrin im Leben ...

... und wenn Sie das jetzt ganz deutlich spüren, beginnen Sie mit den Händen abwechselnd – rechts – links – leicht auf Ihre Schenkel zu tippen ... und verbinden sich dabei noch inniger mit der guten Erfahrung ... Sie sind in dem Erlebnis ... sehr gut ... tippen auf Ihre Schenkel ... abwechselnd rechts – links in einem gleichmäßigen Rhythmus ... die Erfahrung deutlich ... das Erleben intensiv ... das Gefühl superstark ...

Sie erleben jetzt alles noch eindrucksvoller als in dem Moment, in dem es tatsächlich stattfand ... Sie drehen das Volumen auf ... aktivieren die Erinnerung ... erhöhen die Intensität ... Sie sind voll in dem Gefühl ... es prägt sich klar und wirkungsvoll im Gedächtnis ein ... in den Hirnarealen, in denen Erfahrungen gespeichert werden ... in jeder Zelle ... für alle Ewigkeit ... Sehr schön ...

Sie sind in dem Erlebnis ... sehr gut ... tippen auf Ihre Schenkel ... abwechselnd rechts – links in einem gleichmäßigen Rhythmus.

Und nun betrachten Sie ... wie ein Forscher ... für eine kurze Sequenz das Erlebnis von neulich ... ein sogenannter Rückfall ... Sie waren in das alte Muster gefallen ... haben es erst im Nachhinein bemerkt ... Sie hatten sich für einen Moment verloren ... hatten Ihre neuen Möglichkeiten vergessen ... das alte Verhalten war wieder da ...

Spüren Sie das auf ... wie ein Detektiv ... und tippen Sie weiter ... ruhig ...

Und mit diesem Tippen wird das alte Verhalten aufgeschüttelt wie ein zerknautschtes Kissen ... aufgeschüttelt und in eine gesunde Unordnung gebracht ... es kommt in Bewegung ... fängt an zu fließen ... verändert sich ... ordnet sich neu und zeitgerecht ein ... und durch die Formbarkeit des Gehirns passt sich der Kopf an Neues und Gutes an ... es bahnen sich neue Wege durch neue Impulse ...

Sie kehren jetzt wieder zu Ihren Stärken zurück ... Sie tippen weiter ... und in dem Moment, in dem Sie zurück in Ihrem guten Erleben an dem schönen Ort sind, ist alles Neuerlernte in seiner gesunden Neuordnung wieder da ... alle Fähigkeiten ... mit Kraft im Körper ... Ruhe in den Nerven ... das Herz im Rhythmus ... die Lungen elastisch ... der gesamte Organismus völlig im Einklang mit der guten Situation ... Klarheit im Verstand ... Mut in der Seele ... Freude im Herzen ...

Und Sie tippen weiter ... und gehen noch mal zu dem Erlebnis von neulich ... betrachten es mit Ruhe ... und es ist schwächer ... fast ungreifbar ... Sie prüfen nur ... wie ein Forscher ... »Da muss doch etwas sein?« ... Sie finden die Antwort ... verstehen den Schachzug und lernen, sich zu schützen ...

Nun kehren Sie zurück zu Ihrem guten Ort, zu Ihrem guten Erlebnis ...

Hier ist jetzt Ihre Basis ... ist jetzt Ihr Fundament ...

Sie schauen auf sich ... achtsam ... respektvoll ... liebevoll ... gentlemanlike ...

Sie bleiben sich in Ihrer neuen Entwicklung treu! ...

Das neue Programm gehört zum Hier und Heute ... Sie verwenden ja auch keinen Computer aus den Neunzigern und nutzen ein Handy mit der modernsten Technologie ... Sie setzen auf das Zeitgemäße ... Innovative ...

Die Hände können sich langsam ablegen ... die Ruhe genießen ... nach getaner Arbeit ...

Auf der Basis von Festigkeit und Stärke wird die Suche nach neuen Ideen erfolgreich ... mit Mut im Gemüt finden sich Aufgaben, die Sie erfüllen werden ... und das Unbewusste wird recherchieren, es kennt Sie besser als Sie sich selbst ... es wird Ihre Träume anregen ... und neue Ideen entwerfen und hervorzaubern ...

Sie können viel mehr als Sie denken ... und freuen sich an jedem Tag ... und freuen sich auf die Zukunft ... und freuen sich auf die vielen Überraschungen, die das Leben so bietet. Sie gehen mit offenen Augen ... mit nüchternem Verstand ... und heiterem Herzen immer weiter nach vorne ... zu neuen Ufern ... dem eigenen Ufer entgegen ...

2.4.7 Die Kleeblatt-Hypnosen – antidepressive Hypnosebegleitung für sie

Manche Menschen benötigen über lange Jahre in gut bemessenen Abständen eine hypnotherapeutische Sitzung mit Depotwirkung. Das hält sie am Laufen, bewahrt vor Rückfall in die Depression, reguliert und stimuliert. Als Beispiel einer solchen »Hypnosereihe« werden hier »Die Kleeblatt-Hypnosen« wiedergegeben. Die aufgezeichneten Hypnosen stammen aus einer Therapie, die bereits mehr als 12 Jahre andauert, seit Jahren jedoch mit einer Sitzung etwa alle drei Monate auskommt. Zu Beginn war das Thema die Depression, die Lebensgeschichte, die Bewältigung einer länger andauernden Lebenskrise nach Verlusterlebnissen. Das ist Vergangenheit.

Heute ist es die jeweils aktuelle Lebenssituation, die in der Sitzung betrachtet und in der Hypnose zur Begutachtung und Weiterbearbeitung an das Unbewusste übergeben wird; jedes Mal ein anderes Thema, jedes Mal ein anderer Wunsch, immer wichtig, immer einmalig, immer Halt gebend.

Zum besseren Verständnis der Beispiele, Bilder und Suggestionen vorab eine kurze Info zur Person: Malerin, vertraut mit der ganzen Welt, den USA besonders verbunden, eine Schneeflocke von Hündchen an ihrer Seite.

Wunsch ans Neue Jahr

Ziel: den Weg durchs Jahr ebnen

Hypnoseanleitung

Wahrscheinlich musst du nur die Arme ausbreiten ... als Erstes kannst du dich ja auch zurücklehnen ... in Hypnose absinken ... so kommt das Unbewusste zum Zuge ... jetzt, wo die Wintersonne gerade so mild ins Zimmer scheint ... die Januarsonne ...

... und du spürst in dein linkes Bein ... es liegt warm und ruhig ... entspannt und selbstvergessen da ... das Bein, das sich sonst so viel bewegt, läuft und tanzt ... liegt warm und ruhig ... entspannt und selbstvergessen da ...

Und nun lässt das linke Bein allmählich das angenehme Gefühl in das rechte Bein fließen ...

warm und ruhig ... entspannt und selbstvergessen ...

... und in deine rechte Hand ... du spürst, sie liegt warm durchströmt und ruhig ... entspannt und selbstvergessen da ... die Hand, die entwirft ... ausführt ... malt ... liegt jetzt einfach entspannt auf deinem Bauch, genießt die Wärme ... freut sich an dem ruhigen Auf und Ab der Atmung ... dem Anheben ... und Absinken ...

Die rechte Hand lässt allmählich das angenehme Gefühl in die linke Hand fließen ... warm und ruhig ... entspannt und selbstvergessen ... dann in die Schulter ... in den Rücken ... in den Brustraum ... warm und ruhig ... entspannt und selbstvergessen ... so strömt Trance in alle Bereiche ... mit jedem Atemzug ... kreist im Bauchraum ... und im Becken ... kommt überallhin ... breitet sich wohltuend aus ... schafft sich überall Raum ... eine angenehme, wohltuende Trance ... die in eine angenehme, wohltuende Hypnose führt, die alles öffnet ... warm und ruhig ... entspannt und selbstvergessen ... auch im Kopf ... um deinem Ziel näher zu kommen ... deinen Wünschen ... deinen Träumen ...

Und während ich von 1 bis 5 zähle und es hier im Raum immer heller und wärmer wird ... kannst du in eine tiefe ... »produk-tiefe« ... Hypnose sinken, damit sich Entwicklung von alleine vollzieht ... natürlich und selbstverständlich ... 1 ... weil das Leben immer Schritte nach vorne macht ... 2 ... mit Veränderungen ... 3 ... und wir irgendwann merken, dass wir weiter gehen als die anderen ... 4 ... oder vielleicht woandershin ... 5 ...

Du willst dein Leben verantwortlich gestalten ... sinnvoll ... vernünftig ... mit Perspektive ... mit Inhalten, die psychisch und physisch gesund halten ... und du hast alle Voraussetzungen dafür ...

Und während du die Ruhe im Hier und Jetzt genießt ... kann dein Unbewusstes ... vom heutigen Tag an die Zeitlinie in die Zukunft abschreiten ... von diesem gerade begonnenen Jahr sich vorwärts tasten ... in kluger Voraussicht die Wege prüfen ... die beste Route wählen ... ebnen ... führen ... Weichen stellen ... damit du nachher ... und übers Jahr ... nach vorne schauend sicher nach vorne gehst ...

Das Unbewusste ... mit der reichen Erfahrung deines Lebens ... in intelligenter Planung ... weiser Weitsicht ... schreitet durch die nächsten Wochen ... die nächsten Monate ... betritt auf einmal den Frühling ... irgendwann den Sommer ... stimmig lebensbejahend ... auf eine gute Art und Weise ... leicht und beschwingt ... das Wertlose meidend ... das Wertvolle schützend ... der Herbst noch fern ... der Winter weit ... mit dem Ziel, voller Genuss Neues aufzutanken ...

Und was im Winter noch Wunsch war ... im Frühling schon erahnt wurde, wird schöne Wirklichkeit ... im Sommer ... der Weg breiter ... heller ... leuchtender ... und das Unbewusste immer voraus ... wie eine Vorhut, die abtastet ... prüft ... Holzwege umgeht ... ausgelatschte Pfade meidet ... es wählt den festen Untergrund, der deinen Fuß abfedert ... und deinem Tritt standhält ...

Und zu manch alten Geschichten und alten Verbindungen bleibt ein endlos langes Band, das du ab und zu aufnimmst ... wenn du denn magst ... aber deine Bewegung geht nach vorne ... voller Schwung ... in Sogwirkung des Unbewussten, das dir vorauseilt und den Weg zeigt, der, der wirklich der richtige für dich ist ... gesund ... kraftvoll ... freudig ... jugendfrisch ... begeisterungsfähig ... neugierig auf Neues ... interessiert an neuen Begegnungen ... mit wachem Auge ... offen für Überraschungen! ...

Und es malen sich Farben ... zeichnen sich Bilder ... schreiben sich Worte ... formen sich Sätze: Ich bin frei ... erlaubt ... ich darf ... gönne es mir! ...

Und so stehst du zu dir ... Modell für andere und vor allem für dich selbst ... mit Selbstverständnis behauptest du dich ... mit klarem Verstand ... und einer freudigen Seele ... mit klugem Kopf ... zufrieden ... glücklich, dein Leben so zu gestalten, dass es dir entspricht ...

Dieses neue Jahr hat gut angefangen und es wird gut weitergehen ... immer mit der Gewissheit, das Unbewusste läuft schon vorneweg und prüft ... legt frei ... wird irgendwann ... viel später ... zum Herbst kommen ... und noch später zum Winter ... viel Zeit für Erlebnisse zwischendurch ...

Du darfst neugierig sein, welche Überraschungen das neue Jahr dir bieten wird!

Deshalb ... bleib ganz bei dir ... träume weiter ... ich bin still ... und irgendwann wirst du von fünf zurückzählen bis eins ... und dann ... mit gutem Gefühl ... großem Vertrauen ... und Freude im Herzen wieder hierher zurückkehren.

Die Panamericana – Traumstraße des Lebens: Den eigenen Weg gehen

Ziel: Stimmungsaufhellung, Selbstwertstärkung, Zukunftsorientierung

Technik: Fantasiereise, bestückt mit guten Suggestionen

Hypnoseanleitung

Sonne scheint durch luftig lichte Vorhänge ... frühlingshaft ... ein Hauch von Rosa, Gold, Rot ... im Hintergrund das Lindgrün vom jungen Laub der Bäume im Hof ... und du sitzt zurückgelehnt da ...

Als Erstes ... wie immer ... kommst du in diese nach innen gelenkte Konzentration ... alles Äußere unwichtig ... nur noch du ... ganz bei dir ... mit dir ... und du fühlst dich atmen ... und du fühlst dich lebendig in deinem Sein ... vollkommen sicher ... alles friedlich ... und geschützt ...

Die Zeit der Hypnose ist ein Zeit-Raum für dich, nur für dich ... kostbar ... nur dein ... aufmerksam ... energievoll ... und alles entfaltet sich von alleine: Freude ... Weite ... und neue Ideen ...

Mit jedem Ausatmen landest du noch tiefer in schönem Gefühl ... einfach davonschweben ... wie ein Schwarm Luftballons ... ähnlich einem fliegenden Blumenstrauß ... in kraftvollen Farben ... abheben ... frei aufsteigen ... leicht ... selbstverständlich ... und irgendwo ganz anders ankommen und neue Erfahrungen sammeln ... Erkenntnisse gewinnen ... und Ideen bekommen ... auf der Traumstraße deines Lebens ...

Das Leben ist für dich jetzt eine wunderbare Phase. Du besitzt so viel Reife ... so viel Erfahrung ... so viel Kompetenz ... so viel Ressourcen ...

und das ist so selbstverständlich, dass es dir kaum noch bewusst ist ... Aber dein Repertoire ist immens ... weit ... und vielfältig ...

So stehst du am Startblock ... am Beginn deiner »Panamericana« ... deiner Traumstraße des Lebens ... als erfahrene Person ... geistig fit ... klar ... freudig ... voller Tatendrang ... und mit dem Geschenk eines gesunden Körpers ... in aufrechter Haltung ... der Blick nach vorne gerichtet, um diesen Weg deiner Traumstraße mit tiefem Genuss zu beschreiten ... Schritt für Schritt ... der Fuß bewusst gesetzt ... elastisch abgerollt ... der Blick nach vorne ... aber auch zur Seite gewendet ... mal rechts ... mal links ... und alles aufgefangen, was interessant ist ... schön und wichtig ...

Mit elastischem Schritt ... und sicherem Tritt ... in selbstsicherem Gang entfernst zu dich vom Startblock ... und gehst, ganz mit dir, die erste Strecke ... mit Kraft und Zuversicht im Rücken ... und Weite in der Brust ... sonnendurchflutet, auch wenn draußen Nebel herrscht, Regen fällt ... oder Schnee in der Luft liegt ...

Dunkle Tage, wie schnell wechseln sie wieder mit hellen ...

Die Landschaft ist vielfältig ... Gerade, geradezu zuverlässig gerade, pfiffgerade Strecken wechseln mit kurvigen, die nach jeder Biegung überraschend neue Ausblicke eröffnen ... und alle Aufmerksamkeit in Anspruch nehmen ...

Immerwährender Wechsel von Klimazonen ... Vegetation ... Luft ... Boden ... Jahreszeiten ... Farben ... Musik ... immer neu ... immer treu natürlich ...

Und diese Traumstraße ist in dir, deine »Panamericana« ... und das macht dich freudig ... aufgeregt ... und begeistert. Aufgaben, die normal sind und zum Leben gehören, regelst du leichter als früher ... souveräner ... kraftvoller ... gelassener ... und lässt das Gute in dich einströmen, bei jedem Schritt ... und Freude wächst ... die Freude an der Bewegung ... an der Reise deines Lebens ... unendlich noch vor dir ... und der Weg ist das Wichtige ... jeden Tag neu ... immer achtsam ... selbstachtsam ... aufmerksam ... selbstaufmerksam ...

Die Liebe fürs Detail ... ein Farbtupfer ... ein Gefühl ... ein Klang ... ein vorbeihuschender Blütenduft ... all das kann dich glücklich machen ... und dein Unternehmungsgeist ist dir immer treu ...

Du kannst nicht immer vorwärtsgehen ... die natürliche Erschöpfung braucht natürliche Ruhe und Regeneration ... Phasen der Ruhe, der Erholung hältst du ein ... alles im natürlichen Maß ...

Und du wirst dir selbst zuhören ... dich ernst nehmen ... und dir immer wieder die Frage stellen: »Ist das richtig für mich?« ...

Und Kopf und Gefühl werden dir antworten: »Nein, das mach ich nicht!« Oder: »Ja, das fühlt sich gut an. Es ist nährend ... beglückend ... tragend ... gesund.« Und so achtest du auf dich ... selbstachtsam ...

Du schreitest dahin ... nimmst alles wahr ... nimmst alles Gute mit ... Gefühl ... Farbe ... der vorüberwehende Wind ... eine Melodie ... der Rhythmus des Tanzes ... ein Lächeln ... das erotische Blühen einer Rose ... und alles das bist du!

Begleite dich eine Weile ... jeden Schritt genießend ... Und da du das am besten in der Stille kannst, beende ich meine Worte und du lässt dir Zeit, um in dieser schönen Hypnose noch so viel zu erleben, wie du erleben möchtest ...

Und du alleine weißt, wann es genug ist ...

Und du siehst dich von Weitem auf der Traumstraße des Lebens, eine schöne Frau mit elastischem Schritt, die weiß, wer sie ist und was sie will ... aufgeschlossen ... freudig ... klar ... lebendig ... genussfähig ... voll im Leben stehend, oh, sagen wir besser: ... gehend! ...

Ein Bild, wie ein bewegtes Gemälde ...

Dein Lächeln – Aufmunterung

Ziel: Aufmunterung, Aufheiterung, Bestätigung, Stärkung

Technik: Fantasiereise zum inneren Lächeln[3]

Hypnoseanleitung

... und das ist deine »Wonnemonat-Mai-Hypnose« ... Schmetterlinge auf dem Kleid ... die Kirchturmglocke schlägt ... und ruhige, tiefe

3 Inspiriert von Sigrun Kurz: »Das Medaillon des Lächelns«, in: Kaiser Rekkas 2013a, S. 265 f.

Atemzüge ... alles die beste Induktion ... fehlt nur noch die singende Amsel ... aber die wird gleich von sich hören lassen ...

Und wieder hat sich im Vorgespräch schon einiges geklärt ... und wieder gibt es vieles, was dich beschäftigt ... sogar beunruhigt und quält ... aber das entschwindet jetzt auf die unbewusste Ebene für kluge Bearbeitung ... während du dich nur noch wohlfühlen darfst ...

... ach, da singt sie auch schon, die Amsel ... Ja, Hallo!

... und es gibt vieles, was schön ist in deinem Leben ... die wunderbaren Stoffe ... die Reisen im Winter ... die Ausstellungen im Frühling ...

... und du gehst tiefer und tiefer ... in eine angenehme Trance ... in Ruhe und Entspannung ... ganz leicht ... mit jedem Atemzug tiefer ...

Und deine Seele wird sich ausstrecken und zunehmend wohler fühlen ... denn gleich wirst du auf einem sonnenbeschienenen Weg gehen ...

In Sonnenlicht getauchte Landschaft ... du gehst unbekümmert ... schreitest weit aus ... die Arme schwingen im Takt ...

Vor dir ein weitläufiger Park ... Du näherst dich dem Eingang mit dem großen Tor ... gehst hindurch ... hinein in den wunderbaren Park ... grün in grün ... ehrwürdige alte Bäume ... blühende Büsche ... herrlich duftende Blüten ... du schlenderst gemächlich ... Rosenstöcke ... du tauchst deine Nase lustvoll in eine aufblühende Knospe ... atmest tief den wunderbaren Duft ein ... er begleitet dich ... auch wenn du weiterziehst ...

Du erblickst ein Gebäude ... eine Sommerresidenz? ...

Wie selbstverständlich lenken sich deine Schritte dorthin ... ein großzügiges Gebäude ... mit Balkonen und Terrassen ... weit offenen Türen ... freundlich einladend ...

Und mit dem Gefühl von Sicherheit ... ganz selbstverständlich ... schreitest du die wenigen flachen Stufen der breit geschwungenen Treppe hinauf ... trittst durch die Eingangspforte in die Empfangshalle ...

Du schaust dich um: lichte, weite Räume ... schöne Möbel aus tropischem Holz ... warme Farben ... üppige Blumensträuße ... Kristallschalen mit Früchten wie auf den Stillleben holländischer Meister … Gardinen, die im Atem des Frühlingswindes wehen … feine leichte Stoffe … die Chaiselongue mit seidigsamtenen Kissen … ein Kamin für gemütliche Abende … Silbergeschirr mit Biscuits … Karaffen mit Wasser … du bedienst dich … ungeniert … wie daheim …

Du gehst in aller Ruhe weiter … schlenderst durch die Räume … schaust dich neugierig um … und du fühlst dich dabei wie zu Hause …

Die Bibliothek … Geruch von Büchern … ein antiker Sekretär … ein Siegel … eine Schreibfeder wie in alten Zeiten … ein Tintenfässchen … ein begonnener Brief …

Puderdose … Pinsel … Rouge … Parfumflakon … und ein orientalisches Spiegelchen zum Aufklappen, Mitbringsel aus fernen Landen …

Du fährst mit den Fingerspitzen vorsichtig über das Ornament … öffnest das Spiegelchen sachte … und … erblickst dein Antlitz …

Lächeln … deine klaren wachen Augen lächeln … dein lebendiger Mund lächelt … auch deine Stirn … deine Wangen … deine Züge lächeln …

In diesem Lächeln lebt die Stärke und Liebe deiner Vorfahren … die Stärke deines Vaters … die Liebe deiner Mutter … die Stärke deiner Mutter … die Liebe deines Vaters … und das gibt dir Kraft …

Lächeln legt sich auch über dein Gesicht … du lächelst zurück … dein Spiegelbild schmunzelt … das gefällt dir … du schmunzelst ebenso …

Ihr zwinkert euch zu …

Ihr fahrt euch beide durchs Haar …

… blickt forsch …

… werft euch eine Kusshand zu …

… blast die Backen auf …

… seht euch abenteuerlustig an …

… frivol …

… liebevoll vertraut …

… und dann … zum Schluss erst … gut gelaunt … lacht ihr beide herzlich!

Und dieses Lachen breitet sich aus ... lacht direkt in dein Gemüt ... gute Laune fließt prickelnd wie Champagner durch deine Adern ... kitzelt munter ... befreit ... Sprungkraft kehrt ein ... frohes Lachen hallt durch die Räume ... und stilles Lächeln senkt sich in die Tiefe ... dort regeln sich Dinge ... ordnen sich Gefühle ...

Nach geraumer Weile wirst du wieder heraustreten ... und alles wird lebendig sein ... intensiv und frisch ... farbig und vital ... das Weiß der Wolken ... das Blau des Himmels ... das Gold der Sonne ... das Smaragdgrün der Landschaft ... und das pulsierende Rot in deinen Adern.

Du bist in deiner Stärke ... und betrittst deinen Tag mit Freude.

Die Kleeblatt-Hypnose – Entscheidungen treffen

Ziel: entspannt gute Entscheidungen treffen und der Zukunft vertrauensvoll entgegensehen

Technik: Aufgreifen der momentanen Situation, in diesem Fall ihr Kleid mit grünem Klee auf rotem Grund, und Übergabe des Themas an die Instanz des Unbewussten

Hypnoseanleitung

Die luftigen Gardinen wehen im Sommerwind ... ein rosaroter Lufthauch hüllt dich ein ... die Augen geschlossen ... aufmerksam und auch entspannt ... ganz hier und ganz jetzt ... dir zugewandt ...

Und mit ruhiger Atmung ... segelst du schon ein bisschen in Hypnose dahin ... mit jedem Ausatmen mehr ... in diesem schönen Licht ... in vollkommener Ruhe ...

Licht und Ruhe und Konzentration sind ausschließlich für dich da ... nur für dich ... Du ... eingekleidet in ein schönes, freches Tomatenrot mit grünen Kleeblättern und warmrosa Kleeblüten ... und einigen verstreuten Kleeblättern mit vier Blättchen ... die muss man nur ein bisschen suchen ... man findet sie ... wenn man die Augen offenhält ... und neugierig ist ...

Und neugierig bist du ... du liebst Neues ... und so gehst du immer tiefer und tiefer in Hypnose ... durchstreifst mit elastischem Fuß auf schmalem Pfad ein Kleefeld ...

Klee bereitet den Boden für die nächste Ernte vor ... Klee reichert die Erde mit Nährstoffen an, damit die Pflanzen in der nächsten Saison alles haben, was sie brauchen ... um gut zu gedeihen, üppig zu blühen und gesunde Früchte zu tragen ...

Die Blüten des Klees sind sehr beliebt bei den Bienen ... weil sie so süß duften ... und weil sie so einen wunderbaren Saft in ihren Honigdrüsen produzieren ... und so kuschelig sind ... und sicher finden die Bienen es lustig, so eine puschelige Blüte anzusteuern ... sich mitten in die duftende Blütenkrone zu hocken ... sich den Bauch herrlich kitzeln zu lassen ... und dabei Honigsüße zu saugen ...

Und mit jedem Schritt gehst du vorwärts ... jetzt ... auf deinem Weg ... begleitet von deinem Wunsch ... etwas besser zu bewältigen und Hindernisse beiseitezuschieben ... und ein eindeutiges »Ja« oder »Nein« sagen zu können ...

So schreitest du dahin ... deine Füße tragen dich ... Kleeblütenduft in der Nase ... das Auge erfreut sich am satten Grün ... zarten Rosa ... der Körper bewegt sich elastisch vorwärts ... einfach so ...

Und die Gedanken ziehen ... gemeinsam mit den Bienen ... lustvoll von Blüte zu Blüte ... lassen sich von den Blütenständen kitzeln ... nippen den süßen Saft aus dem Nektarium ... und, wenn die eine Blüte leer ist, schwingen sie sich auf ... steuern die nächste an ... in fröhlicher Lust ...

Und eines hast du mit Sicherheit ... du hast in deinem Leben schon viele Entscheidungen getroffen ... Hunderte, Tausende, Millionen von Entscheidungen ... kleine und große ... kleinere pausenlos ... selbst, wenn du die Straße überquerst ...

Du entscheidest vieles ... und normalerweise richtig ... sonst wärst du jetzt nicht hier ...

Manchmal entscheidest du bewusst und klar, manchmal erst nach reiflicher Überlegung ... meistens entscheidest du intuitiv, wie wir alle ... kleine Entscheidungen ... schon vergessen ...

In der Summe ist alles richtig und hat dich dahin gebracht, dass du ein schönes Leben führen kannst ... ein Leben, in dem sogar Wünsche noch offen sind ...

Und ein schönes Leben mit offenen Wünschen ist wirklich interessant ...

Darauf liegt dein Augenmerk: so viele Pläne ... so viel Vorbereitung für wichtige Ereignisse ... Begegnungen ... so viel Freude ... Vorfreude ...

Du kannst entscheiden ... hast entschieden ... hast meistens richtig entschieden ... und wenn es falsch war, hast du es reflektiert und revidiert ... und dir etwas einfallen lassen ... manchmal mit dem Kopf ... oft intuitiv ...

Und sicher ist es jetzt genau der richtige Moment ... auf diesem Spaziergang durch das Kleefeld ... deine Fragen ... Aufgaben ... und Entscheidungen ... abzugeben an das Unbewusste, diese kluge Instanz in dir: »Übernimm du das, du kannst es vielleicht viel besser ... damit ich noch ein bisschen bummeln kann ... ich gehe durch mein Kleefeld ... und meine Gedanken tummeln sich mit den Bienen ... trinken köstlichen Nektar und sind frei!« ...

Und du genießt ... locker und luftig ... von Blüte zu Blüte ... Ideen kommen von selbst ... überraschend neu ... duftend ... farbig ... erstaunlich leicht.

Wie ein Parfum – Süßes in Maßen

Ziel: gesundes Essverhalten

Nein, keine Essstörung, aber unbedachtes Futtern von Süßigkeiten, beim Schreiben, beim Malen, beim Konzentrieren: ups, schon wieder ein ganzes Marzipanbrot weg. Wohin? Weggeflogen?

Unsere Dame, die Malerin im Glanz satter Farben, hat seit Neuestem neben sich eine beseelte Zuckerwatte mit Frohsinn versprühenden Knopfaugen. Auch die Malerin ist süß, liebt Süßes, bezeichnet sich als »Süße«. Aber was zu viel ist, ist zu viel. Und, Süße im Magen füllt nur »Lücken«. So wünscht sie eine Anti-Süßigkeiten-Hypnose. Nichts leichter als das, wenn man das Unbewusste zu Hilfe nimmt ...

Hypnoseanleitung

So ... schön ... ich glaube, Dolcina ist auch schon in Hypnose ... sie atmet ganz ruhig, das Köpfchen auf den Pfoten und ... draußen regnet es ... warmer Sommerregen ... die Tropfen fallen ... die Glocke schlägt ... das Flugzeug fliegt ... und das Unbewusste arbeitet ... und Hypnose ist die beste, wenn nicht die allerbeste Methode ... um leichtfüßig und zarthändig etwas in Bewegung zu bringen, aufzulösen ... und aufzufüllen ...

Alle nervigen Gedanken, die eben noch durchs Bewusstsein geflitzt sind, kugeln noch etwas herum, rollen sich dann ein, blasen sich auf ... und steigen mit der Atemluft nach oben ... steigen in den Himmel ... und die löchrigen Gefühle sinken herab wie draußen die Regentropfen ... der Schwere nach ... nach unten, wo der Boden sie aufsaugt ... und so kommst du ... während ich bis 12 zähle, in angenehmes Schwingen ...

1 ... leicht und luftig ... 2 ... ruhig und sanft ... 3 ... entspannt und freudig ... 4 ... vollkommen in dir ... 5 ... du nur für dich da ... 6 ... dem Thema gewidmet ... 7 ... und sobald das Unbewusste mit der Arbeit beginnt ... 8 ... fängt deine Hand an leichter zu werden ... 9 ... leichter ... von sich aus ... 10 ... mit dem Luftballon, den die Hand schon kennt ... 11 ... leichter und leichter ... leichter und leichter ... 12 ... sehr schön ... sehr gut! ...

Die Hand wird leichter ... gewinnt an Höhe ... so wie du tiefer sinkst ... ganz im Vertrauen ... dass das Unbewusste die Arbeit schon längst übernommen hat ...

Das Motto des berühmten Käpt'n Blaubär lautet: »Das Essen soll dich groß und stark machen ... das Dessert aber ... das Süße ... einfach nur glücklich.«

Und genau nach diesem Motto regelt das Unbewusste das gute Verhältnis von kräftigendem Essen und einem »Glückpraliné« auf gute Art und Weise ... verbindet mit Stimmungen ... Gefühlen ... Gewohnheiten ... und Aufhören, wenn es genug ist ...

Süßes braucht es nur einen Hauch ... Dessert ist wie ein Parfum ...

Und das Unbewusste arbeitet so gut und so lange ... bis ein Finger sich von alleine hebt, um anzuzeigen, dass Wichtiges geregelt wurde ... *(nach einer Weile)*

Fingerzeichen: »Der Neue« (Kaiser Rekkas 2013b, S. 107 f.)

Super ... der »Neue« ... Sehr schön ... Denn wer sollte besser als dein Unbewusstes wissen, was zu tun ist ... und wie ...

Und du wirst dir auch in Zukunft, weil du eine Süße bist, Süßes erlauben ... in einem Maß wie ein Parfum ... was man sich ja auch nicht überschüttet ... sondern nur fein versprüht ... oder mit dem Glaspfropfen des Flakons auftupft ...

Etwas Süßes auf der Zunge ... intensiv im Geschmack ... ein tiefer Atemzug ... genießen ... in kleiner Portion ... das Parfum des Pralinés ... das ist gut ... das macht glücklich ...

Lücken füllen sich auf ... polstern sich auf ... mit jedem Tag ... mit jeder Nacht ... mit jedem Traum, den du träumst ... und wer weiß, was noch alles kommt an Überraschungen ... Abenteuern ... neuen Begegnungen ... immer interessant ... immer abenteuerlich ...

Lass dir noch alle Muße, deinen Träumen nachzugehen ...

Erst später zählst du wieder zurück von 12 bis 1 ... um die Hypnose abzurunden ... und in ein paar Minuten ... wach ... klar ... frisch ... stabilisiert ... wieder ins Hier und Jetzt zu kommen ...

Und deine Aufmerksamkeit bleibt fokussiert auf all die Farben, all das Schöne, Freudige ... du begegnest dem Leben mit Selbstverständlichkeit ... bist rundum froh, gelassen und heiter ...

Runde sechsundsechzig! Schön, frei und selbstbestimmt

Ziel: die Geburtstagshypnose: das runde Alter genießen und wertschätzen, was man hat

Technik: betonen der vorhandenen Ressourcen und Neugierde auf positive Erfahrungen und schöne Begegnungen wecken

Hypnoseanleitung

Schön ... und die Hypnose beginnt ...

Du sitzt da ... machst einen tiefen Atemzug ... deine Hände liegen auf deinen Schenkeln ... deine beiden Zeigefinger aber streckst du jetzt senkrecht nach oben Richtung Himmel ... Richtung blauen, bayrischen Oktoberhimmel ... und die Hypnose heißt heute: Runde 66! Wenn man es umdreht, wird es 99, das ist doch herrlich! Ein Traumalter ...

Und du hast schon einen guten Eingangssatz gewählt, der lautet:

»Was habe ich doch für ein schönes, freies, selbstbestimmtes Leben!‹

Wer kann so etwas schon von sich behaupten?

Und du erlaubst dir Hypnose: schön, frei und selbstbestimmt ...

Ganz von alleine wird sich, wenn die Trance startet, zuerst der eine Zeigefinger entspannt senken ...

Sehr schön, der eine Finger senkt sich langsam ... langsam ... prima! ... du fühlst, wie es sich auch in dir angenehm absenkt ... Freiraum entsteht ... Befähigung nimmt zu ...

Bald wird sich der zweite Zeigefinger senken, wenn die Trance sich vertieft ... und Trance vereinfacht vieles ...

Sehr gut! ... alles um dich herum unwichtig ... du bist in deinem Zentrum ... frei ... unabhängig ... schön und selbstbestimmt ... du gestaltest deinen Tag ... du bestimmst, wie er sein wird ... kein Tag wie der andere ... du machst tagtäglich neue Erfahrungen ... lernst dazu ... altersgemäß ... situationsadäquat ... immer dicht am Leben ...

Du begleitest dich mit leichtem Schmunzeln ... und das Schmunzeln spricht für gesunden Abstand ... der Blick aus der Weite hilft, Dinge nüchtern zu betrachten ... und mit Abstand Dinge so sein zu lassen, wie sie sind ...

Darauf kannst du wirklich stolz sein ... und wie gut, diesen Stolz zu spüren ... Stolz richtet auf ... durchfließt dich ... leuchtend und klar ...

Sechsundsechzig ist ein besonderes Alter! Rund ... erfahren ... gesund ... leistungskräftig ... mit offenen Augen ... Du weißt, was du willst ... und lebst, wie es dir guttut und du sagst »nein«, wenn du es für richtig erachtest ...

Wirklich, mit sechsundsechzig ... kann man sich vieles erlauben ... und du hast so schöne Dinge vor ... dein neues Lebensjahr hat gut angefangen ... du bist in deinen Geburtstag hineingetanzt ... du wirst in das neue Jahr hineintanzen ... und auf deinem Gabentisch tanzen Geburtstagspäckchen voller glückvoller Erlebnisse ... vielleicht noch nicht entdeckt ... noch verpackt ... vielleicht nicht mal erahnt ... bunte Päckchen von verschiedener Größe ... verschiedenem Gewicht ... sie öffnen sich erst im Laufe des Jahres und lüften ihr Geheimnis ... Geschenke an dich ... erst morgen ... nächsten Monat ... im neuen Jahr ... die runde Sechsundsechzig ist voller Überraschungen!

Mit wachen Augen wirst du alles entdecken ... so, wie du früher, noch Kind, alle Ostereier im Garten gefunden hast ... nicht alle auf einmal ... aber keines blieb unentdeckt ... irgendwann wurde jedes erspäht ... und sei es noch so gut versteckt gewesen ... und du hast es mit jauchzender Freude in dein Körbchen gelegt ... eins nach dem anderen ...

Bereit für Überraschungen ... achtsam für alles, was dich froh macht ... sicher und freudvoll ... um das alles kreisen deine Gedanken ... das erblickt dein Auge ... so, wie du dich an der Rose freust, die auf deinem Balkon blüht ... nur für dich ... dahin wendet sich dein Blick ... damit beschäftigt sich dein Sinn ... dahin zielt deine Aufmerksamkeit ... und du fühlst dich reich beschenkt ...

Du ruhst in einer gesunden Ausgewogenheit zwischen Geselligkeit, Gemeinsamkeit, Miteinander ... und einer ruhigen Stimmung, in der du mit dir bist und deinen Dingen nachgehst ... mit dem kleinen Hund an deiner Seite, der neben dir atmet ... dich immer wieder animiert, morgens beim Aufwachen schon, ihm zu begegnen ... und damit dir selbst ... und dich zu spüren ...

So streckt sich dein Körper vital dem Morgen entgegen ... begegnet energisch dem jungen Tag ...

Wahrscheinlich ist dir nicht bewusst, welchen Weg du schon gegangen bist ... welche enormen Schritte du gemacht hast ... was du geleistet hast, zu sein, wie du heute bist: geklärt und zugleich neugierig ... ernsthaft ... und doch fröhlich ... ruhig ... und ebenso lebendig ... abwartend und auch forsch ... zielstrebig und auch verspielt ... und immer mit Neugierde auf den nächsten Tag ... intensiv dabei ... wie jetzt ... in dieser Minute ... in diesem Moment, den du deutlich spürst ... klar ... im Einklang mit dir ... lebensvoll ...

Es wird ein wundervolles Jahr werden! Die Sterne stehen gut.

Achtsamkeit ... Klarheit ... und großes Wohlwollen ... immer in dir ...

Aufmerksam wählen sich die inneren Worte, mit denen du zu dir sprichst ... du sagst dir Gutes und Förderliches ... du gehst mit deiner kostbaren Zeit sorgsam um ... konzentrierst dich auf das Schöne, Freie, Selbstbestimmte! ...

Tauche ruhig noch ein wenig tiefer ... in Besinnung ... in angenehmes Sein ... und das Unbewusste sortiert und organisiert alles in dir ... für ein wunderbares Gefühl im Leben ...

Ich bin so gerne schön!

Ziel: Selbstwert als Frau

Technik: Über ein Einstiegsbild in drei Ressourcensituationen führen und diese mit guten Suggestionen unterstreichen; längere Pausen gewähren, um die inneren Bilder samt ihren Gefühlen zu beleben und wirken zu lassen

Hypnoseanleitung

Nach unserem lebendigen Gespräch ... kommt jetzt die Ruhe ... Unwichtiges perlt ab ... Wichtiges setzt sich ... und du bist innerlich ganz wach und klar ... für ein Ziel: gutes Lebensgefühl ... schöne Ausstrahlung ... frauliche Lebendigkeit ... sprühende Erotik ... spielen ... genießen ...

(Pause)

Mit den Flügeln der Hypnose schwing dich nun auf ... in deine inneren Bilder ... in deine Intuition ... und in die immense Kraft deines Unbewussten ...!

Atme dich mehr und mehr in dieses angenehme Sein ... so entfalten sich wunderbare Potenziale ... angeregt durch meine Worte ... getragen von unser beider Energie ...

(Pause)

Hand in Hand mit dem Unbewussten schreitest du nun Situationen deines Lebens ab, in denen du früher schon bedingungslos »Frau« warst ... denn das, was du suchst, ist ja in dir ... spontan ... schelmisch ... kraftvoll ... sprühend ... prickelnd ... erotisch ... freudvoll ... lebensbejahend ...

(Pause)

Mag sein, ihr wählt als Erstes das nette Intermezzo aus deinen Erzählungen von Buenos Aires ... Inbegriff von Freude an sich selbst ...

Du bist in der Damentoilette eines Tangolokals ... eine Frau steht vor dem Spiegel ... sie hat sich hübsch zurechtgemacht ... und betrachtet sich eine Weile lang kritisch ...

Plötzlich ... entzückt über sich selbst ... ruft sie spontan aus: »Ich bin so gerne schön!« ...

(Pause)

Die nächste Station ist dir um so vieles näher ... eine Erfahrung ... dir wohl längst entfallen ... aber vom Unbewussten gut gehütet ... und jetzt offenbart ... wiederentdeckt ... du selbst bist jetzt diejenige, die spontan ... entzückt ... liebevoll ... empfindet: »Ich bin so gerne schön!« ...

Du betrachtest dich ... freust dich an dir selbst ... bist einfach glücklich ... zwinkerst dir zu ... findest dich hübsch, so wie du bist ... ein Unikat ...

»Mich gibt's nur einmal« ... »Ich bin umwerfend« ... »Ich bin einmalig« ...

»Ich versprühe mein Feuer ... egal, ob es den anderen kalt lässt ... oder entzündet ...«

Du hast die Energie ... und diese Energie hat eine Quelle ... und diese Quelle ist unerschöpflich ... und das Unbewusste zeigt auf diese Quelle: Schau da! Schau da! Es sprudelt ... und je mehr du nimmst, umso mehr ist für dich da ... je mehr Feuer du brauchst, umso mehr Feuer ist für dich da ...

(Pause)

Die nächste Situation ist eine besonders gute Erfahrung ... du, ganz Frau ... ungezwungen ... frei ... dynamisch ... hingebungsvoll ... deutlich im Bild ... intensiv im Gefühl ... du mittendrin ... mitten im Geschehen ... ganz schön ... ganz Frau ... sprühend ... in einer Atmosphäre von erotischer Weiblichkeit ... auch hier deine Quelle ... immer sprudelnd ... je mehr du von ihr nimmst, umso mehr sprudelt sie ... umso mehr ist für dich da ...

(Pause)

Alles vereint sich zu einem besonderen Gefühl ... kaum in Worte zu fassen ... es spiegelt dich in deinem Sein wider ... wie ein Flirren in der Luft ... ein Hauch der Morgenröte ... das Wehen des lauen Sommerabendwindes ... die Wärme der vollen Sonne ... die Kühle des vollen Mondes ... unbegreiflich schön ...

Unabhängig von Zeit und Raum wird alles immer und immer wieder alleine durch dich selbst generiert ... anziehend und fröhlich ... heiter und lebensvoll ...

Und das spürst du jetzt ... und sinkst noch tiefer in dieses prachtvolle Gefühl von Einmaligkeit ... in das Gefühl von Fülle ... *(Pause)*

So gehst du verschwenderisch mit dir um ... und genießt entzückt den Effekt deiner Verschwendung ... *(Pause)*

Und wann immer du magst, kehrst du zurück ... in ungemein strahlender Verfassung ...

Paradise is now

Ziel: in der Gegenwart leben, achtsam sein im Hier und Jetzt

Technik: Training von Achtsamkeit im Hier und Jetzt

Hypnoseanleitung

Es ist dir warm ... es ist dir gemütlich ... und du siehst echt herrlich aus ...

Heute gibt es nun eine einzigartige Hypnoseinduktion für dich ... ein kurzer Satz ... drei kleine Worte ... sie zerschmelzen auf der Zunge: »Paradise ... is now!«

Du beobachtest, wie deine Atmung langsam ruhig wird ... gleichmäßig ... friedlich ...

Du schwingst im Rhythmus deiner Atemzüge ... und dann ... ganz einfach ... formuliert sich ... beim Einatmen ... im Stillen ... das Wort »Paradise« ...

... und beim Ausatmen »... is now ...«

(Im Rhythmus der Atmung gesprochen)

... Paradise ... is now ...

... Paradise ... is now ...

... Paradise ... is now ...

... Paradise ... is now ...

... Paradise ... is now ...

Atemzug um Atemzug ... bringt es dich mehr ins Schwingen ... in eine prächtige Hypnose ... in eine schöne Vorstellung ... und gute Gefühle ... im Hier und Jetzt ...

Du lebst jetzt, im Moment ... und das zählt ... du wählst den Moment ... »Paradise is now« ... nicht morgen und nicht übermorgen ... ja, und »gestern« ist schon vorbei ...

Du bist mitten im Moment ... und so sinkst du tiefer ... und tiefer ... in ein paradiesisches Jetztgefühl ... in innere Ruhe ... Zufriedenheit ... mit dem, was momentan ist ...

Und ein tiefer Atemzug macht den Kopf frei ...

Alles könnte immer noch anders sein ... besser ... höher ... weiter ... leuchtend schöner ... aber das Gefühl ... im Hier und Jetzt ... ist zufrieden ... und auch der Kopf wird glücklich ... im Hier und Jetzt ... im Vertrauen darauf, dass auch der nächste Moment sich gut gestaltet ...

Und tiefe Gelassenheit erfüllt dich ...

Du hast großes Talent, das Leben mit Humor zu betrachten ... mit blinzelndem Auge ... und schmunzelndem Mund ... du kommst zum Strahlen ... dein ganzes Ich ist erfüllt vom Gefühl: Paradise is now ...

Ob's stürmt oder schneit ... die Sonne lacht ... oder der Himmel verhangen ... es ist immer der Moment ... in dem du lebst und nimmst, was dieser Moment dir bietet ...

Das erfrischt dich ... nährt dich ... besänftigt ... und belebt dich ... und du fühlst dich gerade richtig wohl ... deine Ausstrahlung ist schön ... dein Lächeln ansteckend ... deine Stimme melodiös ...

Du bist im Moment ... und der Moment ist gut ... und in sich selbst perfekt ... du spürst es ... spürst es jetzt ... du gibst ihm Zeit und Raum ... und alle Achtsamkeit ...

Er ist es wert!

Du bist es wert!

Paradise is now!

2.5 Sexualität – frei, lustvoll, schön

Wann sind wir natürlicher, entspannter, freier, spontaner, kreativer und lustvoller als in Trance? So ist dieser Zustand also herrlich geeignet, um einer blockierten, eingeschüchterten oder vielleicht noch nie erwachten Sexualität ins Leben zu verhelfen.

Die Tranceanleitungen sollten erotisch aufgeladen sein, ohne das Thema direkt zu berühren. Die Worte selbst (»Gefühlsperlen«) die Bilder (»Wunderschön die Küste, an der dein Schiff entlang gleitet ... sanfte Hügel ... wilde Schluchten ... besonnte Hochebenen ... schattige Täler ... samtige Almen ... liebliche Auen ... heimliche Wege ... verwunschene Plätzchen ...«) und Szenen (»Sie schauen ins Feuer ... traumverloren ... die Flammen spielen miteinander ... lodern in die Höhe ... lecken aneinander ... umzingeln sich gierig ... um dann wieder wie zärtlich vor sich hin zu brennen ... und nur Wärme abzugeben ... bis sich auf einmal wieder ein neues Stück Holz entzündet und eine heftige Flamme nach oben schickt ...«) sind eigentlich völlig unverfänglich. Sie lenken aber die Assoziationen und setzen in Hypnose spontan lustvolle Fantasien, Emotionen und sexuelle körperliche Gefühle frei, die durch die therapeutische Zielsetzung und das stattgefundene Vorgespräch schon gebahnt sind.

Menschen mit brüchigem Begehren, mangelhafter Erotisierung und ängstlicher Selbstbeobachtung geraten hiermit auf gesunde Art und Weise völlig aus der Bahn ihrer eingeschliffenen Reaktionsmuster von ängstlich-lustlos-schlaff. Ohne bewusstes Verstehen, dafür aber im intensiven Erleben auf der inneren Bühne werden natürliches Fühlen und Reagieren wiederbelebt oder neu gebahnt.

2.5.1 Wenn der Frühling kommt ... (für sie)

Ziel: die Sexualität aus dem Winterschlaf wecken

Technik: tiefe Hypnose, ideomotorische, sehr indirekte Technik: »Leichter geht's nicht« (Kaiser Rekkas 2013a, S. 63 f.), Hervorrufen eines früheren guten sexuellen Erlebnisses

Hypnoseanleitung

... wer weiß, was da im Körper schon Spannendes vor sich geht ... jetzt ... nachdem die Zeit, die nicht einfach war, Vergangenheit ist ...

die Sonne scheint ... Frühling liegt in der Luft ... es braucht nicht mehr viel, dann kommen die ersten grünen Blättchen hervor ... Und Sie? Sie sind zurückgelehnt ... gespannt-entspannt ... erwartungsvoll ... denn wir haben ein wichtiges Thema heute: Sexualität ... Lust in der Liebe ... Erotik ... Libido ... Freude und Spiel ... Frau sein und sich gut fühlen ... wiederbeleben, was schon lebendig war ... und genossen wurde ... selbstverständlich ...

Und wichtig ist: Ihr Körper kann natürlich, gesund und freudig reagieren ... die Seele kann lustvoll mitspielen ... das Herz kraftvoll klopfen ... alles normal gebahnt ... alles da. Aus einem wichtigen Grund hat sich das schlafen gelegt. Wichtig nun, es erwacht wieder ... Ihr Körper erinnert sich an die letzte schöne Trance ... findet dieses schöne Befinden wieder ... Trance ... ein wunderbarer Zustand ... um Dinge geschehen zu lassen, die nur von alleine geschehen ... frei laufen lassen, was nur von alleine läuft ... hingeben ... nichts muss ... alles kann! *(Pause)*

Ihr Körper erinnert sich an seine letzte schöne Trance ... gleitet in dieses schöne Befinden ... so einfach ... so leicht ... wie eine Feder, die ein Vogel im hohen Flug verliert ...

Die Feder schwebt noch eine Weile in gleichbleibender Höhe ... gleitet tiefer ... sinkt schwebend ... trudelt ein bisschen im Winde ... um dann tiefer und tiefer zu sinken ... frei ... ohne Hast ... gemächlich ... alles Äußere unwichtig ... unwichtig, ob Sonnenschein ... ob Regenplätschern ... Ihr Körper gleitet wie eine Feder ... in schwingender Bewegung ... tiefer und tiefer ... und Sie mit ihm ...

Und während ich von 1 bis 7 zähle ... fühlen Sie sich immer wohler ...

1 ... Sie verspüren Leichtigkeit ... für ein Thema, das Leichtigkeit liebt: ... Ihre Sexualität ... Ihr Frau-Sein ... Ihre erotische Liebe ... der Mann, den Sie begehren ... 2 ... Ihr Unbewusstes freut sich schon ... es hat sich schon vorbereitet und setzt sich nun in Gang ... denn eine Hand wird gleich leichter ... 3 ... so beginnt unbewusste Arbeit ... leichter und leichter ... während Sie hier ruhen ... und vielleicht gleichermaßen ... in den Frühling hinausschweben ... 4 ... wo schon längst die Blumen blühen ... sie verkünden eine wunderbare Zeit ... erfüllen die Luft mit ihrem Duft ... und dem romantischen Klang des Frühlings ... 5 ... »Frühling lässt sein blaues Band ... wieder flattern durch die Lüfte« ... was geschlafen hat ... 6 ... erwacht wieder ... die Vögel wärmen sich im Sonnenbad ... zwitschern ... 7 ...

Und Sie, Sie fühlen sich einfach nur noch wohl ... *(Pause)*

Farbig schimmernde Luftballons schweben umher ... leicht und frei ... und die Hand ... luftig angehoben ... schwebt mit ihnen ... Sie sinken tiefer in Trance ... für Ihren Wunschtraum: lieben ... verspielt sein ... kraftvoll genießen ... *(Pause)*

Und ebenso fühlt sich die andere Hand leicht an ... wird leichter und leichter ... schwebt ... ein sicheres Zeichen für unbewusste Abläufe ... freilegen ... heilen ... neu planen ... einfügen in ein gesundes Muster ... *(Pause)*

Wie aus heiterem Himmel taucht eine schöne sexuelle Erinnerung auf ... lebendig ... ein intensives Erlebnis voller Leidenschaft ... Verspieltheit ... Natürlichkeit ... Wildheit ...

Vibrieren im ganzen Körper ... Erregung, rauf und runter ... gesund ... schön ... hingeben ... vertrauen ... Freude am eigenen Körper ... Freude am Körper des anderen ... starke Gefühle ... lustvoll abfahren! *(Pause)*

Willkommen im Reich der Sinne!

Willkommen im Reich der Erotik!

Willkommen im Reich der Lust!

Freudig willkommen ... immer ein bisschen anders ... mal zärtlich ... mal wild ... immer voller Fantasie ... *(Pause)*

Wie magnetisch angezogen nähern sich die Hände ... ganz von selbst ... Erlebnisse mit guten starken Gefühlen verbinden sich ... fügen sich zusammen ... frischen sich auf ... beleben die Gegenwart ... nehmen Raum ein ...

Sie wacht auf ... die trubelig-lebensbejahende Lust ... die Lust als Frau ... Gespielin ... Geliebte ...

Die Hände kommen sich durch unbewusste Führung näher und näher ... werden sich irgendwann auf besondere Art und Weise berühren ... vielleicht zuerst nur die Fingerspitzen ... sachte ... fast zärtlich ... tranceartig ... tief im Inneren bewegt es sich ... heilsam ... lösend ... und wie durch Zauber ... wohl über Nacht ... ist sie wieder da ... die Lust ... diese natürliche, spannende, hochspannende, wunderbare Lust ... die Sie kennen ... und wieder leben und genießen möchten ... *(Pause)*

Und immer wieder gleiten Sie in Trance ... überraschen den anderen und auch sich selbst ... Ihr Gesicht spiegelt gute Stimmung wider ... verheißungsvoll, fröhlich, fraulich ... Ihre Stimme melodiös, samtig, erotisch ... die Atmosphäre einladend ... *(Pause)*

Diese frauliche, lustvolle, sexuelle Person ist in Ihnen ... freudig und natürlich ... wach ... hellwach ... sie zwinkert Ihnen zu ...

Und Sie? Sie spüren einen ersten kleinen Kitzel? In der Handfläche? ... Kniekehle ... im Nacken ...?

Das ist SIE ... Und Sie sind die Erste, die sie verführt ...

Die Hände legen sich langsam auf dem Körper ab ... sie ruhen, wie nach getaner Arbeit ... die Hypnose schön tief ... *(Pause)*

Irgendwann kommen Sie über sieben Schritte wieder ins Hier und Jetzt zurück ... wach, klar, frisch, froh und munter ... erfüllt mit Freude an Ihrem Frau-Sein.

2.5.2 Im Zentrum der Lust – der Lust auf der Spur (für sie)

Ziel: unbeschwerte Sexualität

Technik: Fantasiereise

Hypnoseanleitung

Sie liegen gemütlich ... bequem entspannt da ... ganz jetzt ... ganz hier ... friedlich und gelassen ... aufmerksam und für sich ... der Körper ruht ... und Sie sinken ... gehalten von der Unterlage ... Gut!

Und mag sein, die rechte Hand fühlt sich warm und schwer an ... und die linke Hand luftig und leicht ... aber vielleicht ist auch die linke Hand warm und schwer ... und die rechte Hand luftig und leicht ... vielleicht aber auch sind beide Hände luftig und leicht ... und warm und schwer zugleich ...

Alles ist recht ... alles ist richtig ... alles kann, nichts muss ... Schön!

Und während ich von 1 bis 7 zähle, wird die Hypnose von allein so tief, wie es genau richtig ist für Sie ...

... 1 ... und sinken ... 2 ... sich erholen ... 3 ... ganz dabei ... 4 ... ganz hier ... 5 ... mit einem Ziel ... 6 ... das ist nicht viel ... 7! ... bis zum Wohlgefühl ...

Und ganz ohne äußere Bewegung ... allein durch die Ruhe Ihres Atems ... schwebend wie eine Vogelfeder im lauen Wind ... gelangen Sie an Ihren schönen Platz ... in Ihre schöne Meeresbucht ... sitzen am Wasser ... betrachten verträumt das Abendrot ... ein heiteres Abendrot, das den Himmel in satte Farben taucht ... und auch Sie in warme Töne hüllt ... goldwarm sinkt der Sonnenball ... sinkt und sinkt ... ein Schauspiel ... nur für Sie ...

Und unbemerkt und leise machen Ihre Gedanken sich auf die Reise ... sie wollen mehr erleben ... Neues erfahren ... sie schwingen sich auf ... jagen ausgelassen den Küstenvögeln nach ... und fliegen vergnügt mit ihnen die Küstenlinie entlang ... weiter Richtung Westen ... um das Abendrot noch lange zu genießen ... und dabei vollkommene Ruhe zu geben ... weil ihnen das Fliegen so viel mehr gefällt ... die Leichtigkeit ... das Abenteuer ... die Weite ...

Hoch oben in den Lüften vergnügen sich die Gedanken ... drehen mit den Küstenvögeln ihre Pirouetten ... begeistert vom Gefühl des Fliegens ... der Weite ... und dem Getragensein im lauen Wind ...

Sie aber sind in angenehmem Sein ... offen für natürliche Gefühle ... frei für natürliche Lust ... Sie genießen das Farbenspiel ... würzige Meeresluft in der Nase ... zärtlicher Abendrotwind auf der Haut ... schmeichelnder Lufthauch in der Ohrmuschel ... Kitzel im Nacken ... körniger Sand an nackten Füßen ... Sandgeriesel zwischen Fingern ...

Angenehmes Nachlassen ... zunehmende Gelöstheit ... wohlige leichte Schwere ... laufen mit jedem Atemzug wie eine Welle durch den Körper ...

So bahnen sich – völlig unbemerkt – kleine Gefühlsperlen ihren Weg ... wohl ausgelöst vom Spielen der Zehen im körnigen Sand ... die kleinen Gefühlsperlen kullern von den Zehen zur Ferse ... von dort bis zur Kniekehle ... pitzeln von hier die Schenkel hinauf ... und weiter hinauf zur Hüfte ... kugeln durch die Taille ... rollen dann den Rücken hoch ... klettern heimlich den Nacken hinauf ... um dann kess und frohgemut direkt in den Kopf einzudringen ... ins Gehirn ... mitten ins Zentrum der sexuellen Lust ...

Aber auch von den Fingerspitzen kullern die kleinen Gefühlsperlen in die Handflächen ... kugeln von dort die Unterarme entlang in die Armbeugen ... zur Achsel und die Schulter entlang ... steigen mutig den Nacken hoch ... verirren sich kurz im Spiel der Haare ... finden aber ihren Weg dann ungehindert in den Kopf ... ins Gehirn ... und da zielstrebig ins Zentrum der sexuellen Lust ...

Dieses Zentrum der sexuellen Lust ist ganz fantastisch eingerichtet ...

Üppige Farben: samtigrote Himbeere, frischgrüne Limette, tintenblaue Heidelbeere, sonnenorangene Persimone, flirrendes Gold der Sonnenstrahlen auf dem Meer ... und Kleckse vom frechen Rot des Mohns ...

Betörender Duft: Jasmin und Rose ... Kamelie und Blume der Nacht ... ein Hauch von Zimt und Nelke ... eine Ahnung von Meeresalge und Moschus ...

Stoffe wie aus *Tausend und einer Nacht:* verschleiernde Seide ... betörende Spitze ... kühler Batist ... schimmernde Strümpfe ... Accessoires nach Lust und Laune ...

Und das Unbewusste ... sorgfältig ... mit zarter Hand ... räumt in der Tiefe völlig selbstständig die Wege frei ... bereinigt die Bahnen ... zu den Armbeugen ... bis in die Fingerspitzen ... in die Kniekehlen ... bis in die Zehenspitzen ... legt den Weg fröhlich frei zu den Ohrmuscheln ... in den Nacken ... in die Achselhöhlen ... in die Leisten ... zur Hüfte ... zu Schenkel und Bauch und Rücken ... in die Brüste ... danach erst zum Po ... und ... erst viel später ... in den Schoß ...

Das Unbewusste läuft diese inneren Bahnen entlang ... in Gestalt einer Nymphe vielleicht ... oder einer Elfe ... zart ... schmetterlingsgleich ... reinigt und klärt die Wege und bahnt die Verbindungen für eindeutig klare, schöne Impulse, die sich einfach ganz wohlig anfühlen ...

... zwischen dem Zentrum der sexuellen Lust im Gehirn ... das wohl und gesund ausgestattet ist ...

... und dem Körper ... der wohl und gesund ausgestattet ist ...

... der Körper mit seinen Gefilden: Berge und Täler ... Hochplateaus und Felsschluchten ... Seen und Wälder ... anmutige Auen ... heimliche Plätze im hohen Gras ...

So bahnen sich vom Zentrum der sexuellen Lust die Wege vollkommen harmonisch und natürlich hinaus ... in normalen, gesund natürlichen Impulsen ... in den Körper hinein ... Empfindung von Süße ... von zarter Lust ... gesunder Leidenschaft ... feiner Erotik ...

Umwerfende Wildheit ... mal intensiv ... mal ruhig ... jedes Mal anders ... immer gut ...

Und Verbindungen stellen sich her ... die Gefühlsperlen landen gut aufgefangen im Zentrum der sexuellen Lust ... werden dort sicher gebettet und im Archiv der Sehnsüchte und Träume ... der geheimen Wünsche und Vorstellungen ... der Ideen ... und der farbigen Fantasie ... wohlbehütet einsortiert ... jederzeit abrufbar für Lust ... und Laune ... Freude ... und Spiel ...

Die Wege sind gebahnt in einer Richtung ... und in der anderen Richtung ... es fließen gute Bilder ... gute Gefühle ... im Austausch ... in gesunder Fülle ... so wie es gut für Sie ist ...

Und Ihr Körper genießt ... gedankenfrei ... und nimmt sich das, was er mag, und was ihm guttut ... und was gesund und schön ist: mal zärtlich, liebevoll schmelzend ... mal wild, impulsiv und kraftvoll ... mal ein bisschen verschlafen ... wie im Traum ...

Die Bahn ist freigelegt zwischen dem Körper und dem Zentrum der sexuellen Lust, das all dies auf eine gute Art und Weise speichert und das Erlebte schützt ...

Und die Gedanken? Sie fliegen mit den Vögeln die Küstenlinie entlang ... amüsieren sich durch die Nacht ... und kehren erst am Morgen zurück ... aufgetankt und reich an Erlebnissen ... voller Bilder und Erfahrungen ...

Genießen Sie noch ... und erst, wenn die Gedanken zurückkehren, zählen Sie von 7 bis 1 zurück und beenden die Hypnose ... wohlgemut ... belebt ... eins mit Ihrem Körper ...

2.5.3 Wie der Flug der Schwalben – gedankenfrei und froh (für sie)

Ziel: nach heilender Arbeit auf tiefer unbewusster Ebene sexuelle Gefühle freilegen

Technik: zu Beginn vorsichtiges Hinführen zum Thema; Betonung des Alters und Stabilisierung im Hier und Jetzt (wie immer bei hypnotischer Arbeit mit Traumainhalten), Personifizierung des Unbewussten (einen eigenen Namen finden), sichernder Abstand zum therapeutischen unbewussten Geschehen, Intervention nach dem Schema: Überspielen einer Szene

Hypnoseanleitung

Schön ... und Sie lehnen sich zurück ... atmen gut durch ... und gestatten es sich, sich wohlzufühlen ...

Wir Menschen tendieren dazu, mit dem Verstand begreifen zu wollen ... und zu verstehen ... was wir eigentlich nur erfühlen können. Das gilt auch für die Liebe ... die Sexualität ... und die Erotik ... denn das ergibt sich von alleine und spontan, ohne daran zu denken, sich etwas vorzustellen oder auszumalen ... Wenn diese Spontanität durch Lebensereignisse ausgebremst, verschüttet oder umgelenkt ist, bietet der hypnotische Zustand die ideale Verfassung, um in aller Sicherheit alte Gefühle zu ordnen und schöne neue Gefühle freizusetzen ...

Sie haben lange Zeit Ihres Lebens viel Kraft eingesetzt ... es ging ums Überleben.

Sie waren erfolgreich!

Jetzt ist das Überleben gesichert, jetzt geht es um Lebensqualität ... um Wohlgefühl ... um eine gesunde, schöne, freie Sexualität ...

Sie werden erfolgreich sein!

Es ist Ihnen sonnenklar, heute ist der *(Datum)* ... und Sie sind in meiner Praxis *(Am Wiener Platz, z. B.)* und Sie sind *(......)* Jahre alt. So sind Sie immer auf sicherem Boden.

Und nun bitten wir aus sicherer Perspektive Ihr Unbewusstes, etwas zu klären und neu zu organisieren ... Und Ihr Unbewusstes trägt für diese besondere Aufgabe heute einen besonders schönen Namen, nämlich »Marie« *(z. B.)* ...

Sobald nun Marie bereit ist mitzuarbeiten, hebt sie den Finger für die Antwort »Ja« ...

Oh, »Ja«, sehr schön! Gut, so wird es Ihnen bald besser gehen ... und Sie werden weiterkommen ... unter sicherer Führung ... und mit leichter Hand ...

Und während Sie meine Stimme hören ... gemütlich sitzen und sich wohlfühlen ... wandert Marie die frühen Zeiten ab ... bewusst vergessene Vergangenheit ... und Marie forscht ... umsichtig ... achtsam ...

Sie aber beobachten all das aus großer Ferne mit gesunder Gleichgültigkeit ... wohl auch gesunder Neugierde ... und machen einen tiefen gesunden Atemzug ... Sehr schön ...

Und Marie hebt einen Finger, wenn sie auf einer tieferen Ebene aus dem Archiv des Lebens eine Episode aufgreift, die Bahnen umgeleitet hat, Impulse gestoppt und Gefühle ins Stocken gebracht hat ...

(Die Anzeige des Fingers für die Antwort »Ja« abwarten.)

Sehr gut!

Und Sie verbleiben ... in gesundem Abstand ... mit einer gesunden Gleichgültigkeit ... und hören immer meine Stimme ...

Marie dreht jetzt das Rad der Zeit noch weiter zurück ... in eine Zeit ... noch bevor das geschehen war ... ein paar Monate früher, als alles noch in normalem Fluss war ... normale Gefühle ... kindlich arglos ...

Jedes Kind verspürt Lust, wenn es schaukelt ... verspürt Lust, wenn es auf einem Holzpferdchen reitet ... wenn das Wasser aus der Brause zwischen die Beine sprudelt ... wenn der Boden vibriert ... verspürt Lust, wenn es die Beinchen um ein dickes Kissen schlingt ... Lust ... ganz normal ... Gefühle, so normal und gesund, dass sie gar nicht auffallen ... und wenn Marie bis dahin kommt, wo alles so normal und gesund ist, hebt Marie einen Finger ... *(Die Anzeige des Fingers für die Antwort »Ja« abwarten.)*

Sehr gut, ein »Ja«, sehr schön!

Und während Sie tiefer und tiefer in Trance gehen ... vielleicht am Strand ... auf einem Bootssteg ... zwischen Land und Wasser ... und die Sonnenstrahlen genießen ... meine Stimme hören ... und sonst alles um sich herum vergessen ... vollzieht Marie eine heilende Entwicklung: Von dem Zeitraum aus, wo alles gesund ist, physiologisch einfach, klar, kindhaft arglos, harmlos, zieht sie weiter die normalen und gesunden Bahnen und legt eine heilsame Doppelbelichtung über die alte Geschichte ... öffnet Bahnen ... kehrt Terrain frei ... lässt fließen ... und lernen ...

Und Sie fühlen sich jetzt so richtig wohl ...

Gefühle ... tiefe Gefühle setzen sich frei ... in der Seele ... im Körper ... überall ...

Gefühle ziehen ihre Kreise ... so wie die Schwalben fliegen ... in munterer Selbstständigkeit ... verspielt ... aber von der Natur sicher geleitet ...

Und jedes Mal, wenn wieder eine kleine Strecke freigelegt wurde, hebt Marie einen Finger ... *(Die Anzeige des Fingers für die Antwort »Ja« abwarten.)*

... freier ... freier ... und freier ... sehr gut ... wie die Schwalben fliegen ... frei und verspielt ... Marie glättet die Bahn ... legt über die alten Erfahrungen neue Wege ... kurbelt Hormone an ... kitzelt Nerven ... haucht über Schleimhäute ...

Das geschieht alles von alleine ... folgt einem archaischen Skript des Körpers ... gesund und natürlich ...

Mit wehendem Gewand läuft Marie die Strecke des Lebens entlang und setzt gesunde Muster in Gang ...

Und Sie heilen und lernen ... nicht mit dem Kopf ... aber tief im Gefühl ... im sicheren Gefühl ... klar ... natürlich und gesund, sodass der Kopf gelassen vertrauen kann, weil der Körper nach und nach eine gesunde Libido entwickelt ... nach einem natürlich gesunden Muster, das sich freisetzt, weil Marie dafür sorgt.

Unerledigtes wird erledigt ... Ungelöstes gelöst ... Ungelerntes gelernt ...

Sie sind vermutlich nicht nur auf Ihrem Steg ... da am Meer zwischen Land und Wasser ... sondern gleichzeitig auf dem Weg zu Ihren Gefühlen, die sich vollkommen von alleine beleben ... sich auf einmal fühlbar kundtun ... vielleicht, wenn Sie es gar nicht erwarten ...

Und Sie werden sofort wissen: Das ist meine erwachende Sexualität!

Frei wie eine Schwalbe ...

2.5.4 Die venezianische Maske – das Geheimnis lüften (für sie)

Ziel: Initialzündung für Libido und Lust

Technik: gute Entspannung, Fantasiereise mit Teile-Arbeit

Hypnoseanleitung

Sie sind gemütlich zurückgelehnt ... schmunzeln leicht ... die richtige Voraussetzung für Hypnose ... für die besondere Hypnose heute ...

Sie atmen ruhig ... ein tiefer Atemzug ... schön ... und Sie sind schon auf dem Weg ...

Sie spüren in Ihre Hände hinein ... die Hände liegen ruhig und entspannt auf der Decke ... warm durchblutet ... gelöst und friedlich ...

... und von den Händen ... entspannt ... warm durchblutet ... gelöst ... friedlich ... fließt dieses angenehme Gefühl hinauf über die Arme in die Schultern ... von den Schultern aus in den Brustraum ... warm durchblutet ... gelöst und friedlich ...

Ebenso die Füße ... die liegen ruhig und entspannt unter der Decke ... warm durchflutet ... gelöst ... friedlich ... und von den Füßen ... warm durchblutet ... gelöst und friedlich ... fließt dieses angenehme Gefühl hinauf über die Knie ... zu den Hüftgelenken ... und ergießt sich dann in den Körper ... von den Hüften aus in den Bauchraum ... warm ... gut durchblutet ... gelöst ... entspannt ... friedlich ... mit jedem Atemzug mehr ...

Tiefer und tiefer in Trance entspannen sich Schultern, Hals und Nacken ... warm ... gut durchblutet ... gelöst ... friedlich ... auch der Kopf sinkt angenehm zurück ... offen für neue Bilder ... neue Filme ... neue Träume ... so kommt eine fröhliche Unordnung in alte Geschichten, rüttelt auf, schüttelt durch ... Licht flutet herein ... alte Bilder finden ihren angestammten Platz nicht mehr ... verblassen ... bedeutungslos ... alte Gefühle werden durchgepustet und verwehen ... bedeutungslos ...

Vielleicht haben Sie Freude daran, jetzt an einem schönen Ort zu sein ... am Ufer eines Sees ... in einem heimeligen Holzhaus ... Sonne strahlt herein ... von der Terrasse des Holzhauses aus ein traumhafter Ausblick auf den See ... der See wie ein Herz geformt und liegt umrahmt von Bergen ... die Berghänge dicht bewaldet wie ein Fell ... das Wasser des Sees glasklar ... der Grund des Sees zart schimmernd ... und ... am Ende des Sees öffnet sich das Tal in eine weite Landschaft ...

Für eine Weile genießen Sie die schöne Aussicht und die behagliche Atmosphäre Ihres Holzhauses am See ... lassen die gute Stimmung auf sich wirken ...

Irgendwann aber ziehen Sie neugierig los ... wie schön, sich frei zu bewegen ... vorbeizuwandern an einem Bauernhof ... hin zur Stadt ... der Stadt am Delta eines Flusses ... mit dem Hafen und seinem bunten Treiben ... eine schöne Stadt, die alles bietet ... Museen und weite Plätze ... Bibliotheken und einladende Cafés ... Geschäfte aller Art ...

Sie finden ein besonderes Geschäft ... *for ladies only* ... für Frauen wie Sie, die sich gerne hübsch kleiden ... gut riechen ... Gefallen daran finden, sich zu schminken ... und sich gerne sexy zurechtmachen ...

Treten Sie ruhig ein ... stöbern Sie ... probieren aus! ... nur so zum Spaß ... schwarze Spitzenstrümpfe ... High Heels ... alles, was Ihren Körper ziert und kleine Makel überspielt ... was seine Schönheit betont ... und Rundungen zur Geltung bringt ...

Nicht jede Frau ist eine Marilyn Monroe ...

... aber jede Frau birgt eine kleine Marilyn tief in sich ... auch wenn sie als Profi ihre Frau steht ... sich auf dem Bike in die Kurven legt ... als Kamerad zur Seite steht ... oder als Amazone auftritt ... Frau liebt es, sich schön zu machen ... sich zu schminken ... zu duften ... Kleider zu tragen, die beim Gehen schwingen und leicht rascheln ...

Sie nehmen mit, was Ihnen gefällt ...

... und kehren nach geraumer Weile zurück zu Ihrem Holzhaus am See ... Herbststimmung in der Luft ... raschelndes Herbstlaub zu Ihren Füßen ...

Sie stärken sich nach Ihrem Ausflug ... und sitzen im herrlich bequemen Sessel am offenen Kamin ... gemütlich ... gelöst ... locker ... beschwingt ... das Holz riecht intensiv nach Harz ... und brennt lodernd ... Sie blicken in die Flammen ... wie in Trance ...

Das brennende Holz nimmt lustige Gestalten an ... es knistert und singt ... das Feuer macht bizarre Flammen ... glühende Krusten ... kleine blaue Flämmchen ... goldorangene Flammenzungen ...

Sie sitzen entspannt da ... die Wärme ... das flackernde Spiel der Flammen ... das Knistern des Feuers ... die Arme auf den Lehnen ... die Schenkel leicht geöffnet ... Sie kommen ins Träumen ... wohlig stimuliert ...

Ihre kleine Marylin, dieser sexy weibliche Anteil, schleicht sich heimlich aus Ihrem Haus ... auf leisen Sohlen ... geht auf Abenteuer ... einfach so zum Spaß ... schleicht sich davon ...

... ist auf einmal ganz woanders ... im Park eines Herrenhauses ... vielleicht im Garten einer Villa des Südens ... Musik erklingt ... Menschen lachen ... ...

Sie aber sitzen bequem und gemütlich vor dem Feuer ... lassen sich von den Flammen verzaubern, wie hypnotisiert ... entspannt ... die Schenkel leicht geöffnet ...

... und die kleine Marylin, das Sexy Ich, trägt die schönen Sachen aus der fernen Stadt ... vor dem Gesicht eine Maske wie vom Karneval in Venedig ... betritt unbemerkt diese Villa ... entdeckt unentdeckt ein Fest ... landet in buntem Treiben ... heiter ... leicht ... frivol ... herrlich erotisch ... wie in einem Film von Fellini ...

Menschen nähern sich tanzend ... das Sexy Ich verspürt erotische Spannung ... Vibrieren ... Zittern ... unerkannt beobachtet es hinter der venezianischen Maske ... schön gekleidet in zarte Seide ... schwarze Spitze ... zärtlichen Samt ... sexy erotisch ... sinnlich ... schaut ... und was es sieht, lockt Gefühle hervor ... in den Fingerspitzen ... in den Zehen ... es kribbelt ... wird warm ... auch in den Händen ... und in den Füßen ... und irgendwann fängt es an zu fließen ...

Das Sexy Ich, die kleine Marylin, hört das Flüstern ... das Lachen ... das Glucksen ... die neckischen Küsse ... die sinnlichen Küsse ... Laute des Frohsinns und der Lust ...

Die Laute der Liebe ... die Bewegung ... die Entfaltung der Sexualität ... schönes, erotisches, wollüstiges Erleben ... lustvoll ... die Frau bereit und lustvoll ... der Mann bereit und lustvoll ... und das Sexy Ich mit Abstand hinter der Maske ... leicht irritiert ... irritiert auf angenehme Art und Weise ... überrascht ... vibrierend ... der Mann umarmt die Frau ... die Frau den Mann ... selbstverständlich ... heftiger ... die Frau mag das ... Sie liebt das ... Sie findet es schön ... Sie will mehr und schneller und heftiger ... und dann wieder ruhiger und zärtlicher ... und dann wieder wild ...

Und die kleine Marylin, das Ich mit der Maske, tritt näher ... und näher ... wird mitgerissen ... schlüpft ein bisschen in den Körper der anderen ... lustvoll die Augen geschlossen ... in Trance ... spielt ein wenig mit ... vorsichtig ... empfindet Gefallen ... erlebt Leidenschaft durch ihren Körper brausen ...

Sie schauen ins Feuer ... angenehm traumverloren ... die Flammen spielen miteinander ... lodern in die Höhe ... lecken aneinander ... umzingeln sich gierig ... um dann wieder wie zärtlich vor sich hin zu brennen ... und nur Wärme abzugeben ... bis sich auf einmal wieder ein neues Stück Holz entzündet und eine heftige Flamme nach oben schickt ...

Und das andere Ich mit der venezianischen Maske, die kleine Marylin, testet sich aus ... kommt näher ... zieht sich wieder zurück ... kommt näher ... zieht sich wieder zurück ... kommt näher ... zieht sich wieder zurück ... spielt mit ... entfernt sich wieder ... in sicheren Abstand ... immer selbstbestimmt ...

Die kleine Marylin schlüpft wieder ein bisschen hinein in dieses Spiel, das sich seiner Vollendung entgegensehnt ... kraftvoll ... lustvoll ... und bald, wie eine Auflösung seiner selbst ... in einem fulminanten Höhepunkt gipfelt ... ein Sternschnuppenregen der Sinne ...

Dann ... ermattet ... ein Ineinandersinken ... herrliches Fallen wie in eine Wattewolke ... tiefer und tiefer ...

Das Ich mit der venezianischen Maske, die kleine Marylin, trippelt auf Zehenspitzen davon ... der Körper zart bebend ... der Kopf angenehm verwirrt ... nimmt wie schwebend den Rückweg ... in das Tal hinein ... zu dem Holzhaus ... zurück an Ihre Seite ... und verbindet sich wieder mit Ihnen ...

Und in dem Moment, in dem Ihr Euch wieder vereint ... jetzt ... kommt es zu einem ganz eigenen, neuen, sehr schönen Gefühl ... dort vor dem Kamin ...

Das Feuer brennt ruhig ... glimmt wie selig vor sich hin ... warm ... die Stimmung ... gelöst ... die Schenkel leicht geöffnet ... sehr friedlich ...

Es ist Zeit schlafen zu gehen ... tief schlafen und sich von den Aufregungen erholen ... und träumen ... das Erlebnis hallt lustvoll nach ... natürlich und schön.

2.5.5 Denn die Liebe … sie ist ein Spiel … (für sie und ihn)

Ziel: entspannt in der Liebe, frei in der Sexualität

Technik: Ressourcensammlung und »Überspielen einer Szene«

Hypnoseanleitung

Ganz leicht beginnt nun Ihre Hypnose … mit einer einfachen Einleitung … leicht und schnell … genau für Sie … spielerisch … für Ihr Ziel …

Ihre Hände liegen entspannt auf den Oberschenkeln … oder wo auch immer sie sich gerade wohlfühlen … und Sie strecken beide Zeigefinger nach oben … Richtung Zimmerdecke … Richtung Himmel … Sie halten beide Zeigefinger nach oben gerichtet … nichts weiter … nur ruhig atmen … und sich wohlfühlen … und nachspüren, wie es sich immer ruhiger und gemütlicher anfühlt … und warten … ganz entspannt … wie die Hypnose kommt … leicht und schnell … genau für Sie … spielerisch … für Ihr Ziel …

Und ein Zeigefinger … der rechte oder linke … wird sich gleich … langsam … langsam … von alleine … senken, wenn die Hypnose beginnt … und Sie beobachten gelassen, wie sich das alles so von selbst abspielt … leicht und schnell … genau für Sie … spielerisch … für Ihr Ziel …

(Nachdem der eine Zeigefinger entspannt ist.)

Sehr schön! Der eine Finger hat sich schon entspannt abgelegt … Spannung löst sich … Gelöstheit fließt in jeden Winkel Ihres Körpers … warme Gefühle überall … die Hypnose leitet sich ein … Sehr gut! …

Gleich wird sich auch der andere Zeigefinger langsam senken … wenn sich die Hypnose nun in Ihnen vertieft … sie strömt durch Ihre inneren Gefilde … lösend … befreiend …

… ruhig atmen … nichts tun … nur fühlen … nur sein …

… und auch der zweite Zeigefinger senkt sich … liegt bald entspannt neben den anderen Fingern …

Sie fühlen sich wohl … angenehm gelöst …

(Nachdem der andere Zeigefinger entspannt ist.)

Auf diese Weise können Sie ab jetzt immer und überall und innerhalb von Sekunden in Ihre Hypnose sinken: Der erste Zeigefinger leitet die Hypnose ein ... der zweite vertieft sie ... einfach ... leicht ... und schon sind Sie im Besitz aller Ihrer Fähigkeiten, um entspannt ... gelöst ... spontan zu sein ...

Und schon nutzen Sie diese Trance für Ihre Wünsche ... Ihre Ziele ... und Sehnsüchte ... loslassen und hingeben ... hingeben und loslassen ... mit tiefem Wissen, es geht alles von alleine ... wie ein Selbstläufer ...

Das löst freie Gefühle in Ihnen aus ... schöne Gefühle ... Worte bilden sich von alleine ... oder bleiben einfach weg ... Gedanken kommen und gehen ... oder lösen sich einfach auf ... schöne Bilder aber bleiben ... machen schöne Gefühle ...

Wie Tanzen in der freien Natur ... Tanzen auf einem Berg ... Walzer ... Tango ... Salsa ... was Ihnen gefällt ...

In den Tälern hängt noch der Nebel ... Sie aber tanzen auf dem Berg ... in der Sonne ... mit Blick in die Weite ... auf andere Berge ... und über andere Berge hinweg ...

Sie tanzen oben auf dem Berg ... in Ihrer Musik ... in Ihrem Rhythmus ... Walzer ... Tango ... Salsa ... was Ihnen gefällt ... tanzen ... in der Sonne auf dem Berg ... mit Blick in die Weite ... auf andere Berge ... und über andere Berge hinweg ... ausgelassen und unbeschwert ...

Unten im Tal ... ist Ihr Unbewusstes tätig ... hält alte Szenen an ... wirft sie um eine Sequenz zurück ... um sie erneut zu spielen ... in neuer Variation ...

... lustvoll ... spannend ... schön ... spontan ...

... lustvoll ... spannend ... schön ... spontan ...

... löst die Nebel auf ...

Sie ... hier oben auf dem Berg ... ganz im Rhythmus des Tanzes:

... schön ... geschmeidig ... fließend ... frei und ausgelassen ...

... schön ... geschmeidig ... fließend ... frei und ausgelassen ...

Die Sinne sind es, die Sie davontragen ... ins Fließen ... ins Vibrieren ... ins natürliche Erleben ... und das Herz gibt den Takt an ... die Sinne übernehmen die Führung ... die Haut ... die Zunge ... das Ohr ... die Nase ...

Und die Seele schwingt lustvoll mit ...

Sie tanzen auf dem Berg ... unbeschwert ... ausgelassen ... heiter ... frei ... die Stimmung ist bärig ... alles spielt sich von alleine ein ...

Sie können das ... Sie können das oben auf dem Berg ... und unten im Tal ... in der Tiefe ... es verbindet sich zu einem harmonischen Ganzen ... gelöst ... stark ... empfindungsfähig und erfüllt ...

Sie werden davon träumen ... und in den Träumen lernen ... und sich in den Träumen freisprechen ... freileben ... und freilieben ... einfacher, als Sie es für möglich halten ...

Bleiben Sie noch eine Weile dabei ... tanzen Sie sich fröhlich frei ... und erleben, wie herrlich anders es ist!

... und alles spielt sich von alleine ein ... denn die Liebe ... sie ist ein Spiel ...

2.5.6 ... dahingleitend ... (für ihn)

Ziel: Potenz, Entspannung, Freude, Angstfreiheit.

Technik: ideomotorische Technik: »Leichter geht's nicht«; Nutzen der Elemente einer Situation beim Segeln: sicher, entspannt dahingleiten, der Fokus auf Freude und Lust

Hypnoseanleitung

Jetzt schließ die Augen ... und spür noch mal nach, ob du gut liegst, alles in Ordnung ist und du dich wohlfühlst. Die Hypnose wird so etwa 22 Minuten dauern. Du brauchst dabei nichts zu tun, nichts zu verstehen, nicht zu reagieren ... du kannst ganz angenehm daliegen und vor dich hin dösen ... und sogar ins Träumen kommen ...

Als Erstes möchte ich mich für dein Vertrauen bedanken, dafür, dass du mir zu deinem Thema Details, die wichtig für eine erfolgreiche Hypnose sind, erzählt hast. Und wir arbeiten ja in Hypnose mit unbewussten Kompetenzen und eins ist klar: Dein Unbewusstes hat uns belauscht und sich auf die Mitarbeit schon vorbereitet ... und so wird auf einfache Art vieles gelöst ... und belebt, was leben soll ...

In der Hypnose ist alles erlaubt und alles richtig ... und du wanderst mit der Aufmerksamkeit jetzt mehr zu dir hin, hörst deine eigene Atmung ... wie die Luft durch die Nase hereinfließt ... und wieder hinaus ... regelmäßig ... zuverlässig ... und du wirst überrascht sein, wie leicht du in Hypnose gleitest ... mit einem Ziel, das du tatsächlich am leichtesten in einem guten Trancezustand erreichst ...

Nehmen wir an, du kannst segeln ... und du hast ein Boot ... du liebst Wind und Wasser ... und, während du hier liegst und ruhig vor dich hin atmest ... erkennst du dein Boot an der Anlegestelle ... bist mehr und mehr da, wo es dir wirklich gefällt ... auf deinem Schiff ...

Du riechst das Wasser ... hörst das Platschen des Wassers gegen den Rumpf des Bootes ... deine Augen wandern über die Wasserfläche ... ein herrliches Windchen ... die richtige Brise für einen Segeltörn ...

Du steigst in dein Boot ... hisst die Segel ... lichtest den Anker ... es geht wie am Schnürchen ... automatisch ... gedankenfrei ...

Du segelst los ... die Segel optimal im Wind ... vorangetrieben durch den Winddruck auf das Segel ... und die Luftströmung um das Segel ... alles perfekt ...

Du fühlst, wie der Wind geradezu lustvoll in deinen Haare wühlt ... diese gute Energie überträgt sich auf dich ... getragen werden ... bewegt werden ... allein durch die Kraft der Natur ... Wind ... Wasser ... Wiegen ... Schweben ... dein Körper genießt ... umwerfend ... der Wind bläst ... und bläst unter deine Hand ... sodass auf einmal deine Hand mit der Luft schwebt ... vom Wind getragen ... leicht wie ein Vogel ... höher und höher ... im Wind gewiegt ... steigt einfach und leicht ... steigt höher und höher ...

Der Horizont gleitet mit dir immer weiter nach vorne ... wie angenehm, wenn etwas ganz von alleine geschieht ... dein Körper liebt es ... er fühlt sich gerade so richtig wohl ... von Wind und Wasser getragen ... von Wind und Wasser gewiegt ... leichter und leichter ... höher und höher ... ganz von selbst ...

Du bist eins mit deinem Schiff ... mit geblähten Segeln ... Geknatter ... Geruch von Wasser ... Kraft des Windes ... Kraft der Natur ... du beherrschst das ... du hältst die Taue ... du, der Boss ... der Körper eins mit dir ... und du mit ihm ... zusammen fühlt Ihr Euch doppelt gut ... Hervorragend!

(Um die Hypnose zu vertiefen, berühre ich für etwa 20 Sekunden mit zwei Fingerspitzen ganz zart die Stirn über der Nasenwurzel.)

Eine zarte Berührung an der Stirn vertieft die Hypnose ... ruhig ... gelassen ... entspannt ... sehr schön ...

Du gleitest auf dem Wasser dahin ... in entspanntem Körper ... in einer angenehmen Erregung ... in einem schönen Gefühl ... lustvoll und klar ... die linke Hand kann sich von alleine lösen ... und auch leichter werden und sich anheben ... auch ganz von selbst ... wie die rechte ... der Körper erinnert sich ... an sehr gute, schöne, erotische Erlebnisse ... Gefühle ...

Das Urskript des Mannes in dir richtet alles von alleine ... richtet auf ... du gleitest mit dem Wind dahin ... bewegt vom Strömen des Wassers ... vorwärtsgetragen vom Wehen des Windes ... es richtet alles von alleine ... richtet auf ...

Und du, ganz Mann ... entspannt und gestrafft zugleich ... genießt nur noch ... wie sich alles von alleine abspielt ... deine Aufmerksamkeit nur auf Lust gerichtet ... abenteuerlich ... aufregend aufgerichtet ... natürlich ... du schwebst dahin ... eins mit dir! ...

Und während die Hände sich ganz von alleine näher und näher annähern ... wie magnetisch angezogen ... wächst das Vertrauen in deinen Körper. Und deine Hände, in ganz kleinen, kaum sichtbaren Bewegungen, kommen sich näher ... und näher und näher ... um zusammenzufügen, was dich als Mann stark ... sicher ... und vertrauensvoll macht ... voll im Saft ... voll in der Lust ... eins mit dir ... deine Aufmerksamkeit nur auf Lust gerichtet ... aufregend aufgerichtet! ...

Wunderschön die Küste, an der dein Schiff entlang gleitet ...

Sanfte Hügel ... verwunschene Wege ... wilde Schluchten ... besonnte Hochebenen ... schattige Täler ... samtige Almen ... liebliche Auen ...

Der Wind genau der richtige ... das Wasser herrlich ... es glitzert im Sonnenlicht ... und du wie in Trance ... Schauer rinnen deinen Körper hinab ... Geruch von Haut in deiner Nase ... Parfum ... Schweiß ... Gefühl von Haut an Haut ... warm, wohlig, vertraut ...

... so gleitest du dahin ... leicht und frei ... stark und kräftig ... spontan und überraschend ... anhaltend und ausdauernd ... vollkommen von selbst ... wie in Trance ...

Und dieses schöne Erleben speichert sich tief in dir ab ... immer lebendig ... immer wirksam ...

Und die Hände legen sich erst von alleine wieder gemütlich auf deinem Körper ab, wenn innerlich alles bestens organisiert ist ... damit du dich freust, an dir als Mann.

2.6 Gesund essen

»Everything you see I owe to spaghetti.« (Sophia Loren)

Für eine schöne Figur? Only Spaghetti?

»Egal, welche Frage, die Antwort ist Schokolade!«

Dieser Spruch auf einer vollmundigen Schokolade-Postkarte aus der Albertina in Wien reimt sich nicht wirklich, aber immerhin besser als »... ist Gemüse!« Der Unterschied liegt aber eindeutig in der Wirkungsdauer der Glückshormone.

Schokolade: kurz und süß. Traumfigur: lang und süß.

Wir setzen auf »lang«. Deshalb geht es jetzt zuerst auf den Gemüsemarkt.

Unseren individuellen Weg zur Gewichtsabnahme können wir aber auch ausschließlich in die Hände des Unbewussten legen. Das »innere Freudenfeuer« bringt eventuelle in den Fettzellen gespeicherte seelische Altlasten zum Schmelzen. Sollte die Antwort immer noch »Schokolade!« lauten, hilft »Die Glückspraline«.

2.6.1 Auf dem Gemüsemarkt

Ziel: gesundes Essverhalten

Technik: Besuch eines Gemüsemarktes unter der Führung des Unbewussten

Hypnoseanleitung

Aufgreifen der momentanen Situation und Suggestion zum Schließen der Augen für leichteres Visualisieren

Und vielleicht scheint eben die Sonne zwischen den Wolken hindurch ... taucht alles in strahlende Farben ... die Augen ruhen auf schönen warmen Farben ... und werden sich bald genüsslich schließen ...

Formulierung des Zieles für die Hypnose

Und das Ziel Ihrer Hypnose heißt: in eine ausgewogene, gute Ernährungsweise kommen ... für Gesundheit ... Vitalität ... und eine schöne Linie ... ganz wie von selbst ...

Beginn der Hypnoseinduktion

Und dafür steigen Sie erst mal die Trancetreppe hinunter ... mit jedem ruhigen Atemzug eine Stufe tiefer ... ins innere Licht ... in innere warme Farben ... in Ruhe ... Gelassenheit ... und Vertrauen ...

Information zum Thema »bewusst/unbewusst« und zur unbewussten Arbeit an sich

Vertrauen in unbewusste Fähigkeiten, die Ihr inneres System kontinuierlich verbessern und zuverlässig korrigieren ... So werden die Karten des Lebens vom Unbewussten jeden Tag neu gemischt ...

Die bewusste Überzeugung »Jetzt esse ich das nicht ... das tut mir nicht gut.« ist auch schon hilfreich. Aber dieses »Uiih, darauf hab ich jetzt aber richtig Lust!« – und Ihre Hand greift automatisch zum Gesunden ... wirklich Nährenden ... ja, da hat das Unbewusste seine Hände im Spiel ... lenkt Ihre Hand ... führt Sie ... sorgt für Sie!

Verstärkung der Induktion

Aber eins nach dem anderen!

Sie atmen ruhig ... Sie kommen zu sich ... Sie gehen die Trancestufen hinunter ... tiefer und tiefer ... bei jedem Ausatmen tiefer ... die Trance verstärkt sich ... tiefer und tiefer ... tiefe Entspannung breitet sich aus ... tiefe Ruhe kehrt ein ... eine gute Arbeitstrance entwickelt sich ... alles vollkommen von selbst ... Sehr gut! ...

Sie fühlen sich wohl ... sicher ... und aufgeschlossen für Neues!

Dissoziation an einen Ort, der auf attraktive Art Gesundes in Hülle und Fülle bietet

Welch unterschiedliche Länder haben Sie in Ihrem Leben schon bereist! ... welche Landschaften erlebt ... Städte besucht ... Plätze und Bauten bewundert ... und ... wie viele verschiedene Märkte durchwandert ... offene ... überdachte ... schwimmende ... wie der Markt in Bangkok ... Obstmärkte des Südens ... Basare des Orients ... der

Fischmarkt von Hamburg ... oder der am Fuße des Ätna in Catania ... die Markthallen von Paris ... zauberhafte Gemüsemärkte auf einer herrlichen Piazza ... umrahmt von lässigen Café-Bars ... und ... der Viktualienmarkt im Herzen Münchens ...

Ihr Unbewusstes führt Sie jetzt zu dem besten und schönsten Markt Ihrer Wahl ... Sie spüren den Henkel des geflochtenen Einkaufskorbs überm Arm ... Sonne scheint durch die Wolken ... würziger Duft liegt in der Luft ...

Hinleiten zum Ziel mit dem gewünschten Verhalten

Karotten ... Kohlrabi ... Brokkoli ... Rote Bete ... grüne Petersilie ... weißer Rettich ... Ingwer und Knoblauch ... zarte, feine Salate ... Kullererbsen und erdige Kartoffeln ... goldgelbe Maiskolben ... und ...

Sie schlendern entlang der bunten Stände ... herrlich selbstvergessen ... traumverloren ...

Und Ihre Hand wählt ganz von alleine ... wie klug geführt ...

Intuitiv legt sie in den Korb ... was als gut und gesund bewertet wird ...

Und der Korb füllt sich ...

... knackiges Gemüse ... herrlich frisch ...

Spargel ... Basilikum ... ein prachtvoller Steinpilz ... das sieht so hübsch aus ... der weiße Blumenkohl ... alles gesund ... vital ... mineralstoffreich ... voller Vitamine ...

... Früchte ... sonnengereift ... duftend ... voller Aroma ...

... und obendrauf ... ein freches Radieserl ...

Vertiefung der Hypnose mit Motivation für eine gesunde Ernährungsweise

Und Sie ... tief in Hypnose ... und zugleich voller Klarheit ... freuen sich ... freuen sich auf die Zubereitung gesunder Speisen ...

Aroma kitzelt die Nase, erfreut die Sinne: ... frisch gestampfter Pfeffer ... Oregano und Thymian ... Ingwer und sonnenreife Zitrone ... Kardamom ... ein Bouquet an Gewürzen ...

Mineralisches Meersalz ... vitalisierendes Olivenöl ... all das hält Sie jugendfrisch ... attraktiv und fit ...

Suggestion für die Verselbstständigung sinnvollen Handelns und Freude am Gesunden

Unter Ihren Händen bereiten sich köstliche Speisen wie von selbst zu ... kein Eintopf ... sondern immer eine Komposition ... kein Allerlei-Brei ... sondern immer ein prachtvolles Nebeneinander von Frischem, Knackigem, Farbigem ... wirklich appetitlich!

Vielleicht beliebt ein Rührei ... frischer Seefisch ... oder Fleisch von gesunden Tieren auf der grünen Weide ...

Und auch kleine Desserts ... das macht einfach glücklich ... ist wichtig und erlaubt ...

Und Sie wissen: Ihr Auge isst mit! Sie haben Freude an dem fröhlichen Nebeneinander ... Sie schauen ... und erst dann ... feiner Geschmack auf der Zunge ... gutes Gefühl im Bauch ... wohlig und leicht ...

Suggestionen für unbewusste Vervollständigung der Hypnosearbeit

All das speichert sich erfolgreich ab ... das Unbewusste erledigt diese Organisation mit großer Kompetenz und auf überraschende Art und Weise ... gesunde Rezepte ... gutes Gelingen werden selbstverständlich ... machen Spaß ... tun gut ... und richten sich häuslich in Ihnen ein ... und Sie fühlen jetzt sehr deutlich: Sie sind es sich wert!

Integration der Hypnosearbeit

Lassen Sie sich noch ein wenig durch diesen bunten Markt der Gesundheit treiben ... die Luft durchtränkt mit aromatischen Düften: Zitronengras ... Basilikum ... Muskat ... Zimt ... Koriander ... Kardamom ... Vanille ... Ingwer ... Anis ... Rosenöl ...

Und Sie beherzigen: Schlaf macht schlank ... Hypnose schlanker ...

2.6.2 Beschwingt – mithilfe des Unbewussten

Ziel: Gewichtsreduktion mithilfe des Unbewussten

Technik: kurze Tranceinduktion, aber tiefe Trance, Aktivierung unbewusster Potenziale für den individuellen Weg zur Idealfigur; im Sitzen auszuüben

Hypnoseanleitung

Setzen Sie sich bitte bequem hin ... stellen die Füße nebeneinander ... und legen die Hände entspannt auf Ihre Schenkel ...

Gut! Nun schließen Sie gemütlich die Augen ... und machen ein paar ruhige, tiefe Atemzüge ...

Sie haben einen großen Wunsch ... den Wunsch nach Ihrer Idealfigur ...

Sie haben schon viel ausprobiert ... ohne den ersehnten Erfolg ... ohne die ersehnte Dauer des Erfolges ... und es wirkt, als wäre der Wunsch nicht so leicht erfüllbar ... aber das scheint nur so ... es braucht nur eine Kleinigkeit ... eine unbewusste Kleinigkeit ... einfacher, als Sie denken ... und schon sind Sie einen großen Schritt weiter ... und Ihrem Ziel näher ...

Heben Sie nun Ihre Hände an, sodass die Fingerspitzen Richtung Himmel zeigen ...

Atmen Sie ruhig und tief ... und beobachten einfach, wie jetzt alles von selbst abläuft ...

Erst wird die eine Hand sich langsam senken ... dann die andere Hand ... sehr gut! ...

Lassen Sie sich überraschen, welche Hand beginnt ...

Sie wird sich ... ganz von alleine ... langsam, langsam senken ... und Ihnen damit anzeigen, dass Sie in eine leichte Trance gleiten ... vielleicht ohne es gleich zu bemerken ... wahrscheinlich beginnt sie jetzt ... *(Pause)*

Nun wird auch die andere Hand sich langsam senken ... weil sich dieser angenehme Zustand jetzt ganz von alleine vertieft ... es entwickelt sich eine schöne Trance ... unbewusste Vorgänge spielen sich jetzt vollkommen selbstständig ab ... für Ihr Ziel ... *(Pause)*

Und beide Hände legen sich wieder entspannt ab ... während Sie jeder Atemzug näher zu sich hinbringt ... tiefer und tiefer ... sehr gut ... vollkommen selbsterfüllend ...

Ihre persönlichen Fähigkeiten ... Ihre Kräfte ... Potenziale ... Talente ... entfalten sich frei und leicht ...

Tiefer und tiefer in Trance sind Sie ganz bei sich ... Sie merken deutlich, Ihr Unbewusstes übernimmt die Führung ... ein treuer Freund ... er leitet Sie ... den entscheidenden Schritt zu gehen ... und Sie finden Ihren Weg, den kein anderer Ihnen raten kann ... kein anderer je erlebt hat ... kein anderer je gegangen ist ...

Es wird immer klarer: Wo liegt des Rätsels Lösung für Ihren ganz persönlichen Weg zur Traumfigur?

Richtig! In Ihnen selbst!

Sie wissen das intuitiv.

Sie fühlen das intensiv.

Sie sind auf dem Weg ... und finden jetzt Ihr vollkommen Neues ... Ihr absolut Eigenes ... Individuelles ... Ihre persönliche Lösung ... Ihre fähigen Stärken und starken Fähigkeiten ... um die Hürde mit Leichtigkeit zu nehmen ...

Sie finden Ihr ganz Persönliches, Ihr Individuelles, was Ihnen die entscheidende Hilfe für die entscheidende Neuerung bringt ... Ihre einzigartige Version für Ihr Idealgewicht ...

Gesund vital ... einfach ideal ...

Bewegung leicht ... Bewegung beschwingt ...

Sie fühlen, Sie sind auf dem Weg ... auf Ihrem Weg ... erstaunlich beschwingt ...

Sie nehmen überrascht die Botschaft aus unbewusster Tiefe wahr ... nehmen die Botschaft auf ... ihr Bild ... ihr Gefühl ... unglaublich leicht ... erstaunlich beschwingt ... konzentriert auf Ihr Ziel ... unbeirrt konzentriert auf Ihr Ziel ... vor Ihrem Auge ... in Ihrem Gemüt ... überall in Ihrem Körper ...

Sie fühlen sich gerade mehr und mehr belebt ... es kribbelt angenehm in Ihnen ... Warum?

Ihr Stoffwechsel fährt hoch ... Ihre Energie kurbelt sich an ... ohne Wenn und Aber ... ein inneres Programm startet ... endlich frei erlaubt ... für alles, was genau richtig ist für Sie ... gesund abgestimmt ...

Und Sie fühlen sich im Moment so richtig entlastet ... erleichtert ... frei ... so wie Sie wirklich sind ... bewegt ... elastisch ... federnd ... beschwingt ...

Das prägt sich wundervoll tief in Ihnen ein ...

Sie gehen die Dinge mit Leichtigkeit an ...

Sie führen mit Lust und Freude Regie über Ihr persönliches Projekt ...

Sie blenden aus, was ihm nicht dient ...

Sie beherzigen, was es gelingen lässt ...

Ihr Geist, leicht und frei ... sehnt sich nach Bewegung ... Ausgewogenheit ... Luft ... Frische ... Ausdruck seiner selbst ...

Ihr Körper, leicht und frei ... sehnt sich nach Bewegung ... Ausgewogenheit ... Luft ... Frische ... Ausdruck seiner selbst ...

Und irgendwann schließt sich die Hypnose ab ... leicht, wie mit einem leichten Fingerschnipsen ... und Sie sind, was Sie wirklich sind ... beschwingt ...

2.6.3 Die Glückspraline

Ziel: Reduktion von Süßigkeiten

Hypnoseanleitung

Lehnen Sie sich gemütlich zurück ... und schließen die Augen ...

Sie atmen sehr ruhig und tief ... und fühlen sich einfach wohl ... Sehr gut so! ...

Und Ihre Person kommt ... in zwölf Schritten ... in angenehmes Schwingen ...

1 ... ruhig und sanft ... 2 ... entspannt und freudig ... 3 ... leicht und luftig ... 4 ... vollkommen in sich ... 5 ... nur für sich selbst da ... 6 ... dem Thema gewidmet ... 7 ... und in diesem leichten Schwingen, wie von einem unbeachteten Lufthauch bewegt ... 8 ... fängt eine Hand an, leichter zu werden ... 9 ... leichter ... 10 ... leicht von sich aus ... 11 ... leichter und leichter ... leichter und leichter ... 12 ...

Sehr schön ... sehr gut! ...

Und nun lassen Sie einfach eine andere Instanz für sich arbeiten ...

Wen? Ihr Unbewusstes ... mit wirkungsvollen Bildern und Gefühlen, die sich jetzt in der Hypnose in Ihnen entfalten ...

Hypnose ist die beste, ja allerbeste Methode ... um leichtfüßig und zarthändig innere Angelegenheiten in Bewegung zu bringen ... sie sinnvoll neu zu ordnen ... und ein gesundes Miteinander zu entwerfen ...

Die Hand gewinnt sichtbar unsichtbar ... wohl auch unsichtbar sichtbar an Höhe ... so wie Sie tiefer in Hypnose sinken ... oder einfach in wohliges Sein ... im Vertrauen ... dass das Unbewusste die Aufgabe übernimmt ...

Und mag sein, es erinnert Sie an Kinderzeiten ... an die »Sendung mit der Maus« ... an Käpt'n Blaubär mit seinem berühmten Motto ... das lautet:

»Das Essen soll dich groß und stark machen ... das Dessert aber ... das Süße ... einfach nur glücklich.«

Und genau nach diesem Motto regelt das Unbewusste das gute Verhältnis von kräftigendem Essen und der »Glückspraline« auf gute Art und Weise ... verbindet mit Stimmungen ... Gefühlen ... Gewohnheiten ... und Aufhören, wenn es genug ist ...

Süßes braucht es nur einen Hauch ... Dessert ist wie ein Parfum ...

Und das Unbewusste arbeitet so gut und so lange ... bis alles Wichtige geregelt ist ... Denn wer weiß besser als Ihr Unbewusstes, was zu tun ist ... und wie ...?

Und Sie werden sich auch in Zukunft Süßes erlauben ... im rechten Maß, wohldosiert wie ein Parfum ... das schüttet man sich ja auch nicht über ... es wird nur ein wenig fein versprüht ... oder mit dem Glaspfropfen des Flakons aufgetupft ...

Was Süßes auf der Zunge ... intensiv im Geschmack ... ein tiefer Atemzug ... genießen ... in feiner Portion ... wie ein Parfum eine Praline ... das ist gut ... das macht glücklich ... hält lange an ...

Sie lernen, ohne zu bemerken, dass Sie lernen ...

Sie üben sich darin, auf reife Art und Weise gesund zu handeln ...

Sie üben sich darin, auf reife Art und Weise Bedürfnisse zu stillen ...

Lücken füllen sich ... polstern sich auf ... mit jedem Tag ... mit jeder Nacht ... mit jedem Traum, den Sie träumen ... und wer weiß, was noch alles kommt an Überraschungen ...

Wandern Sie noch ein wenig durch Ihre Gefühle ... gewähren Sie Ihrem Unbewussten noch ein wenig Raum ... so erledigt sich Arbeit ganz von alleine ... und regelt sich alles auf ein gesundes Maß ...

Sie werden genau fühlen, wann es richtig ist, diese unbewusste Arbeit zu beenden ... dann zählen Sie wieder zurück von 12 bis 1 ... so runden Sie die Hypnose ab ... und kommen in ein paar Minuten ... wach ... klar ... frisch ... stabil ... wieder ins Hier und Jetzt zurück ...

2.6.4 Das innere Freudenfeuer

Thema: Übergewicht trotz Zufriedenheit im Leben, gesunder Ernährung und Sport, aber Altlasten in der Lebensgeschichte

Ziel: psychotherapeutische Aufarbeitung, überflüssige Pfunde schmelzen dahin

Technik: indirekte, unbewusste und dadurch schonende psychotherapeutische Aufarbeitung konfliktreicher Situationen in der Lebensgeschichte

Hypnoseanleitung

Schön ... und das ist *die* Hypnose, um in gute Balance zu kommen ... in ausgewogenes Gewicht ...

Sie haben viel erreicht im Leben ... Sie haben eigentlich alles erreicht, alles, was Sie sich gewünscht haben ... großartig! Aber es irritiert Sie, dass Ihr Körper nicht das Gewicht hat, das schön ist für Sie ... dass Sie nicht leicht auf Ihren Füßen stehen ...

Ihr Ziel ist ein Gewicht, das mit Ihrer Größe korrespondiert ... Ihrem Alter ... und Ihrer inneren Einstellung ...

Sie treiben Sport ... haben eine vernünftige Einstellung zur Ernährung ... essen gesund ... und trotzdem ... manche Fragen sind bewusst nicht zu beantworten ... also, warum nicht das Unbewusste zurate ziehen?

So gleiten Sie ... ganz in Ruhe ... mit jedem Atemzug ... tiefer und tiefer ... in Hypnose ... ohne Wollen ... ohne Mühe ... ganz von alleine ...

Eine ruhige Anzahl von ruhigen Atemzügen ... und schon sind Sie in Ihrem inneren Park ... im Park der Überraschungen ... und Erkenntnisse ...

Und wenn das Unbewusste bereit ist ... bereit für eine produktive Mitarbeit ... werden Sie das spüren ... vielleicht fühlt sich eine Hand leichter an als die andere ... wird immer noch leichter und leichter ... leichter und leichter ... und Ihr Geist, der sich so viel beschäftigt hat mit dem Thema ... wird sich zurücklehnen ... aufmerksam und aufgeschlossen ... um neugierig Neues zu lernen ... in äußerer Sicherheit ... und innerem Schutz ...

Sie spazieren ... verträumt ... in Ihrem inneren Park herum ... die Hand steigt höher und höher ... je tiefer und tiefer Sie in Trance sinken ...

Bei einer schönen Steinbank ... findet sich ein Brunnen ... Wasser plätschert munter ...

Sie entdecken eine Schaukel ... einen Teich ... den Rosengarten ... das kleine Teehaus ... alles, was Ihnen Freude macht ... im tiefen Grün des Parks ...

Parallel ... und völlig unbehelligt geht das Unbewusste im Schutz der guten Trance auf Suche ... tastet sich die Lebensgeschichte entlang ... geht zurück über Jahre ... und Jahrzehnte ... selbstständig ... vollkommen sicher und zielorientiert ... recherchiert ... entdeckt ... mit bester Spürnase ... feinstem Sensor ... findet ... sammelt ... wählt aus ... löst ... bewältigt ... klärt und erledigt ... organisiert neu und zeitgemäß ...

Ihr Unbewusstes arbeitet konsequent ... bereinigt ... heilt ... und fügt harmonisch neu zusammen ... und stimuliert Ihren Organismus mit neuen Impulsen ... ganz in Ruhe ... feinfühlig und kompetent ...

Geschichte ist vergangene Zeit ... ist Vergangenheit ... längst überholte Vergangenheit ...

Worte verstummen ...

Bilder verblassen ...

Gefühle verwehen ...

Nur das nüchterne Wissen verbleibt ...

Sie leben im Heute ... im Jetzt ... und das spüren Sie jetzt ganz deutlich ... jetzt!

(Pause)

Super! ...

Sehr schön ... und wie auf einer Zündschnur laufen die wichtigen Botschaften des Unbewussten durch Ihren Körper ... prickelnd ... wohl von den Fingerspitzen angefangen ... den Arm hinauf ... in den Körper hinein ...

Wie ein Freudenfeuer durchläuft der Strom der Befreiung Ihren Körper ... setzt leuchtende Energie frei ... mobilisiert den Stoffwechsel ... balanciert das hormonelle Geschehen ... regelt die vegetativen Vorgänge ... und das komplexe Zusammenspiel aller inneren Organe ... Unnötige Fettzellen brennen im inneren Feuer ...

Wo Sie das wohl jetzt am meisten spüren?

Und wie es sich wohl in Ihnen abbildet?

Hervorragend!

Und nur die Gegenwart hat Wirkung auf Sie ... die Freude an Ihrem Leben, das Sie frei und selbstverständlich gestalten ... in eigener Regie ...

Sie freuen sich an dem Tag ... erfüllen Ihre Aufgaben ... nehmen sich etwas Schönes vor ... planen Ihr Morgen ... während nachts in den Träumen immer wieder heilsame Vorgänge stattfinden ...

Das Freudenfeuer verbrennt, was überflüssig ist ... welch unbändig schönes Gefühl!

Das Freudenfeuer brennt ... nicht immer lichterloh ... doch immerwährende Glut ... sorgt für gesunden Stoffwechsel ... für Wärme ... Bewegung ... Energie ... in Harmonie mit Ihnen und Ihrem Leben ...

Und das Unbewusste nimmt Sie bei der Hand ... und läuft mit Ihnen in die Zukunft ... voll Freude und Leichtigkeit ... energievoll ... kräftig ... stabil ... gut in Form ...

Sie schauen sich um ... fühlen sich ein, wie es anders ist ... und es geht Ihnen gerade so richtig gut ... leicht und frei ...

Schön! So viel innere Bewegung ... Sehr gut!

Welch Wohlgefühl, in einem Körper zu wohnen, der richtig zu mir passt ... der mir entspricht ... dem ich vertraue! Mein Körper und ich ... ein Team ... ein lebendiges, gesundes Team!

Und während die Hand sich langsam absenkt ... und wieder ablegt ... erleben Sie sich intensiv in einem herrlich neuen Körpergefühl ...

Die Hypnose klingt aus ... Wohlgefühl verbleibt ... leichte Wärme ... warme Leichtigkeit ...

2.7 Regeneration, Stabilisation und Heilung in tiefer Hypnose

Tiefe Hypnose ist per se heilend. Abschalten, bewusst nachlassen, unbewusst lernen, in Ruhe, mit genügend Zeit, gemütlich liegend und vor sich hin dösend, in angenehmer Wärme, in evtl. abgedunkeltem Raum. Feine Musik ist schön und kann die Trance fördern.

Viele Techniken führen in tiefe Hypnose: Zählen von 1 bis 20, beruhigte Atmung, verlangsamter Lidschluss, Augenrollen (beim Einatmen nach oben, beim Ausatmen nach unten), fraktionierte Trance, über Fingersignale stufenweise die Hypnose vertiefen, Esdaile Hypnose, Elman Induktion, Mesmer'sches Streichen. Auch Ruhebilder wie der Waldsee, Fluss im Vollmond, tief verschneite Landschaft, Hängematte zwischen Kraftbäumen, wiederkäuende Kühe, Sonnenuntergang, Ausblick aufs Meer eignen sich gut. Eine prima Technik ist die »Raggedy Ann« (Kaiser Rekkas 2014, S. 134–143), die »Schleusenöffnung«, zartes Berühren an der Stirn oder/und am Hinterkopf, sanftes Niederdrücken der Schultern nach hinten. Sensorisches Erinnern von Tiefenruhe wirkt sofort und Klangschalen sind ein gutes Medium.

Am intensivsten aber wirkt die Trance des Therapeuten selbst. Die Atmosphäre wird dicht, ja heilsam, da die ruhige Ausstrahlung, die melodiöse Sprache in harmonischem Atemfluss eine Atmosphäre der Beruhigung zaubert.

Suggestionen braucht es wenig. Eher wenig reden und wenig reden lassen, aber signalisieren: »Ich bin bei dir!« Geht es doch darum, sich der Hypnose hinzugeben. Und das gilt auch für den Therapeuten!

Als posthypnotische Suggestion heißt es: »Die heilsame Trance sammelt sich da, wo sie im Körper gebraucht wird, und Sie kommen als Person frisch und wach wieder hierher zurück.«

Die Ausleitung muss nach tiefer Hypnose sehr ausführlich sein, bitte Zeit lassen!

2.7.1 Die Hypnosetropfen – stärkende Heilung

Ziel: Heilung und Stärkung

Technik: Leichte Berührung an der Mitte der Stirn, Visualisierung, Möglichkeit vielfältiger direkter oder indirekter Suggestionen

Hypnoseanleitung

Wir machen eine Hypnose-Infusion ... du brauchst nicht zu reden, du brauchst nichts zu antworten ...

... du spürst in dich hinein ... wohlige Ruhe ...

... deine Atmung gleichmäßig ... wohlige Ruhe ...

... du fühlst dich angenehm gehalten ... wohlige Ruhe ...

... deine Hände warm auf dem Bauch ... wohlige Ruhe ...

... deine Muskeln entspannt ... wohlige Ruhe ...

... dein Kopf gedankenleer ... wohlige Ruhe ...

... im Bauch kullert es ein wenig ... wohlige Ruhe ... Gut!

Meine Hand ist dicht über deiner Stirn ... sie strahlt Wärme aus ... wohlige Ruhe ...

Du beginnst, in Hypnose zu sinken ... ruhig ... vollkommen ruhig ... Sehr schön! ...

Und meine Finger berühren zart deine Stirn ... hier, an der Stelle, durch die die Hypnose in dich einfließen wird ... um dich angenehm zu füllen ... mit allem, was du brauchst ...

Er schwebt einfach in der Luft ... ein enorm schöner Ballon ... wohl in einer Wolke verankert ... von Luft getragen ... rund wie ein Luftballon ... mit allem drin ... eine Mischung von genau dem, was dir jetzt guttut ... was notwendig ist ... um dir das zu geben ... womit du dich wohler fühlst und stabiler ...

Und durch diese kleine Stelle an deiner Stirn hier ... fließt diese schillernde ... farbige ... lichtdurchflutete ... sonnengetränkte ... duftende ... heilsame ... nährende Infusion in dich hinein ... fließt genau dahin ... wo sie gebraucht wird ...

Sie durchfließt dich in angenehmen, warmen Wellen ... bringt Licht und Luft ... Frische und Regeneration ... fließt weiter in die Geschichte ... nährt Gebiete der Vergangenheit ... ohne dein Zutun ... ohne Bilder ... aber mit dem Gefühl ... dass auf ganz individuelle Weise für dich gesorgt wird ...

Deine Gedanken kommen zur Ruhe ... und du fühlst dich auf eine völlig ungewohnte Weise besänftigt ...

Der gesamte Körper spürt es ... immer wieder öffnen sich Schleusen ... Energie fließt durch den ganzen Körper ... tiefer und tiefer ... öffnet für Aufatmen ... Auftanken ... Aufnehmen ... und löst ein tief befriedigendes Gefühl aus ... im Brustkorb ... im Becken ... bis in die Beine ... Füße ... Sehr gut ... *(Pause)*

Bestens! Du sinkst tiefer als tief in Trance ... tiefer ... tiefer ... es fließt noch etwas hinzu ... ein besonderes Elixier ... wie ein Entwickler, er hilft, diese Stärkung besonders gut aufzunehmen und wirken zu lassen ...

So wirst du nachher anders aus dieser Hypnose erwachen, als du eingetreten bist ... angenehm gefestigt und aufgetankt ...

2.7.2 ... fein ... rosa ... feucht ... lebendig ... – Heilung in der Tiefe

Ziel: Heilung auf tieferer Ebene

Technik: Vorstellung von heilsamen Hypnosetropfen, mit Musik untermalt

Hypnoseanleitung

Heute wird die Hypnose noch besser ... noch tiefer ... noch wirkungsvoller.

Sie liegen einfach da ... draußen vergeht die Zeit ... und Sie brauchen nichts zu tun und nichts zu verstehen ... in Hypnose ist alles willkommen ... Sie dürfen zuhören ... müssen nicht ... Sie dürfen verstehen ... müssen nicht ... und Sie lassen nach ... soweit es Ihnen Spaß macht ... und übergeben dem Unbewussten die Kontrolle ... soweit Sie das für sinnvoll halten ...

Und vielleicht gondeln Sie jetzt – anstatt hier zu sein – viel lieber mit Ihrem Fahrrad durch eine schöne Landschaft ... durch eine Allee mit alten Bäumen ... durch Wiesen ... und Felder ... irgendwo ein idyllischer See im Schilf ...

Sie genießen die Fahrt ... atmen tief die Frische der Natur ... Wind und Sonne im Gesicht ... der Körper in rhythmischer Bewegung ...

Nach einer Weile gönnen Sie sich eine wohlverdiente Pause ... an einem besonders schönen Platz ... mit einer besonders schönen Aussicht ... in einer besonders wohltuenden Umgebung ...

Und Sie sitzen einfach da ... ruhig zurückgelehnt ... und schauen verträumt in den Himmel über sich ...

Da schwebt eine schöne Wolke heran ... schwebt näher und ... näher und näher heran ... und bleibt über Ihnen in der Luft stehen ... eine schimmernde Wolke in zarter Färbung ...

Zu Ihrer Überraschung ... lässt diese Wolke nach geraumer Weile ... wunderbar wohlgeformte Hypnosetropfen auf Sie herunterfallen ... dick ... sanft ... weich ... in zarter Färbung ...

Mit jedem Tropfen ein Klang ... höhere, hellere ... tiefere, dunklere ... volle Tropfen voller Hypnose ... und diese Tropfen rollen rund auf Ihrem Körper herum ... finden den Weg zu Ihrem Bauchnabel ... sickern durch den Bauchnabel hinein in Ihren Körper ... sinken angenehm ... und wogen im Körper herum ... lösen ein angenehm schwebendes Gefühl aus ... schwerelos ...

Und Sie vergessen alles um sich herum ... nur noch bei sich ... in Ihrer Mitte ... und die Hypnose breitet sich mit jedem ruhigen und befriedigenden Atemzug immer mehr in Ihnen aus ... mehr und mehr ... tiefer und tiefer ...

Und während ich langsam von 1 bis 10 zähle, sinken Sie in tiefe Trance ... tiefer als tief ... und Körper, Geist und Seele können sich der Heilung widmen ... ausführlich und ergiebig ...

1 ... 2 ...Wohlgefühl ... 3 ... 4 ... tiefe Entspannung ... 5 ... schwebend ... 6 ... sinkend ... 7 ... nachlassend ... 8 ... der gesamte Körper angefüllt mit Hypnosetropfen ... die breiten sich wohltuend aus ... 9 ... bis Ihr inneres Gefäß mit Hypnose gefüllt ist ... 9 ½ ... und die Hypnose nun wie ein Film um Ihre Gestalt flutet ... wie eine zweite Haut um Ihre Körperhaut ... 9 ¾ ... weich und schmiegsam ... liebevoll ... sanft ... und schützend ... 10 ...

Und das Herz ... so entspannt ... pumpt entspanntes Blut durch den gesamten Körper ... überallhin ... wundervoll warm ... nährstoffreich ...

Sie fühlen den Körper warm durchblutet ... in der Körpermitte ... in den Randgebieten ... gut durchblutet ... der Stoffwechsel optimal ... der Gewebeaustausch gesund und natürlich ... alles fühlt sich lebendig an ... wie vom Tau der Nacht benetzt ... zart ... weich ... samtig ... fein ... rosa ... feucht ... lebendig ... gut durchblutet ... gut umsorgt und genährt ...

Und Ihr Körper freut sich ... und es ist wohl ein innerer Gong, der das Körpergedächtnis weckt ... das Körpergedächtnis erinnert sich gesund zu empfinden ... gesund zu reagieren ... nach seinem gesunden Urprogramm ...

Der Körper kann das ... es war ihm etwas entglitten ... er hatte die falsche Botschaft bekommen ... oder eine Botschaft falsch verstanden ... der Körper revidiert das ... das Körpergedächtnis bringt alles wieder zurück in normale, gesunde Bahnen ...

Im körpereigenen Labor werden alle Botenstoffe passgerecht produziert ... und fein dosiert ausgeschüttet ... nicht zu wenig ... nicht zu viel ... physiologisch ausbalanciert ... im gesunden Gleichgewicht ...

Sie spüren, wie tiefe Ruhe Sie erfüllt ... und ein wohliges Gefühl sich einschleicht ... auf samtenen Pfoten ... ohne dass Sie es bemerken ... aber es ist mehr als angenehm, so dahinzuschweben ...

Sie tanken bei jedem Atemzug Kraft ... fühlen sie angenehm durch den ganzen Körper strömen ... bis hinunter in den Schoß ... und mit jedem Ausatmen ein leichtes Schwingen ... Wärme ... Licht ... Liebe ...

In Wärme und Licht getaucht ... in Liebe gehüllt ... erholt sich das Gewebe ... wird wieder rosig ... feucht ... elastisch ... gesund ...

Sie träumen ... in Wärme und Licht getaucht ... in Liebe gehüllt ... so lange Sie es für richtig halten ... solange der Körper es möchte ... dann zählen Sie von 10 bis 1 ... und kommen frisch und wach ins Hier und Jetzt zurück.

2.7.3 Ich gehe meinen Weg – in die Gesundheit

Ziel: körperliche Heilung

Technik: Ruhe und Heilsuggestionen, mit Musik untermalt

Hypnoseanleitung

So ... gut ... und Sie lehnen sich zurück ... die Atmung wird ruhiger und tiefer ... Sie werden gelassener und entspannter ... im Hintergrund spielt ein Instrument *(die orientalischen Klänge von der CD: El Hadra von Klaus Wiese)* ... harmonische Klänge ... nur für Sie ... ein Zeitraum ... nur für Sie ... ein Schweben auf Klängen ... Sie gleiten in eine wunderbare Trance ... *(Vogelgezwitscher)* während draußen der Hypnosevogel zwitschert ... Ihr Körper erinnert sich an ungemein wohltuende Entspannung ... an herrliches Gefühl von Loslassen ... es breitet sich in Ihrem Körper aus ... Ihr Herz schlägt in ruhigem Takt ... eine gleichmäßige Welle ...

Sie fragen sich vielleicht ... schwebe ich? ... oder sinke ich? ... aber eins ist sicher: Wohlbefinden breitet sich tief in Ihnen aus ... Ihr Körper genießt ... Ihre Seele entfaltet sich ... und Ihr Geist? Er ruht wie unter einem Baldachin ... in warmem Klang ... im Duft orientalischer Essenzen ... in üppigen Farben ... *(längere Pause)*

Und Sie gehen Ihren Weg, Ihren ganz eigenen Weg ... im Rhythmus Ihres Herzens ... den Blick nach vorne gerichtet ... in Klarheit über sich selbst ... begleitet vom Zwitschern eines Vogels ...

Jeder Mensch ein Unikat ... auch Sie ... mit eigenem Heilpotenzial ... ganz individuellen Möglichkeiten ... die gibt das Unbewusste jetzt frei ... und Sie spüren das jetzt ... als gebündelte Kraft ...

Kinder wissen nicht um Heilung, sie heilen von alleine ... Erwachsene informieren sich, wollen wissen und verstehen ... oft richtig ... oft nicht sinnvoll ... und vieles ist gut zu vergessen ... *(längere Pause)*

Heilsam sind gute Bilder ... sie machen uns gute Gefühle ... schöne Vorstellungen ... die wirken im Guten auf uns zurück ... fördern die Genesung! ...

Und Sie erlauben sich das ... es geschieht von selbst ...

Sie machen das Tor weit auf ... so fließt heraus, was nicht guttut: ungute Gedanken, Bilder, Gefühle ...

... und macht Platz für das, was guttut: Helles, Frisches, Heilsames ...

Überraschend kommt Hilfe ... überraschend heilt der Körper sich selbst ... und Sie tragen dazu bei ... liebevoll ... fürsorglich ... immer einen Schritt weiter gehend ... in diesem ruhigen Rhythmus ... immer nach vorne ... wieder eine Erfahrung mehr ... wieder eine Stufe höher ... wieder bereichert ... und immer zufriedener ...

Und Sie gehen Ihren Weg ... ungeachtet der Wege, die andere Füße gehen ...

Im Körper findet Heilung statt ... veränderte Areale werden sichtbar kleiner ... heilen fühlbar aus ... und junge frische gesunde Zellen nehmen den Raum ein ... das Immunsystem arbeitet physiologisch rund ... gesund ...

Und während Sie jetzt noch tiefer in Hypnose sinken, tiefer als tief ... wird alles Wichtige für Ihre Gesundung getan ... heilsame Abläufe, ganz ohne Ihr Zutun ...

So hat alles seinen Sinn ... und was bleibt, ist der Gewinn ... *(längere Pause)*

Sie lassen sich Zeit ... viel Zeit ... so lang, wie Sie es für richtig empfinden ... um heute in dieser Hypnose genau das zu erfahren und zu bekommen ... was wichtig ist ...

Ich werde einfach still sein ... aber meine Energie begleitet Sie ...

Und irgendwann werden Sie das Bedürfnis bekommen, wieder klar und frisch und wach in diesen schönen Tag zurückzukehren ... aber die heilsame Trance verbleibt in Ihrem Körper, genau dort, wo sie ihm guttut ...

2.7.4 Schwimmen ins Abendrot – Blutdruckstabilisierung

Ziel: Blutdruckstabilisierung bei Hypotonie

Technik: die Hypnose erfolgt in einer bequemen Schaukel; im Vorgespräch formulierte Bilder der Ausgeglichenheit: das rhythmische Schwimmen in einem See bei Sonnenuntergang, das Schweben einer Vogelfeder und das Galoppieren eines Pferdes auf freiem Gelände; ideomotorische Rückkopplung von körperlichen Vorgängen

Hypnoseanleitung

Aufgreifen der momentanen Situation

Das ist an sich schon Trance ... dieses leichte Schwingen in einer Schaukel ... sie schaukelt dich in eine schöne Hypnose ... und somit auch schon in den richtigen Blutdruck ... richtige innere Spannung bei gesunder Elastizität ... sowohl in Ruhe als auch bei Anforderung ...

Fokussieren auf sich und Ansprechen von Ressourcen

Du brauchst nichts zu tun ... das weißt du ... und nichts zu verstehen ... und danke noch für alles, was du mir erzählt hast ... diese Information wird jetzt immer mitschwingen ... und die Hypnose leiten ... Ideen anregen, wie *du* als beste Therapeutin für dich selbst etwas verbessern kannst ... auf dass du dich in deinem Körper wohlfühlst ... sicher ... belastbar ... sowohl in der Herausforderung ... als auch in der Ruhe ...

Du verspürst dieses köstliche, sanfte Schwingen in dir ... die Aufmerksamkeit immer mehr und mehr bei dir ... so nah, dass du deine eigene Atmung hörst ... das Strömen der Luft durch deine Nase ... herein ... und wieder hinaus ... regelmäßig ... im Fluss ... und die Brust hebt sich ... elastisch ... weich ... macht Raum für viel Luft ... und senkt sich ... viel Luft strömt wieder hinaus ...

... und du sinkst in eine angenehme Trance ... Meisterin auf dem Gebiet ...

Zielformulierung

Und du hast ein Ziel: Du möchtest eine runde ... schöne ... wohlige Fülle des Blutes in den Adern haben ... die Adern, angenehm elastisch ... nicht zu straff ... genau richtig ... um deinen Körper ... dein Gehirn ... den Anforderungen angemessen zu versorgen ... kontinuierlich und verlässlich ...

Trancevertiefung und Suggestionen für den Beginn der unbewussten Arbeit

Und du hörst mir vielleicht nur noch mit einem Ohr zu ... vermutlich mit dem linken ... weil ich an deiner linken Seite sitze ... und kannst mit dem rechten ganz anderes hören ... vielleicht die Geräusche von der Natur, da, an deinem See ...

Du stehst am Wasser ... versunken in den Anblick der schönen Szene ... den erdigen Geruch des Sees in der Nase ... das Schnattern der Enten und Plätschern der kleinen Wellen im Ohr ...

Du watest hinein ... tauchst tiefer ... und beginnst mit ruhigen Zügen in dem herrlich weichen Wasser zu schwimmen ... du schwimmst mit regelmäßigen Zügen vorwärts ... dem Sonnenuntergang entgegen ... das löst kleine Wellen aus, die sich ausbreiten ... und weiter über den See ziehen ...

Zart wie eine Vogelfeder auf der Luft liegt ein Birkenblatt auf dem Wasser ... wiegt sich mit den Wellen ...

Und ich zähle von 1 bis 7 ... ganz ruhig ... ganz langsam ... du schwimmst vorwärts ... sicher ... ganz ruhig ... der See ist nur für dich da ... 1 ... dein Ziel ... ist schon längst tiefer gesunken ... in den Bereich des Unbewussten ... in den Bereich der Körpererinnerung ... in den Bereich, wo sich Dinge tun ... die wir nur in Maßen beeinflussen können ... 2 ... und der Körper kommt in diese wunderbare Ruhe ... in der ein Arm leichter wird und loslassen kann ... 3 ... und es auf einmal heller wird ... und lichter ... als ob die Sonne über dem Horizont wieder ein Stückchen höher steigt ... und das leichte Schaukeln ... regelmäßig und zuverlässig begleitet dich ... und 4 ... die regelmäßige und zuverlässige Atmung begleitet dich ... und 5 ... und der Arm ist leicht geworden ...

6 ... und gleich, wenn die 7 kommt ... aber erst dann, wenn die 7 da ist ... beginnt unbewusste Arbeit ... um einzupendeln und gut zu regulieren ... 7 ... schön ... in Balance! ...

Aktivieren von Körpererinnerung für physiologisch-gesunde Vorgänge, hier: Blutdruck

Der Arm, leicht in der Luft losgelassen *(Handlevitation),* ist ein Zeichen für tiefe Entspannung ... tief, aber nicht zu tief ... immer noch in gesundem Tonus ... bei gleichzeitig entspanntem Loslassen ... ruhige regelmäßige Züge vorwärts ... und der Körper erinnert sich: die Gefäße elastisch ... dynamisch ... nachgiebig ... und doch Halt gebend ...

So strömt das Blut flüssig ... ungehindert ... in gutem Halt durch die Adern.

Beginn der Arbeit mit ideomotorischen Signalen

Und wenn der Körper sich ... an diese einzigartige ... bewundernswerte ... und zugleich ganz natürliche Reaktion erinnert ... niedrig ... aber nicht zu niedrig ... dann kann ein Finger sich von alleine heben ... ganz von alleine ... genau ... *(das Fingerzeichen abwarten)* ein Finger, wunderbar ... hm ... sehr gut ...

Der Körper erinnert sich ... welchen Stoffwechselgang es braucht ... und welchen feinstofflichen Vorgang ... welche humoralen ... neuronalen ... muskulären Vorgänge ... um feinst abgestimmt dieses wundervoll rote ... nährstoffreiche ... sauerstoffbetankte Blut mit jedem Herzschlag schwungvoll vorwärts zu pumpen ... durch ein elastisch nachgiebiges und doch haltend und gut führendes Gefäßsystem ... vom Herzen hin in die kleinsten Winkel ...

... und von dort zurück ... zum Herzen ...

... vom Herzen in die Lunge ... damit es dort mit dem Sauerstoff der frischen Luft am See angereichert wird ... kühl und klar und rein ... und von dort wieder zurück zum Herzen ... wunderbar geregelte Wege ... präzise abgestimmt ...

Tiefe unbewusste Arbeit, die nur durch das Heben eines Fingers angezeigt wird

Immer wieder kann jetzt im Folgenden dein kleiner Finger anzeigen, wenn etwas geschieht ... in der Tiefe ... was deinen Körper richtig stimuliert ... und dauerhaft gut einstellt ... im Moment ... und für nachher ... für morgen ... und für die nächste Woche ... für die nächste Zeit ... sieben Veränderungen bei dir ... von denen ich nicht weiß und du auch nicht wissen wirst ... und nicht zu wissen brauchst ... jedes Mal wird der Finger ein Zeichen geben ... *(die Fingersignale rückmelden)* ... ja ... sehr gut ... da war schon ein Zeichen ... und es wird sich vielleicht anfühlen, wie wenn aus der Tiefe deines Sees ... Sauerstoffperlchen aufsteigen ... die dich angenehm massieren ... ja ... *(der Finger soll sich im Folgenden insgesamt noch sechs Mal heben)* sehr schöne Zeichen des Fingers ... der Körper reagiert optimal ... und jedes Mal ein prickelndes Gefühl von Sauerstoffperlchen ... die aus der Tiefe des Sees aufsteigen ... Anregung ... Impuls ... für deine Gefäße ... für gesunde Straffheit ... bei dynamischer Nachgiebigkeit und gesunder Elastizität ... in Harmonie ... ein schöner Wert von systolisch und diastolisch ... angenehm und gesund ... ähnlich dem eleganten Galopp eines Pferdes, das mit Lust ... Freude ... und Ausdauer über weites Gelände galoppiert ... mit den Kräften haushaltend ... und so die Kräfte immer einhaltend ...

Ideomotorische Rückkopplung der Veränderung

Im Schwingen der Schaukel sind im ruhigen Maß viele Zeichen erfolgt ... wohl mehr als genug ...

Wiederaufnahme des Bildes vom See mit Suggestionen für unbewusstes Lernen

Und freudvoll schwimmst du deine Runden im See ... so wie es dir gefällt ... genau, wie dein Körper dich anleitet, dass es gut für ihn ist ... und du fühlst dich wohl und leicht ... *(Pause)*

Klare posthypnotische Suggestionen während ideomotorischer Bewegung der Hand

Sehr schön! ... deine Hand sinkt, unbewusst geführt und wie magnetisch angezogen ... legt sich dann auf deinen Körper ... und diese Berührung vermittelt tiefes Vertrauen ...

Leistungsfähig ... tatkräftig ... lebendig ... vital ... im Einklang mit Ruhen ... Pausieren ... Nachlassen ... Nachgeben ... elastisch harmonisch ... stimmig für dich und dein Temperament ... und immer im Lot ...

… und jedes Mal wenn du deine Hypnose wieder ausführst … wird es die Wirkung vertiefen und dich unterstützen, dein Ziel zu erreichen … körperlich stabil … belastbar …

Hypnoseausleitung

Zähle jetzt zurück von 7 bis 1 und komm wach, frisch, ausgeglichen und stabil wieder ins Hier und Jetzt zurück … auch wenn du immer noch ein wenig vor dich hin schwingst.

2.7.5 Süßes Nichtstun im Park der Heilung – Wellness im Bauch bei Reizdarm

Hypnotherapie ist bei der Symptomatik des Reizdarms oft erfolgreich, denn die therapeutischen Trancen zielen hier auf Entspannung, Wärme, Beruhigung, Ausgleich, Stressreduktion und eine generelle Stärkung des Nervenkostüms, eventuell auch Konfliktbewältigung und Ichstärkung.

Ziel: Heilung für Bauch und Seele

Technik: Hinführen an einen schönen Ort, tiefe Trance, Suggestionen der Ruhe, Wärme, Entspannung, Heilung

Hypnoseanleitung

Sie dürfen die Augen schließen … Sie kennen schon meine Stimme … auch das Gluckern des Bauches … ein Zeichen von beginnender Entspannung … alles ist in Ordnung … die Zeit ist für Sie da … die Aufmerksamkeit liegt auf Ihnen …

Sie möchten sich einer Last entledigen … Neues erfahren … innere Bilder austauschen und sich anders fühlen … Sie möchten netter zu sich selbst sein und respektvoller mit sich umgehen … neue Ideen bekommen … und das Lebensgefühl auf die Sonnenseite des Lebens lenken …

Und während der Bauch sich weiter in Hypnose gluckert, lehnen Sie sich ganz in Ruhe zurück … begeben sich vertrauensvoll in die ausgebreiteten Arme der Hypnose … angenehm gehalten … sicher geführt … und mehr und mehr in Ruhe … in einer positiven inneren Aufmerksamkeit …

Sie sind ganz bei sich ... angenehm ... die Atmung fließt von alleine ... das Herz schlägt stabil und ruhig ... alles unabhängig von ihrem Wollen ... der Bauch kümmert sich um sich selbst ... alle inneren Vorgänge laufen von alleine ab ...

Sie wissen, es gibt ein äußeres Hier und Jetzt ... und Sie sind hier und Sie hören jetzt meine Stimme ... Sie können aber auch mehr und mehr von dem äußeren Hier weggehen ... zum Beispiel in einen Garten ... einen Garten, den Sie kennen ... oder den Sie sich jetzt gestalten ... gut gepflegt ... mit Blumen, die Sie mögen ... Bäumen, die herrlich Schatten spenden ... kleinen Pfaden durch grünes Gras ... einem Brunnen, der munter vor sich hin plätschert ... Statuen, die Ihnen gefallen ... sehr schön ... und mitten auf einer bunten Blumenwiese ... eine superbequeme Liege ... wie gemacht für Ihre Gestalt ... ein kleines Sonnendach ... genau so wie Sie es gerne haben ... wie es Ihnen gefällt ...

Und Sie wandern zu der gemütlichen Liege mit dem Gedanken: »Wie schön, sich da niederzulassen ... auszubreiten ... und alle viere von sich zu strecken.«

Und genau das tun Sie jetzt und fühlen sich sofort ungemein wohl!

Einfach in süßes Nichtstun sinken ... nachgeben ... sein ... und atmen ... spüren, wie die Brust sich hebt beim Einatmen ... sehr gut ... und zurücksinkt beim Ausatmen ... spüren, wie die Luft beim Einatmen kühler und trockener ist ... beim Ausatmen wärmer und leicht angefeuchtet ...

Wie schön ... tiefe Ruhe kommt in Sie ... eine Ruhe, die Sie vielleicht als Erstes in den Augen verspüren ... diese lebendigen, schönen, ausdrucksstarken Augen erleben wohltuende Ruhe ... vollkommen entspannt ... die Augeninnenwinkel ... die Augenaußenwinkel ... die Augenlider, die das Auge bedecken wie Blütenblätter ... zart ... vollkommen entspannt ... die Augenbrauen in einem feinen Bogen, der das Auge einrahmt ... Ihre Stirn ganz glatt ... vollkommen entspannt ... die Schläfen glatt ... ganz gelöst ... die Wangen entspannt ... und in konzentrischen Kreisen, von den Augen ausgehend, breitet sich tiefe Entspannung aus ... in den Kopf ... in den Hinterkopf ... in die Schläfen ... nach hinten ... die Wangen hinunter zur Mundpartie ... in die Kaumuskulatur ... tiefe vollkommene Entspannung ...

Schleusen öffnen sich ... frei fließt die Entspannung ... in den Hals ... zu den Schultern hin ... wo wiederum kleine Schleusen sich öffnen ...

Gelöstheit fließt in die Arme hinein ... Wärme ... warm entspannt die Oberarme ... und die Entspannung fließt durch die offenen Schleusen in die Unterarme ... in die Hände hinein ... warm ... schwer ... vollkommen gelöst und entspannt ...

Die Liege ist so bequem ... so angenehm ... wirklich, wie für Sie geschaffen ...

Duft von Blüten weht zu Ihnen herüber ... der Wind trägt Ihnen Klänge der fernen Kirchturmuhr zu ... Vogelgezwitscher ... das heitere Plätschern des Wassers im Brunnen ...

Die Silhouette der Berge zeichnet sich sanft gegen das Himmelsblau ab ... unerschütterliche Sicherheit, die die Natur ausstrahlt ... natürlich gesund! ...

So öffnen sich alle übrigen Schleusen ... Entspannung fließt in den Brustraum ...

Fließt warm und angenehm schwer ... entspannt und ruhig ... auch in den Bauchraum ...

Fließt warm und angenehm schwer ... entspannt und ruhig ... tiefer hinab in den Körper ...

Fließt warm und angenehm schwer ... entspannt und ruhig ... in die Oberschenkel ... in die Unterschenkel ... in die Füße ...

Warm und angenehm schwer ... entspannt und ruhig ...

So schön ... so angenehm ... die Wärme der Sonne ... im Bauch ... Oberbauch ... Unterbauch ... tief im Körper ... Ruhe ... Wärme ... Licht ... Erholung ...

Sie sind gesund ... durch und durch gesund. Die Befunde beweisen es. Durch und durch gesund. Das Einzige, was Sie brauchen, ist diese tiefe Erholung und die Besinnung auf das, was Sie können ... was Sie haben ... was Sie sind ...

Und der Bauch heilt! ... Schleimhäute erholen sich schneller als man denkt ... Impulse regeln sich, naturgemäß ... Bewegung kommt in einen normalen, natürlichen Rhythmus ... Ruhe kehrt ein ... Sie fühlen mit jedem Einatmen, wie Sie sich sicherer fühlen ... sonnige Helligkeit ... Wohlbefinden ... der Organismus sich erholt ...

Sie liegen einfach da ... entspannt ... zurückgelehnt ... ein leichtes Schmunzeln im Gesicht ... das Schmunzeln geht in Lächeln über ... das Lächeln schleicht sich in das innere System ein ... breitet sich im inneren Raum aus ... erholsam ... beruhigend ... harmonisierend ...

Wenn man von Weitem auf Ihre Person schaut, ist das so ein schönes Bild! ...

Entspannte Züge ... gelöst ... friedlich ... ein Maler würde es sofort malen ...

Wie würde das aussehen? Von einem romantischen Maler ... von einem Impressionisten ... einem Kubisten ... einem modernen Maler ... oder einem der Antike? ...

Schön und ruhig ... wie dahingegossen ... friedlich ...

Und während der Maler sein Kunstwerk vollendet, verfärbt sich allmählich der Himmel – vorher lückenlos blau – und taucht den gesamten Park in magisch anmutendes Licht ...

2.7.6 Erinnerungsspeicher für Immunbelange – stabiles Immunsystem

Ziel: Kräftigung des Immunsystems, Vorbereitung eines endoskopischen Eingriffs

Technik: Induktion tiefer Hypnose mit leichten Mesmer'schen Streichungen; Ausmalen einer Fantasie zur Immunabwehr (nach der Idee einer ernsthaft erkrankten Patientin); gute Suggestionen für einen Eingriff und die momentane Situation

Hypnoseanleitung

Hypnoseeinleitung mit offenen Augen

Heute gibt es zur Abwechslung eine Hypnoseeinleitung in drei Schritten: Bei 1 schaust du nach oben und atmest ein ... bei 2 schaust du nach unten und atmest aus ... bei 3 schließt du die Augen und kommst in angenehmes Schweben. Draußen haben die Glocken geschlagen, die Frühlingsschneeflocken sinken leicht schwebend, und du wanderst mit der ganzen Aufmerksamkeit zu dir hin.

1 ... 2 ... 3 ... ganz einfach!

1 Du öffnest die Augen, schaust nach oben und atmest ein ...

2 du schaust nach unten, atmest aus ... 3 schließt die Augen ... und kommst ins Schweben ...

1 Du öffnest die Augen, schaust nach oben und atmest ein ...

2 du schaust nach unten, atmest aus ... 3 schließt die Augen ... und kommst ins Schweben ...

1 Du öffnest die Augen, schaust nach oben und atmest ein ...

2 du schaust nach unten, atmest aus ... 3 schließt die Augen ... und kommst ins Schweben ...

Du bist jetzt nur für dich da ... nur mit dir ... nichts tun ... nichts dir abverlangen ... einfach sein ... einfach atmen ... einfach schweben ... fühlen, wie der Körper zur Ruhe kommt .... und Ruhe genießt. Gut!

Ich halte meine Hände sacht und warm dicht über die im Folgenden genannten Körperstellen, jeweils ohne direkte Berührung.

Ich halte meine Hände über deine Stirn, ohne sie zu berühren ... Ruhe kehrt ein ...

... und jetzt hier, seitlich am Kopf ... Ruhe kehrt ein ...

... jetzt über den Schläfen ... Ruhe kehrt ein ...

... und nun hier bei den Wangen ... Ruhe kehrt ein ...

... die Schultern, zurückgelehnt ... Ruhe kehrt ein ...

... die Oberarme locker und entspannt ... Ruhe kehrt ein ...

... die Unterarme locker und entspannt ... Ruhe kehrt ein ...

... die Hände warm und schwer ... Ruhe kehrt ein ...

... der Bauch ganz warm ... Ruhe ... Ausgleich ...

... alle Organe sinken schwebend in Erholung ... in physiologische Klarheit ... natürliche Funktion ...

Das tut gut! *(Pause)*

Deine Atmung ist ruhig und gleichmäßig, sehr schön ... ein guter tiefer Atemzug ... und jeder Atemzug ... so ruhig, so tief ... bringt dich mehr in dieses Wohlgefühl ... in Wohlgefühl von Sein und Schweben ... losgelöst von Zeit und Raum ... umhüllt vom Duft des Frühlings ... dem Licht der Sonne ... dem leichten Wehen des Windes ... er zirkuliert um dich ... eine Massage ... nur zart spürbar ... heilsam in die Tiefe dringend ... mit wundersamer Wirkung ... genau da, wo der Körper es braucht ... *(Pause)*

Dein Körper an sich ist völlig gesund und reagiert gesund ... Dein fester starker Wille steht ihm bei ... Er erholt sich ... Er lächelt ... Und aus tiefem inneren Wissen baut sich etwas ganz Besonderes auf, von dir intuitiv entdeckt: ein »Erinnerungsspeicher für Immunbelange« ... innovativ ... individuell ... phänomenal ... ganz dir eigen ...

Und dieser Erinnerungsspeicher enthält besonderes Wissen ... das genetische Programm gesunder Abläufe ... physiologisch, natürlich und gesund ... in haarfein abgestimmter Zusammenarbeit mit dem gesamten Organismus ...

Und Ruhe ist ein Teil deiner selbst geworden ... Ruhe und Gelassenheit ... Gespür und Vernunft ... Gesundheit ist deine Perspektive ... Stärke deine Devise! ...

In unerschütterlichem Glauben durchläufst du in Trance die nächste Untersuchung und Behandlung ... immer gelassen schwebend ... Und der Körper öffnet sich für die Untersuchung und Behandlung und führt die Sonde auf ihren Weg ... Die Sonde gleitet durch das Gewebe hindurch wie durch einen präparierten Kanal, genau dorthin, zu jenem Punkt, den sie auskundschaftet ...

Und der Körper gibt die richtigen Signale, damit die Sonde richtig erkennt und genau das Richtige macht ... Sie schaut sich um, mit prüfendem Auge, guckt da und dort hin, und der Körper lässt die Zellen aufblitzen, die er markiert hat ... So peilt sie alles zielgenau an ... exakt, akribisch ... die Sonde unterstützt den Körper, achtsam, vorsichtig, umsichtig ...

Nach getaner Arbeit zieht sich die Sonde vorsichtig zurück und gleitet wieder aus der Körperöffnung heraus ... Und in *dem* Moment, in dem die Sonde sich zurückzieht, schließt sich der Tunnel wieder spontan ... es beginnt auf wundervolle Weise ganz natürliche Heilung ... die Wunde schließt sich ... das Gewebe verheilt, als ob nichts war ... nur noch saubere, klare, perfekte Textur ...

Der Körper freut sich an gesundem Gewebe ... wie ein Haus, das sich freut, wenn es geputzt wurde, und alles ganz schön in Ordnung ist ... Und dein Körper weiß ...

... wie du widerstandsfähiger wirst bei gleichbleibender Fürsorge ...

... stabiler bei gleichbleibender Umsicht ...

... gesünder und fitter bei gleichbleibender Ruhe und Achtsamkeit ...

Du findest mehr und mehr zurück zu deinem Lebensgefühl ... der Lust an Bewegung ... der Lust am Sein ... begleitet von Aufmerksamkeit und Liebe für dich selbst ...

Du spürst die Sonne ... den Wind ... das Schweben ... das Loslassen ... das Aufatmen ... und alles, was dir guttut ... die Ahnung von Frühling ... und die Sicherheit, dass alles gut wird ...

2.8 Träum dich schön! Hypnoseschlaf für gesunde Haut

Was wünscht sich die Haut, wenn es ihr nicht gut geht?

Richtig! Liebevolle Pflege, aber sonst in Ruhe gelassen werden, Erholung, Heilschlaf, Schutz, Selbstklarheit, schöne Bilder, Liebe ... und ... Götterspeise.

Ergo: Hypnotherapie in fünf märchenhaft schönen Tranceanleitungen, die der Heilung der Haut dienen und die psychische Stabilität fördern (bei Akne, Neurodermitis und Psoriasis)

2.8.1 Nofretete

Einführung in Hypnose und erste Heilsuggestionen

Hypnoseanleitung

Sie schließen die Augen ... wunderbar ...

Sie haben genug Zeit, alles ist friedlich, alles in Ordnung ... Sie brauchen nichts zu tun ... Sie brauchen nichts zu verstehen ... Hypnose geht nur ohne Anstrengung ... und vielleicht ist die Hypnose, die wir jetzt machen, so ganz anders, als Sie sich vorgestellt haben ...

Aber Sie sind aufgeschlossen ... und Sie wünschen sich eine schöne, gesunde Haut ...

Sie hören meine Stimme ... und Sie können beobachten, wie Sie sich zunehmend wohler fühlen ... und nach und nach in süßes Nichtstun sinken ... und dabei etwas Neues für sich entdecken: mehr Ruhe ... mehr Gelassenheit ... mehr Gesundheit ... Hautgesundheit ...

Achten Sie doch mal auf Ihre Atmung ... und spüren, wie der Brustkorb sich hebt und weitet beim Einatmen ... und wie er wieder zurücksinkt beim Ausatmen ...

Sie fühlen, wie die Luft zur Nase herein streicht ... und wieder hinaus bläst ... beim Einatmen ist sie kühler und trockener ... beim Ausatmen wärmer und leicht angefeuchtet ...

Und alles um Sie herum wird langsam unwichtig ...

Der Bereich um die Augen entspannt sich nun vollkommen ... die Augeninnenwinkel vollkommen gelöst ... auch die Augenaußenwinkel ... gelöst und entspannt ... die Augenlider liegen zart wie Blütenblätter auf den Augen ... ruhig entspannt ... und die Augenbrauen umrahmen das Auge in feinem Bogen ... und die Augen – eben noch so lebendig – die ruhen ... ruhen tief ...

Und diese Ruhe strahlt aus ... in konzentrischen Kreisen vom Auge ausgehend ... über die Stirn ... über den Scheitel hinweg ... zum Hinterkopf ...

Über die Schläfen ... zu den Ohren ... dann nach hinten ...

Über Nase und Wangen ... über Mundpartie und Kinn ... den Hals hinunter ...

Auch den Nacken hinab ... eine tiefe ... tiefe ... besänftigende Ruhe, die mit jedem Ausatmen ... tiefer in Ihren Körper hineingleitet ... und ihn bald völlig ausfüllt ...

Da kommt leicht das Gefühl auf ... Sie sind ganz woanders ... auch wenn Sie wissen, dass Sie hier sind und meine Stimme hören ... können Sie gleichzeitig da sein ... wo Sie besonders gerne sind, mag sein, wo die Sonne angenehm scheint ... und kleine Wellen des Meeres an den Strand spülen ...

Ein lauer Wind umfächelt Sie ... und feinster Sand verwöhnt die Haut ...

Positionieren Sie sich doch so in Licht und Luft und Sonne ... wie es sich gut anfühlt ... und hören mir einfach nur noch mit einem ... oder einem halben Ohr zu ...

Licht ... Luft ... Luftfeuchte ... Sonne ... Ruhe ... Wohlbefinden ... feiner weißer Sand ... Schönheit ... Heilung ... Hautheilung ... Sehr schön ...

Und vielleicht entdecken Sie jetzt schon etwas Nettes ... und das sind farbenfrohe Luftballons, wie Kunstwerke aus venezianischem Glas, aber luftig leicht ... schwerelos schwebend ... größere ... kleinere ... mit unterschiedlichen Farben ... Formen ... Sehen Sie sie? ... ein Rätsel, wo die gerade herkommen ...

Ein paar Ballons lassen Bändchen herunter, die binden sich vorsichtig um Ihr Handgelenk ... rechts oder links, zwei oder drei ... und nehmen Sie beim Handgelenk ganz zart ... und heben es leicht an ... um Ihre Hand in ihr Luftgefilde zu entführen ...

Ob Sie das wohl fühlen? ...

Und die Hand, sei es die linke Hand oder die rechte ... wird somit leichter und leichter ... und Sie beobachten amüsiert ... wie die Hand leichter wird ... und beginnt, sich ein wenig abzuheben ... und ... in die Höhe zu schweben ... und Sie spielen einfach mit, denn das macht es leicht ... eine gute, heilsame Hypnose auszulösen, was für Heilung so wirksam ist ...

Ganz leicht ... ganz leicht ... ganz leicht ... die Hand steigt höher ...

Und das ist interessant: Es macht Sie lächeln ... ja ... Sie lächeln ... schmunzeln ... und sinken leicht noch tiefer ... genau so wie es für Sie schön ist ...

Es geschieht von selbst ...

Sehr schön ... und Sie lassen die Kraft des lauen Windes wirken ... das sachte Schmirgeln des feinen Sandes ... und das Strahlen der Sonne ... das Rauschen des Meeres ... und das Fluten des Wassers ...

Götterspeise für die Haut ...

Entzündung klingt ab ... Gewebe heilt aus ... Talgproduktion regelt sich ... Hautfeuchte polstert sich auf ... alles beruhigt sich ... Heilung breitet sich aus ... und diese schöne ... strahlend gesunde Haut ... wird in der kommenden Zeit mehr und mehr Ihr Eigen ... Sie breitet sich aus ... von winzigen Stellen ausgehend ... klein, wie ein Marienkäfer ... dann größer, wie ein Kleeblatt ... glatt ... von schöner Textur und gesund ... und Ihr Organismus weiß ... wie er das zuwege bringt ... Natürlich!

Alles heilt nebenbei ... und das Unbewusste begleitet Sie ... heute ... heute Nacht ... morgen ... morgen Nacht ... übermorgen ... übermorgen Nacht ... und wird Ihnen weiter und weiter helfen ... neues gesundes Verhalten zu erproben ... und Heilung zu gewähren ... Stück für Stück ... damit die Haut sich erholt ... sich erfrischt ... und mit der Zeit vollkommen ausheilt.

Und wenn Ihre Hand nun bald wieder absinkt, wird sie sich gemütlich, fast liebevoll auf den Bauch legen ... und das beruhigende Wiegen der Atmung spüren ...

Sehr schön!! Zunehmende Ruhe füllt Sie aus ... und während ich von 1 bis 7 zähle, sinken Sie noch tiefer in heilsame Hypnose ... optimal für Hautheilung, die sich auf tiefer Ebene vollzieht, ohne dass Sie etwas davon bemerken werden: ... 1 ... 2 ... und 3 ... 4 ... 5 ... 6 ... 7 ... erwachsen ... kompetent ... und schön ...

Sie dürfen gesund sein und gesund aussehen und sich gesund verhalten! ...

Selbst Nofretete nutzte Schminke ... und sonnte sich in ihrer Attraktivität ...

Ihre Haut ... immer verwöhnt ...

Und in Ruhe erledigen Sie wichtige Dinge ... bei Ihrem Strandspaziergang ... den Sand zwischen den Zehen ... Sonne und Wind am Körper ... wohl noch mal ins Wasser tauchen ... mit diesem feinen Sand spielen ... Wie schön! *(Pause)*

Das speichert sich tief innen ab ... und Sie vergessen, was zu vergessen ist ... und erinnern, was zu erinnern ist ... und die Hände können sich immer bequem auf den Bauch legen, entspannt ...

Und in Zukunft werden Sie Ihre Hände mit Wohlgefallen betrachten, wie sie da so friedvoll liegen ...

Und nun zählen Sie gemächlich von 7, über 6 und so weiter, zurück bis 1 ... wobei Sie sich bei 2 ein bisschen recken und strecken ... und dann bei 1 ... wach ... die Augen aufschlagen, frisch und erholt, und darauf vertrauen, dass Sie sich von nun an jede Nacht im Schlaf schön gesund träumen.

2.8.2 Träum dich schön! – Heilschlaf

Hypnoseschlaf für gesunde Haut, zur Beruhigung von Entzündungen, für natürliche Hautfeuchte und Farbgebung sowie elastisch zarte und schöne Textur

Hypnoseanleitung

Warum nicht ... sich so richtig pudelwohl fühlen in seiner Haut?

Warum nicht ... sich dafür eine gute Hypnose gönnen?

Also, fangen wir an! Schließen Sie doch einfach die Augen!

Alles um Sie herum wird langsam unwichtig ...

Wichtig ist meine Stimme ... wichtig ist das feine Geräusch Ihrer Atmung ... das Strömen in Ihnen ... und die nach innen gelenkte Konzentration ...

Wichtig ist: Sie sind bei sich, mit sich, in sich ... und somit für Ihre Heilung da ...

So lehnen Sie sich zurück und spüren Ihre Atmung:

... ein wohliges Sinken beim Ausatmen ...

... ein angenehmes Schweben beim Einatmen ...

und der Körper – von alleine – erinnert sich an träumerische Trancezustände ... gelöst ... wohltuend ... sinkend schweben ... schwebend sinken ... zeitlos ... in der Mitte von nirgendwo ... mit einem Ziel: hinausfinden aus dem Symptom ... hineinfinden in Gesundheit ... in vitales Leben ... mit Spiel ... Spaß und Freude ... Energie ... Kraft ... Bewegung ... Ausstrahlung und Schönheit ... und allem, was Ihnen lieb und wichtig ist ... guttut ... und Ihnen entspricht ...

Und während ich von 1 bis 7 zähle, leitet sich die Hypnose ein ... und nutzt unbewusste Vorgänge ... für Klärung ... Bereinigung ... Beruhigung ... Gesundung ... so wird das Symptom bald Vergangenheit ...

... 1 ... 2 ... 3 ... 4 ... 5 ... 6 ... 7 ...

Vielleicht fühlt sich eine Hand leichter an ... oder auch beide Hände ... oder eine schwerer, und die andere leichter ...

Alles ist erlaubt ... alles ist richtig ... jetzt in der Hypnose ...

Nichts wollen ... nichts bemühen ... nur sein ... den unbewussten Fähigkeiten vertrauen ... So werden innere Angelegenheiten auf kluge Art betrachtet ... Rückschlüsse gezogen und eine neue, gesunde und zeitgemäße Anordnung entworfen ...

Und Ihr Unbewusstes ordnet im Stillen ... entdeckt neue Wege ... und präpariert eine bewegungsfreie Piste des Lebens in Ihre Zukunft ...

Sie aber finden sich – zu Ihrer Überraschung – an einem besonders schönen Ort wieder ... eine wundervolle Landschaft, anders als gewohnt ... üppiges Grün ... farbenfrohe Blumen ... azurblauer Himmel ... sonnengetränkte Luft ... Vogelgesang ... Blütenduft ...

Wie im Traum schreiten Sie einen romantisch geschwungenen Weg entlang ... ja, die Füße tragen Sie von alleine, genau da hin ...

Ihr Ohr hört schon ein Strömen und Plätschern ... man riecht die Frische von klarem, natürlichem Wasser ... und auch die Augen erspähen nun diesen ganz besonderen Wasserfall ...

Nein, kein pladdernder Wasserfall, angenehm strömendes Wasser ... klares Wasser ... eine Szene wie im Märchen ...

Sie kommen näher ... ein ausgewaschener heller Fels, auf dem Sie sicher stehen ... ein vom ständigen Fließen des Wassers kunstvoll gestaltetes Badebecken ... ein klarer, fester, sauberer Grund ... Sie steigen hinein ...

Berühren Sie doch mal vorsichtig den glitzernden Vorhang aus Wasser mit den Fingerspitzen! ... Betasten Sie das sprühende Nass! ...

Gleiten die Finger durch das fallende Wasser nicht wie durch feine Seide? ...

Und ... spielen sie nicht wie verträumt mit den Wasserperlen ...?

So schön ... so weich ... diese wassergetränkten Perlen, die in der Sonne funkeln ... wie verzaubert ...?

Sie merken eine wohltuende Wirkung ... wenn das Wasser die Finger entlangrinnt ... es fließt in die Handfläche hinein ... benetzt die Handrücken ... jetzt die Unterarme ... erfrischend, klärend, reinigend ... Schön, nicht wahr? ...

Und die Sonne scheint zwischen den Wolken hervor, wärmend und angenehm ... alles so sicher und abgeschirmt ... nur für Sie da ...

Probieren Sie doch vorsichtig mehr von dem heilsamen Wasser! Vielleicht erst mal mit dem Fuß ... dann, mag sein, das Gesicht erhoben, fallen vereinzelte Wasserperlen direkt auf Ihre Stirn ... Spüren Sie mal! ...

Die heilsamen Wassertropfen kühlen die Augenlider, benetzen dann die Nase, besprühen die Wangen, treffen auf die Lippen und – köstlich – rinnen ein wenig in den leicht geöffneten Mund ...

Dann, Tropfen für Tropfen ... den Körper hinunter ... besänftigend ... befeuchtend ... lindernd ... beruhigend ... und so stellen Sie sich ganz unter den Wasserfall ... genussvoll versunken ... dem Zauber des Spiels mit dem Wasser hingegeben ...

Ich erinnere mich gerne an ein Erlebnis in den Tropen ... Es regnete. Ich war im Meer. Das Wasser, in türkisen Schattierungen, glasklar und herrlich warm. Üppige Tropfen hüpften auf die Wasserfläche wie auf ein Trampolin, lösten dabei winzige konzentrische Wellen aus ... sprangen wieder munter elastisch in die Höhe ... um danach endgültig herunter zu platschen und sich fröhlich vom mineralischen Wasser des Meeres auffangen zu lassen.

Ich lag reglos auf dem Wasser und blinzelte in den Himmel mit seinen aufgetürmten Wolken. Die Tropfen, die weich auf mich herunterfielen, zogen es vor, sich auszubreiten wie ein luftig-duftiger Film ... und mich vollkommen einzuhüllen ...

Regentrance ... Wasserperlentrance ... zart ... duftig ... pure Gesundheit ...

Und die Haut reinigt und klärt sich ... mit jedem Tropfen ... mit jedem Herunterrinnen ... aber auch die Geschichte, die Gedanken und Bilder, das, was damit zusammenhängt, rinnt herab und spült sich weg ... und Sie genießen das ... eine geraume Weile ... *(längere Pause)*

In dem Moment, in dem Sie das Gefühl haben, es ist genug – und das ist erstaunlich – versiegt der Wasserfall, tröpfelt nur noch kurz, beruhigt sich ... hört auf zu fließen ...

Die gegenüberliegende Felswand aber reflektiert durch die Feuchtigkeit wie ein Spiegel ... Und ... sehen Sie mal genauer hin! ... Es spiegelt sich darin eine Gestalt, die der Ihren sehr ähnelt ... ja, von Kopf bis Fuß ganz Sie, mit allem dran: Ohren, Beine, Arme, Zehen ...

Sie sehen eine gesunde Person, von Ihrer Statur, mit Ihren Haaren, Ihrem Lächeln im Gesicht und ... eine gesunde Haut von oben bis unten ... eine schöne gesunde Farbe ... frische Textur ... gesunde Hautfeuchte ... Elastizität ... eben ... wie die Natur es vorsieht ...

Und Sie schauen nicht nur von vorne, nein, auch von der Seite in den Spiegel ... und von hinten ... und über die Schulter ... und sind vielleicht gar nicht mal überrascht ...

Aber jetzt vielleicht doch? Denn, unverhofft, wie von Zauberhand, kommt nach und nach dieses gesunde Abbild, in allerfeinsten Partikeln, auf Ihre Haut ... auf all Ihre Körperpartien ...

Fein und umsichtig, wie der Künstler beim Vergolden Gold auflegt, legen sich schmiegsam feine hauchdünne Blättchen wunderbar frischer, gesunder Haut überall auf ... zart, fein, samtig, weich und passgenau: Stirn ... Schläfen ... Nase ... Wangen ... Kinn ... Hals ... Schulter ... Oberarme ... Armbeugen ... Unterarme ... Hände ... Oberkörper ... Rücken ... Brust ... Bauch ... Po ... Oberschenkel ... Knie ... Kniekehlen ... Unterschenkel ... Fußrücken ... alles wird ausgebessert, ausnahmslos ...

Wie fühlt sich das wohl an ...?

Und schauen Sie! Da ist ein Tiegel aus weißem Marmor mit einem verwöhnenden Body Gel ... feuchtend, klärend, beruhigend, erfrischend und aufbauend ... Sie testen ein wenig mit Ihren Fingerspitzen, es fühlt sich herrlich weich und cremig an ...

So schöpfen Sie mit vollen Händen aus dem Tiegel und balsamieren die frische junge Haut verschwenderisch ein, sodass es in die Tiefe wirkt, bis in die Tiefenschichten, um richtig zu gesunden, überall ...

Und Sie lassen dieses köstliche Gel einwirken, weil es alles hat, was die Haut braucht, alle Substanzen, fein abgestimmt, duftend ... Sie fühlen sich herrlich! ...

Sie sinken tiefer und tiefer in Hypnose ... Ihre Haut gesundet, überall ... und Sie machen mit der frischen, gesunden, jungen Haut, ein paar Schritte, dort, bei dem Wasserfall, strecken und bewegen sich und merken erst jetzt so richtig, wie schön sich das anfühlt ...

Lassen Sie sich Zeit, all das wirken zu lassen und sich einfach nur wohlzufühlen ... Und jedes Mal, wenn Sie diese Hypnose wieder ausführen, werden Sie es noch intensiver empfinden und noch mehr Heilung erleben ...

Ihre Haut beruhigt sich, klärt sich, heilt ab ... und nach und nach löst sich die Symptomatik in ein wunderbares Nichts auf ... Schön! ...

Und jetzt rundet auch Ihr Unbewusstes seine Arbeit ab und ruht ... Sie ruhen ... Ihre Haut ruht ... alles wird gut ...

Und ich bin jetzt still, weil das in der Stille am besten geschieht ... Und nach sieben Minuten äußerer Zeit ... anderer innerer Zeit ... werden Sie von 7 zurückzählen bis 1 ...

Und bei 1 werden Sie wach und frisch und klar – und ein bisschen verändert – wieder ins Hier und Jetzt zurückkommen ...

Aber Ihre Haut ... die lassen Sie ruhig noch etwas in Hypnose schlummern ...

Sie flüstern ihr zu: »Träum dich schön!!«

2.8.3 Die Insel der Selbstklarheit

klares Selbstgefühl, reine Haut

Hypnoseanleitung

Schön! Sie sind gemütlich zurückgelehnt ... Inzwischen wissen Sie, wie sich Hypnose anfühlt ... wie es geht ... Sie brauchen nur die Augen zu schließen ... ein paar ruhige Atemzüge ... zu sich kommen ...

Und Sie ahnen: »*Wenn* Hypnose hilft, dann hilft sie sofort!«

Und das trifft genau auf Sie zu ... Sie kommen immer ein Stück weiter, mit jeder Hypnose, die Sie machen ... und auch mit dieser ... Es gibt jedes Mal neue Ideen, neue Bilder, neue Gefühle, neue Entwicklungen ...

Und was besser geworden ist, kann auch gut werden ...

Sie sind eine lebendige, tätige Person ... in vielen Bereichen aktiv ... alles anspruchsvoll ... und jetzt sind *Sie* dran ...

So sinken Sie mit jedem Atemzug tiefer ...

... mit jedem Ausatmen fließen Anstrengung und Unruhe hinaus ...

... und Sie atmen sich Licht und Energie herein ...

... mit jedem Ausatmen fließen Anstrengung und Unruhe hinaus ...

... und Sie atmen sich Licht und Energie herein ...

... mit jedem Ausatmen fließen Anstrengung und Unruhe hinaus ...

... und Sie atmen sich Licht und Energie herein ...

... ein Kreislauf ... der entlastet ... harmonisiert ... und klärt ...

... Licht und Energie ...

... ein Gefühl des Sinkens beim Ausatmen ...

... ein Gefühl des Schwebens beim Einatmen ...

... bei jedem Ausatmen leichter ... bei jedem Einatmen lichter ...

Gut! ... Sehr schön! ...

Und ganz von alleine ... können Sie sich wiederfinden ... wo? ...

Ja! ... auf der »Insel der Selbstklarheit« ...

Eine Insel ... die so vollkommen anders ist als alle schönen Inseln, die Sie kennen ... eine Insel, ganz für Sie ... einzigartig ... da sind Sie mit Ihrer Person ... mit all Ihren Gefühlen ... Gedanken ... Plänen ... natürlich auch Ihren Zweifeln ... Sehnsüchten und Wünschen ... zu Hause ...

Und ich weiß nicht, wie *Ihre* Insel der Selbstklarheit aussieht ... aber Sie finden sie wie selbstverständlich ...

Sie nehmen vielleicht erst mal vage die Umrisse wahr ... so, wie wir uns im Morgennebel auf einem Boot vorsichtig einer Insel nähern ... diese allmählich deutlicher erkennen ... weil die Silhouette sich immer klarer abzeichnet ...

Sie betreten Land ... und fühlen sich sofort heimisch ...

Und ein Gefühl überkommt Sie spontan und das ist einfach umwerfend ... ein Gefühl von: »So bin ich! ... Das ist meine Natur! ... So bin ich eben!«

Das ist Ihre Insel der Selbstklarheit ... Ihr eigener kleiner Planet ... genau so wie Sie es brauchen, um sich im Lot zu fühlen ... und das Gefühl, im Lot zu sein ... richtig zu sein ... spüren Sie schon jetzt ... und sei es in einem Zeh ... oder im Bauch ... und dieses gute Gefühl breitet sich bei jedem Einatmen mehr aus ...

Auf Ihrer Insel der Selbstklarheit ... ist die Atmosphäre ein einziges Fluidum aus Licht und angenehmer Luftfeuchte ... heilenden Düften und fliegenden Lüften ... und einem besonderen Element, das gar nicht in Worte zu fassen ist ... etwas Besonderes, das Ihre gesamte Haut von oben bis unten einhüllt ... wie eine seidige, luftig-laue Tunika ... die lindert und hilft, abzuheilen und zu regenerieren ... bis in die Tiefe ...

Das System stabilisiert sich ... aufrecht im Lot ... mit großer Selbstklarheit ... völlig im Takt ...

Und aus dieser Balance heraus erfolgt von innen ... für unser größtes Organ ... die beste Durchblutung ... und Ernährung ... die Schleusen öffnen sich ... angefangen bei der Zentralschleuse ... weitergeleitet über das ganze Schleusensystem ... überallhin ... spontan ... wie selbstverständlich ...

Die Schleusen offen ... strömt mit dem Pulsschlag des Herzens, wellenartig immer wieder frisches Blut heran ... und nährt und erquickt die strapazierte Haut ... die dankbar annimmt, was sie bekommt ... und Sie fühlen es strömen ... aus der Körpermitte zur Haut hin ... überallhin ... das Blut angereichert mit allen Substanzen ... versorgt die Haut gut ... nährt sie ... erfrischt ... verjüngt ... von innen heraus ...

Und die Haut tankt auf, polstert sich auf, wie ausgedürstetes Land, auf das endlich Regen fällt ... nimmt dankbar an ... trinkt die Nährstoffe ... und fühlt sich zunehmend wohl und gesättigt ... froh über die Sicherheit, immer wieder, jetzt und in Zukunft, genug zu bekommen ... um sich satt zu trinken und sich aufzupolstern ... sich zu erfrischen und zu verjüngen ... wird samtig glatt ... bekommt eine schöne Textur ... ausgeglichen ... fein ... ebenmäßig ...

In den Apotheken alter Zeiten wurden die Heilmittel mit zierlichen Balkenwaagen dosiert, in winzigen Schalen akribisch ausgewogen ... in Gramm und Milligramm ... exakt die gewünschte Menge ...

Aber auch der Körper wiegt in seiner hauseigenen Apotheke haarfein die Substanzen aus ... um den Körper physiologisch gesund zu versorgen ...

Alles kommt in Balance ... alle körpereigenen Wirkstoffe ... in tiefer Ruhe auf feinste Art und Weise gesteuert ... ausgeglichen ... gesunde Impulse in genauer Reihenfolge für angemessene Dosierung der richtigen Substanzen ... und ein gutes Nervenkostüm sorgt für harmonische Abläufe ...

Und so geschieht Heilung:

... aus der Oberfläche ... in die Tiefe ...

... aus der Tiefe ... an die Oberfläche ...

... in wunderbarem Austausch und Wechsel ...

Die Haut schuppt ab ... wirft ab, was nicht gesund ist ... bildet sich neu, schön, frisch und lebendig ...

Die Haut freut sich über Klarheit und das Gefühl, bei sich zu sein ... zu sich zu stehen ... und Ziele zu verfolgen mit dem Gefühl ... »Ich bin richtig!« ... »So bin ich!« ...

Und ... immer wieder, wenn Sie auf Ihrer Insel der Selbstklarheit sind ... werden Sie weitere Fortschritte machen ... und die Haut begleitet Sie vergnügt, weil sie weiß, dass sie dadurch profitiert ... und sie wartet fast gierig darauf, alles zu bekommen ... alle Köstlichkeiten, die sie braucht ... um sich zu erfrischen und zu regenerieren ...

Aber nicht nur in Hypnose, auch nachts im Schlaf wird sie sich »schönschlafen«.

Und jetzt lassen Sie sich ein paar Minuten Zeit ... um noch tiefer in Hypnose zu sinken und Ihr Erlebnis auf der Insel intensiv zu genießen ... bis das Gefühl kommt, es ist genug für heute ... dann lassen Sie die Hypnose ausklingen ... und kommen frisch und munter ... sehr klar wieder hierher zurück ... von einer Traumreise zu einer Trauminsel ...

2.8.4 Spaziergang in warmen Herbstfarben – Haut heilt in Ruhe

Der Heilung entgegengehen. Die Hände lassen die Haut in Ruhe.

Hypnoseanleitung

Lehnen Sie sich nun gemütlich zurück und schließen die Augen.

Legen Sie Ihre Hände flach und entspannt auf Ihren Brustkorb ... oder auf Ihren Bauch, ganz wie Sie mögen ... und zwar so, dass die Fingerspitzen sich berühren ... aber nur zart ... und dies nur, wenn Sie ausgeatmet haben ...

Beim Einatmen werden sich die Fingerspitzen nun leicht voneinander entfernen ... beim Ausatmen werden sie sich wieder zart berühren ... beim Einatmen entfernen sich die Fingerspitzen wieder leicht voneinander ... beim Ausatmen berühren sie sich wieder zart ... beim Einatmen entfernen sich die Fingerspitzen leicht voneinander ... beim Ausatmen berühren sie sich wieder ...

Lenken Sie Ihre Aufmerksamkeit weiterhin eine kleine Weile darauf, wie die Fingerspitzen sich beim Ausatmen nähern und berühren ... und beim Einatmen wieder entfernen ...

Die Atmung wird sich dabei langsam vertiefen ...

Und Ihr Geist wird sich beruhigen ... weil Gedanken wie Wolken am Himmel verwehen ... und der Köper leicht ins Schweben kommt ...

So beginnt die Hypnose ... und es mag sein, Sie finden sich – in Ihrem inneren Erleben – auf einem Spaziergang wieder ... an einem sonnigen Herbsttag ... ein Spaziergang in warmen Herbstfarben ... die Luft so klar und rein ... die Natur farbig ... lebendig ... tankt Sonne auf ... es duftet ... die Kornscheunen sind gefüllt ... aus rotbackigen Äpfeln wird Most gepresst ... aus glutfarbenen Trauben Wein gekeltert ... die Mühe des Jahres hat sich gelohnt ... der Herbst bringt die Ernte ein ... die Zeit der Erntedankfeste ... eine schöne Jahreszeit ... und Sie ... Sie beobachten erfreut die Ausheilung Ihrer Haut ... Sie haben dafür gesorgt, dass ... in wunderbarer Abstimmung mit Ihrem Körper ... bis in feine hormonelle Vorgänge ... endlich Ruhe einkehrt ... und die Haut sich ausheilt und regeneriert ... besänftigt und ausgleicht ... sich frisch und neu nachbildet ...

Man kann auch sagen ... Ihre Haut heilte Sie aus ... ein schönes Gemeinschaftswerk ... ein Gesamtkunstwerk ... ein wunderschönes Gefühl ... denn auch in der Tiefe ... wächst neue Stabilität ... Klarheit ... und eine neue Definition Ihrer selbst ...

Und das löst so ein überglückliches Gefühl aus! ...

Ähnlich wie damals, auf dieser phänomenalen Herbstwanderung ... unbelastet ... unbeschwert ... befreit von allem ...

Sie nehmen sich alle Zeit der Welt ... um sich wohlzufühlen ... und ein dankbares Dankeschön fließt durch Ihren Körper ... durch Ihren Geist ... und Ihre Seele ... überallhin ... in jede Ritze und jeden Winkel ... ein Dankeschön für die Möglichkeit sich zu verändern ... zu wachsen und zu reifen ... Eine Welle von Dank durchflutet den inneren Raum ... in warmen Herbstfarben ... mit flirrendem Licht ... erleichternd ... wohltuend ... bestätigend ...

Und die zunehmende Ruhe und Ausgeglichenheit fließt in die Hände ... die tatkräftigen Hände, die sich gerne bewegen ... formen ... spielen ... berühren ... tasten ... alles Mögliche machen ... beim Sport ... in der Küche ... am PC ... ein Instrument zum Klingen bringen ... wahre Akrobaten ...

Ihre Hände können aber auch eins ... sie können auch Ruhe geben ... sie können sanft über die Arme streichen ... oder über die Schenkel ... sie können den Körper mit einer köstlichen Milch einbalsamieren ... sie können das Gesicht eincremen ... Haare kämmen ... die Finger können miteinander spielen ... und ... auch ineinander ruhen ...

Und das ist neu und wird immer so bleiben: Die Finger lassen Ihre Haut in Ruhe!

Sie behandeln die Haut gut, vollkommen anders: ... liebevolles Streicheln ... ausgleichendes Darüberfahren ... sanftes Massieren ... Eincremen ... Einölen ... was auch immer guttut ...

Alles andere bleibt weg! Ist für immer und ewig gelöscht!

Nur angenehme, gesunde Pflege ... in Maßen ... genug ... und nie zu viel ... das machen die Hände wie von selbst ... man braucht sich nicht zu kümmern ...

Wie der Lavendel in den weiten Ebenen der Provence, werden auch die aromatischen Bergblumen erst gepflückt, wenn sie erblüht sind ... und dann vorsichtig behandelt ... damit sie ihren Duft immer verströmen ... und ihre Schönheit behalten ... Vorher werden sie vollkommen in Ruhe gelassen ... nur der Regen tränkt sie, während sie noch wachsen und Knospen bilden, dann Blüten ... und die Sonne berührt sie sanft mit ihrer Wärme ... die Nachtkühle erfrischt sie ... Morgennebel befeuchtet sie ... der Wind streichelt sie ... der Tau benetzt sie ... ihre zarte Blütenhaut atmet auf, überall ... im Gesicht, am Kopf, am Körper ... und fühlt sich wohl ...

Zunehmende Beruhigung und stabile Heilung ... und Vergessen, dass es jemals anders war ...

Die Haut stärkt und stabilisiert sich, wird robust ... und ist das, was sie sein soll: Halt nach innen ... Schutz gegen außen ... und Austausch ...

... und ...

... etwas Schönes ... schön zum Ansehen ... schön zum Berühren ... schön zum Fühlen ...

Und Sie werden sich richtig und gesund ernähren ... um in Form zu bleiben ... attraktiv ... stabil und gesund ... so nimmt der Körper von alleine die gesunde Gestalt an ... wohlgeformt ... kraftvoll ... aufgerichtet ... im Einklang mit der gesunden Haut ... der schönen Haut ... ein gesunder Körper ... in gesundem Hautkleid ... mit stabilem Nervenkostüm ...

Welch kraftvolles Bild!!

Und dieses Bild wirkt auf Sie ... und leitet Sie ... so bleiben Sie sich selbst treu ... und Ziele gehen schneller in Erfüllung ... schneller, als erwartet ... in schönen Herbstfarben ... befreit und glücklich ... Wie schön! ...

Ich bin nun still ... und Sie schließen die Hypnose auf Ihre eigene Art und Weise ab ... so wie es für Sie richtig ist ... und das beste Ergebnis erzielt.

2.8.5 Die Energiehaut – geschützt, stark, widerstandsfähig

Haut im Schutzmantel

Hypnoseanleitung

Ein paar tiefe Atemzüge ... bringen Sie jetzt in die richtige Verfassung ... um sich wunderbar einzuhüllen in Ihren Schutz ... und zu lernen, wie man die Krallen ausfährt ... wenn es denn nötig ist ...

Atmen Sie jetzt ruhig und tief ... und spüren Sie mal Ihre Haut ... die Haut, die Sie »hauteng« einkleidet ... vom Scheitel bis zur Sohle ...

Die Haut ... dieser phänomenale Halt für unsere Innenwelt ... diese absolute Abdichtung gegen Außen ... bei der Haut sind wir ja sozusagen zu Ende ...

Fühlen Sie doch mal aufmerksamer hin! ... wie Ihre Haut Sie so schön einpackt ... Ihnen Halt gibt ... und Form ... weich, samtig, geschmeidig auf Ihnen aufliegt ... schön aussieht ... und Sie widerspiegelt ...

Wenn Sie nun ein bisschen die Fantasie spielen lassen, können Sie sich sicher vorstellen, dass diese Haut von einer weiteren Haut umgeben ist, die sich flexibel an Ihre Körperhaut anschmiegt ... eine Haut aus Luft und Duft ... Energie und Strahlung ... Wärme ... und Farbspiegelung ...

Sie umrahmt Sie ... unsichtbar ... aber ... fühlbar ...

Und wenn Sie jetzt tiefer atmen ... können Sie in diese – nennen wir sie mal »Energiehaut« – hineinatmen und sie etwas aufblähen ... und stärken ...

... und wenn Sie den nächsten Atemzug nehmen ... atmen Sie wieder in diese Energiehaut ...

damit blähen Sie sie noch mehr auf und kräftigen ... stärken sie ...

Achten Sie nun über die nächsten zwölf Atemzüge darauf, wie mit jedem Einatmen Ihre Energiehülle dichter, solider und robuster wird ... 1 ... ja, gut ... 2 ... 3 ... gut, weiter so ... 4 ... *(Pause)*

Allmählich fühlen Sie ... Ihre Energiehaut bläht sich bei jedem Einatmen noch mehr auf ... wird kräftiger ... stärker ... lichtvoller ... deutlicher und klarer ... Sehr gut! ...

Und während Sie weiter ruhig vor sich hin atmen ... mag es sein, dass diese Energiehaut gar nicht mehr zurücksinkt und auch nicht mehr so exakt Ihre Körperkontur umschreibt ... sondern einfach ein bisschen weiter aufgebläht bleibt ... und mit jedem Einatmen ... noch dichter und kräftiger ... hülliger und fülliger wird ... und somit schützender ...

Und Sie sitzen da ... in Ihrer Energiehaut ... geborgen wie ein Küken in seinem Ei ... und atmen ruhig ... und bei jedem Einatmen ... kräftigt sich die feinstoffliche Energiehülle ... aus Farbspiel und purem Licht ... aus Kraft ... aus Wärme ... eine große schützende Eierschale um Sie herum ...

So sitzen Sie ... ganz gemütlich ... in Ihrem Ei ... aus Luft ... und Licht ... und Energie ... in Ihrer Kraft ... in Ihrem Schutz ... und wenn Sie die Hülle von innen mit der Hand berühren, fühlt sie sich zart und samtig an ... wie das Blütenblatt einer Rose ...

Von außen aber ist sie robust und stark ... alles prallt ab ... was Sie belästigen will ... es prallt ab ... prallt zurück ...

Ihre Energiehaut ist dicht ... und lässt nur herein ... was Ihnen wirklich guttut ... da öffnet sie sich geschmeidig ... für Sonnenschein ... und köstlichen Regen ... Duft ... und Liebe ... gute Energie ... alles, was Ihnen guttut ... gesund ist ... Sie nährt und fördert ...

Aber sonst ist sie robust und stark ... und kämpferisch, wenn Sie es brauchen ...

Blitzartig kann sie Krallen ausfahren ... wie eine wütende Katze ... Krallen aus Licht ... Miniblitze ... kleine Stromschläge ... die weisen zurück ... und halten ab ... So ist diese Energiehülle wirklich wehrhaft ...

Und während ich gleich von eins bis drei zähle, probieren Sie das zum Spaß jetzt mal aus! 1 ... 2 ... 3 ...! Los geht's! ... Bravo!

Aber die Krallen können sich sofort wieder einziehen ... wenn es friedlich ist ... harmlos und ungefährlich ... und auch die Energiehülle kann wieder elastisch zurücksinken ... und sich dicht anschmiegen ... und über Ihre Haut legen ... unsichtbar für andere ... aber fühlbar für Sie ...

Sie fühlen, Sie stehen in Ihrem Schutz ... in Ihrer Kraft ... in Ihrer Stärke ...

In Sekundenschnelle kann die Energiehaut sich wieder aufblähen ... drei tiefe Atemzüge reichen ... und sie kann Krallen ausfahren, wenn es notwendig ist ...

Und Sie wissen, Sie haben diesen Schutz immer bei sich ... und Sie wissen, Sie können sich ... jederzeit ... zugewandt abgrenzen! ...

Und weil Sie das wissen ... können Sie die Hypnose abschließen ... und frisch ... und froh ... und munter – samt Ihrer Energiehaut versteht sich – wieder hierher zurückkommen. Aber psst! Das ist Ihr Geheimnis!

2.9 Krebserkrankung – Hypnose als Unterstützung der Therapie

Acht Hypnoseanleitungen zur Förderung der Selbstwirksamkeit in der Psychoonkologie

Diese Sammlung von hypnotherapeutischen Anleitungen unterstützt die medizinische Therapie in der Onkologie. Nach der Begleitung in sichere, tief wirksame therapeutische Trance werden Beruhigung und Zentrierung, Stressentlastung und Erholung, psychische Aufhellung und mentale Stärke, Reduktion von Nebenwirkungen der medizinischen Intervention, Kräftigung des Immunsystems, Ressourcensammlung für Eingriffe und lange Behandlungen, Stärkung des Lebensmutes und der nervlichen Ausdauer bewirkt.

2.9.1 Ich lebe mich gesund!

Beruhigung, Wohlgefühl, Erholung und Zuversicht

Hypnoseanleitung

Nehmen Sie bitte für die Einleitung dieser Hypnose einen kleinen Gegenstand (eine Münze, ein Steinchen oder einen Stift o. Ä.) ganz locker zwischen Daumen und Zeige- und Mittelfinger und setzen sich bequem hin.

Mit vorerst offenen Augen sitzen Sie nun angenehm zurückgelehnt da und halten diesen kleinen Gegenstand ... wie in Gedanken versunken ...

Wahrscheinlich schauen Sie schon auf einen Punkt ... auf das Muster im Teppich ... einen Fleck an der Wand ... ein Baumblatt ... vielleicht auf einen glitzernden Gegenstand ... es könnte auch die rote venezianische Vase auf dem Fensterbrett sein ...

Schauen Sie nun unverwandt für eine Weile auf diesen Punkt, mit weichem und entspanntem Blick ... nur auf diesen Punkt ...

Lassen Sie das Auge auf diesem Punkt ruhen ... wie ein Vogel, der sich nach langem Flug erholt ... ein wenig in der Sonne döst ... und sein Gefieder durchwärmen lässt ...

Noch werden Sie alles Mögliche im Raum wahrnehmen: zu Ihrer Rechten ... zu Ihrer Linken ... über Ihnen ... und zu Ihren Füßen. Aber Ihr Blick ruht und Sie atmen ruhig ... entspannt ... und regelmäßig. Ja, sehr schön! ...

Allmählich verschwimmt dieser Punkt etwas ... er wandert vielleicht ... wird dunkler, oder auch heller ... Das ist alles ganz normal, ein normales optisches Phänomen. Und es mag leicht so scheinen, als ob dieser Punkt – verspielt – Sie hypnotisiere ... oder ... kann es sein, dass *Sie* ihn hypnotisieren?

Und irgendwann schauen Sie durch den Punkt hindurch ...

Und die Augenlider werden schwerer ... und schwerer ... schwerer ... und schwerer ... und ermüden und sinken herunter ...

Ach, schließen Sie doch einfach die Augen! ...

Und ein tiefer Atemzug wird die Hypnose einleiten ... *(tief atmen)*

Ja, sehr schön! ... so gelöst, dass die Finger sich gleich völlig von alleine öffnen werden ... wie ferngesteuert auseinandergezogen ... und der kleine Gegenstand gleitet aus Ihren Fingern ... und fällt ... und verursacht beim Auftreffen auf dem Boden ein Geräusch ... Plumps!

Dieses Geräusch ist in Zukunft das Signal für Sie, dass die allerbeste Trance beginnt ...

Die Hand aber ... bleibt ganz von alleine – wie von einem Luftkissen getragen – einfach dort in der Luft stehen ... und hilft Ihnen, mit jedem langsamen Atemzug, die Trance auf sehr angenehme Art und Weise zu vertiefen ... Tiefer ... und tiefer ... tiefer ... und tiefer ... *(Pause)*

Der Körper fühlt ein gelassenes Strömen ... er atmet auf ... Der Körper dehnt und streckt sich ... wohlig wie ein Fuß, der den engen Schuh abgestreift hat ...

Und auf der Leinwand der geschlossenen Augenlider bildet sich Ihre ganz persönliche Ruheszene ab:

der stille See im sanften Mondlicht ...

die in Schnee gehüllte Berglandschaft ...

das Getreidefeld, das sich im Sommerwind wiegt ...

Ihr Ruhebild ... Ihr Erleben ... Ihr Wohlfühlen ... beruhigend ... lösend ...

Sehr schön ... Sehr gut ... Ruhige, tiefe Atemzüge ... *(Pause)* ...

Und die Erlaubnis wächst, gut auf sich zu hören ... auf sich zu achten ... und gut mit sich umzugehen ... *(Pause)*

So wandern Sie in großer Achtsamkeit ... wie träumend ... durch Ihren Körperraum ... und streichen mit liebevoller Hand über das Gewebe ... mit Sorgfalt ... und Umsicht ... so, wie man über eine Tischdecke streicht, damit sie schön glatt ... und sauber duftend daliegt ... *(Pause)*

Auf verschiedenen Ebenen geschieht nun etwas ganz im Stillen und wird miteinander wirksam: die Gelöstheit ... die Ruheszene ... tiefe Erholung ... heilsame Vorgänge ...

Sie genießen das ... und Ihre Hand, die ist inzwischen wohl entspannt heruntergesunken ... vielleicht auch nicht ... und alles ist gut so ... *(Pause)*

Und jedes Mal, wenn Sie diese einfache Hypnose wieder ausführen, kommen Sie schneller in heilsame Trance ... gesundende Vorgänge laufen automatisch ab ... mit Bildern oder ohne ... mit Gefühlen oder ohne ... jedes Mal anders und jedes Mal richtig ... Sie brauchen immer weniger Zeit, aber die Zeit wird immer intensiver sein ...

Und Sie werden danach erfrischt ... gestärkt ... und gefestigt wieder erwachen ... und ... es wird Ihnen guttun ...

Und Sie nehmen sich fest vor: Ich lebe mich ... gesund!

Erst nach geraumer Weile ... kehren Sie Schritt für Schritt ... klar und frisch ... und gut gestimmt in das Hier und Jetzt zurück ... das angenehme Gefühl im Körper bewahrend.

2.9.2 Kraftort Portovenere

Ziel: die Chemotherapie gut vertragen (Nr. 1)

Hypnoseanleitung

Schließen Sie die Augen ... und machen nun einfach zehn sehr friedliche Atemzüge, wobei Sie vor allem sehr langsam ausatmen ... 1, sehr gut ... 2, schön! ... 3, ja gut, weiter so! ... sehr gut! 4 ...

Wahrscheinlich haben Sie bislang nicht darauf geachtet, dass die Luft beim Einatmen kühler ist ... und beim Ausatmen wärmer ... beim Einatmen trockener ... und beim Ausatmen leicht angefeuchtet ...

Aber haben Sie vielleicht wahrgenommen, wie alles um Sie herum leiser wurde? ...

Und so werden Sie, wenn Sie näher zu sich hinhorchen, sogar Ihr eigenes Atmen vernehmen ... Sie hören, wie die Luft zur Nase hereinstreicht und ... wieder hinausfließt, ein ganz feines Geräusch, stetig und ruhig ... wie ein treuer Begleiter ...

Und Sie hören meine Stimme, die zu Ihnen spricht ...

Die Hypnose ereignet sich nun von alleine ... und Hypnose gelingt immer und ist immer erfolgreich, wenn es ein Ziel gibt ...

Und Sie haben ein präzises Ziel ... und um das zu erreichen, können Sie auf einmal ganz von alleine – während Sie wissen, dass Sie hier sind – woanders sein ... vermutlich an einem Ort, der Ihnen besonders gefällt ...

Es könnte auf einer Terrasse mit weitem Ausblick sein, vielleicht vor Ihnen ein kleiner Hafen, das ruhigtiefblaue Meer ... ein schöner Ort ... mit malerischem Namen: ... mag sein »Portovenere, Hafen der Venus« ...

Allein schon der Name lässt träumen ...

Das Auge nimmt das wundervoll mittelmeerische Licht auf ... Geglitzer vom Tanz der Sonnenstrahlen auf dem Wasser ... satte Farben ...

Die Ohren erkennen Geräusche einer kleinen südländischen Hafenstadt: das Tuten einfahrender Schiffe ... Rufe der Fischer ... Rasseln von Ankerketten ... Lachen von Kindern ... Trällern einer Opernarie ... irgendwo spielt jemand verträumt Klavier ...

Die Nase atmet Meeresfrische, Duft von Jasmin ... Zitronenblüte ... Thymian ... Oregano ... die Wangen genießen das Streicheln des lauen Windes ...

Alle Sinne tanken die ruhigheitere Stimmung auf ...

Was Sie aber sicher noch nicht gemerkt haben, ist, dass da Luftballons herumschweben ... leicht und munter ... heiter und farbig ... wirklich ... ich weiß auch nicht, wo die gerade herkommen ... Luftballons ... einige schweben einfach vorbei, aber zwei, drei ... wie viele?? ... bleiben in Ihrer Nähe in der Luft stehen und lassen fröhliche Bänder hinunter ... die binden sich um Ihr Handgelenk ... und ziehen die Hand ein bisschen in die Höhe ... die Hand wird leicht ... Ob Sie das schon spüren? ... Sie vergisst alle Schwere ... wird leichter und leichter ... hebt sich ein bisschen ab ... wohl auch durch den Lufthauch des Meeres ... und während der Ellbogen ruht, steigt die Hand höher und höher ... Ja, sehr schön.

Und in dem Maße, wie die Hand höher und höher schwebt, gleiten Sie in eine wirklich ergiebige Trance ... tiefer und tiefer ... fühlbar ... unfühlbar ... sichtbar ... unsichtbar ... alles ist richtig ... alles willkommen ... Sehr gut ...

Und während Sie hier sind und gleichzeitig an diesem wundervollen Ort, wo Sie sich zurücklehnen ... und ins Träumen kommen ... kann etwas völlig nebenbei geschehen:

Ihr Körper bekommt durch einen kleinen Eingang kraftvolle Unterstützung ... eine Flüssigkeit mit feinen Substanzen, durch lange Forschung haarscharf abgestimmt, die durch die Körperkanäle fließt ... um etwas Besonderes zu bewirken ...

Und während Sie tiefer, ganz entspannt in Hypnose sinken ... sind Sie einfach offen für diese heilsame Unterstützung ... die Aufmerksamkeit auf den schönen Ort gerichtet, auf diesen wundervollen Ausblick ... und gleichzeitig strömt die Flüssigkeit mit ihren haarfein abgestimmten Substanzen durch ein ausgeklügeltes Leitsystem exakt dahin ... wo sie hilfreich ist ... bis in die entlegensten Winkel ...

Und diese Flüssigkeit hat nur diese Wirkung ... verwilderte Zellen aufzustöbern, anzudocken, anzugreifen, sie zu vernichten und unschädlich zu machen ... Durch körpereigene Labors wird alles bearbeitet ... und dann ausgeschieden. Ganz natürlich ...

Und Sie lehnen sich zurück und begleiten alle Vorgänge mit Zuversicht ... und Zeit vergeht wie im Flug ...

Und wenn die feinen chemischen Substanzen zur Wirkung gekommen sind, können Sie sich wohler fühlen als erwartet:

- Sie atmen erleichtert frische Luft
- Sie trinken ausgiebig
- Sie essen mit gesundem Appetit
- Sie fühlen sich ruhig und zuversichtlich
- Sie fallen in erholsamen Schlaf
- Sie verschlafen die Zeit mit guten Träumen, im Wissen, dass alles der Bewältigung der Krankheit dient, also Ihrer Heilung ... Ihrer Entwicklung ... Ihrer Zukunft ...
- Sie sind ein Modell dafür, wie man gut mit sich umgeht ... und die Therapie im Guten wirken lässt ...

Sie haben die Kompetenz dazu und den unbeugsamen Willen.

Sie setzen auf die heilsame Wirkung! *(Pause)*

Und jedes Mal, wenn Sie mit diesen Worten wieder in Hypnose gehen, fühlt es sich noch besser an und die gute Wirkung wird noch intensiver sein.

Und weil sich das jetzt alles abspeichert und Sie vielleicht noch ein bisschen weiter träumen, bin ich still ... und irgendwann werden Sie das Bedürfnis verspüren, die Hypnose abzurunden ... Da werden Sie schrittweise, langsam, langsam wieder hierher zurückkehren ... mit dem Wissen, dass Sie sich jederzeit wieder auf Ihre Terrasse ... wo auch immer sie sei ... zurückziehen und wohlfühlen können ...

2.9.3 Ich bin es wert!

Ziel: die Chemotherapie gut vertragen (Nr. 2), eventuell mit Klangschalenbegleitung

Hypnoseanleitung

Diese Anleitung bewirkt, dass Sie die kommende Chemotherapie gut vertragen.

Sie hören Klänge, die uns für diese Hypnose begleiten, und dürfen sich entspannt zurücklehnen.

Schließen Sie nun die Augen und atmen dreimal tief durch. Sehr gut!

Hypnose geht nur ohne Anstrengung und alles ist richtig, was in Hypnose geschieht, so kann man einfach nur sinken ... und sinken ... mit jedem Ausatmen mehr ...

Sie lassen sich einfach in die ausgebreiteten Arme der Hypnose sinken ... voller Vertrauen ... und Zuversicht ... und schweben nur noch dahin ...

Unter Ihren geschlossenen Augenlidern bildet sich am weiten Himmel über Ihnen eine wunderschöne Wolke ab, sie zieht am Himmel herauf ... und nähert sich langsam ... es ist die Hypnosewolke ... in Farben, die Sie mögen ... vielleicht ein zartes Rosarot ... ein lebendiges Orange ... besänftigendes Blau ... erfrischendes Türkis ...

Und ehe Sie das alles noch richtig betrachtet haben ... fällt ein wohliger Tropfen aus dieser Wolke herunter und sinkt ... wohin?? ... genau auf Ihren Bauch ... ganz sanft ... ganz zart ... mit leisem Klang ... dong! ... und füllt diese kleine Höhlung des Bauchnabels ...

Das fühlen Sie vielleicht sogar ...?

Und mit jedem weiteren Tropfen, der aus dieser dicken prächtigen Hypnosewolke herunterfällt ... tropf ... tropf ... tropf ... wird die Hypnose tiefer ... und tiefer ... tiefer ... und tiefer.

Und mit der Zeit entsteht ein ganzer Teich von Hypnosetropfen, der sich ausbreitet ... auf dem Bauch ... auf der Brust ... dem gesamten Körper ... ja, selbst auf Ihrem Gesicht ... und alles beruhigt sich ...

Mit jedem Tropfen durchfährt Sie ein kleiner wohliger Schauer ... bekannt ... und überraschend zugleich ...

Sie genießen es ... lehnen sich zurück ... und lassen Gedanken verwehen ... Ihr Kopf fühlt sich frei ... und weit ... und leicht ... wie das weite Himmelsblau über Ihnen ... Sehr schön ...

Und während ich von 1 bis 7 zähle ... gehen Sie so tief in Hypnose, wie es für Sie richtig ist ...

1 … alles um Sie herum unwichtig …

2 … Sie achten nur noch auf Wohlbefinden …

3 … alles strömt ab, was nicht ins Heute passt …

4 … Erlaubnis macht sich breit, im Guten für sich zu sorgen …

5 … der Körper reagiert auf fantastische Weise … und nutzt die hilfreiche Medizin … um sich damit bestens zu behaupten …

6 … Unwichtiges wird ausgeblendet …

7 … und der Körper gönnt sich Schlaf … und richtet den Fokus auf Heilung …

Ihr Körper entspannt sich so tief, wie es sich gut anfühlt …

Ihre Lungen holen so tief Luft, bis sie sauerstoffbetankt sind …

Ihre Seele entfaltet sich so weit, wie sie ihre Flügel spannen möchte …

Sie brauchen nichts zu tun … und nichts zu verstehen … und Sie sinken mit diesem angenehmen Gefühl … und lassen es sich einfach gut gehen … mit dem sicheren Wissen: ich bin stark … *(Pause)*

Der Körper nutzt die tiefe Entspannung … gewinnt an Kraft … und beginnt sich wohler zu fühlen … und Sie hören Ihre innere Stimme zu sich sagen: »Ich bin es wert!« … *(Pause)*

Während Sie ruhend – oder wie schlafend – innerlich eine schöne Musik hören, kann immer wieder diese wundersame Hypnosewolke am Himmel heraufziehen … und Sie anfüllen … und auftanken mit Friedlichkeit … Wohlwollen … und Ruhe … mehr als angenehm …

Und Sie werden alle anderen damit überraschen, wie Sie Ihre ganz persönliche Lösung gefunden haben, optimal mit der Therapie umzugehen …

Jetzt lassen Sie sich alle Ruhe und Zeit … bevor Sie dann nach einigen Minuten einfach wieder zurückzählen … von 7 bis 1 … und dann frisch … und wunderbar munter wieder hierherkommen … falls Sie nicht in einen erholsamen Schlaf sinken mögen …

Auf jeden Fall aber bleibt Ihr Körper in einer heilsamen Verfassung …!

2.9.4 Besuch im Eispalast

Ziel: für die geplante Strahlentherapie ein erfrischender Spaziergang im Eispalast, der vor Eisblumen und Kristallen nur so glitzert, stimmungsaufhellend und ermutigend

Hypnoseanleitung

Wenn wir nicht gesund sind, unterliegen wir leicht unseren Stimmungen. Manchmal sind wir aufgeblüht und optimistisch ... manchmal entmutigt, betrübt und durcheinander. All das aber ... gehört zu einem lebendigen Leben.

Und diese Hypnose wird Ihnen helfen, dass es Ihnen besser geht.

Sie waren tapfer und diszipliniert und haben sich gefreut, wenn Sie zu Recht bewundert wurden, wie gut Sie bis jetzt alles durchschritten haben.

Diese Zeit liegt jetzt hinter Ihnen und ein neuer Abschnitt vor Ihnen. Und auch nach diesem neuen Abschnitt, der irgendwann wieder hinter Ihnen liegen wird, werden Sie wieder stolz sein, dass Sie alles so gut geschafft haben.

Sie liegen ... mit geschlossenen Augen ... gemütlich zurückgelehnt und atmen ruhig und regelmäßig ... und werden gleich bei jedem Ausatmen tiefer und tiefer in Hypnose gleiten ... ein Zustand, den Sie schon kennen und der sich als sehr hilfreich erwiesen hat.

Sie wissen, Sie können weiterhin alles denken, Sie können aber auch alles Denken Ihrem unbewussten Wissen überlassen. ... denn nun leistet das Unbewusste seine Arbeit ... und das Körpergedächtnis aktiviert sich für gesunde Vorgänge ...

Sie dürfen einfach ruhen und beginnen, innerlich leicht zu lächeln.

Und während ich langsam von 1 bis 21 zähle, sinken Sie angenehm tiefer und tiefer ... tiefer und tiefer: 1 ... 2 ... 3 ... sehr schön! ... 4 ... 5 ... 6 ... 7 ... 8 ... 9 ... ja, sehr gut! ... fast die Hälfte der Strecke, schwebend davongetragen ... heilsam und hell

10 ... 11 ... 12 ... 13 ... 14 ... 15 ... 16 ... 17 entfernt und luftig sinken, alle Sorgen hinter sich lassen, frei ...

18 ... begleitet von kraftvollen Farben und tragenden Klängen

19 ... 20 ... vielleicht im Duft einer Rose ...

Und ... nicht bevor die 21 erklingt, werden Sie so tief in tiefer Hypnose sein, wie es für Sie heute richtig ist, um sich wohlzufühlen ...

Und Sie machen das sehr gut so ...

Und erst wenn die 21 erklingt, werden Sie auf einmal – wie von Zauberhand – irgendwo in der Zukunft sein ... Im Sommer eines Jahres, das gerade erst begonnen hat, an einem herrlichen Sonnentag, angenehm warm ... wolkenlos blauer Himmel ...

Und Sie tragen etwas Schönes und genießen ihn, diesen Sommertag ... und blicken zurück auf die Zeit, damals, im Winter ...

... und Sie blicken zurück auf eine Zeit, die nicht einfach war. Und sie liegt für Sie weit zurück ... fast unfassbar ... Das Gefühl darüber wird verloren sein, nur das Wissen verbleibt, dass es etwas gab, was Sie glorreich überwunden haben ...

So viel wichtiger, im Jetzt zu atmen, die Sonne auf der Haut zu spüren und in einem kraftvollen Körper zu sein ...

Die winterliche Zeit liegt lange hinter Ihnen. Sie erzählen davon, wie von etwas, was Urzeiten her ist, woran Sie sich kaum noch erinnern ... *(Pause)*

Und bei 21 ist tiefe Hypnose, tiefer als tief, ausgelöst, womit es unwahrscheinlich ist, dass sich nicht eine gute Entwicklung vollzieht, in so tiefer Erholung ... tiefer als tief. Und Sie genießen es sehr. Sehr gut!

Ein-und-zwan-zig! ...

Diese tiefe Ruhe tut gut. *(Pause)*

Ihre Aufmerksamkeit ist auf die Zukunft gerichtet, die Sie im Moment schon leben: ... durch sommerliche Felder radeln ... tanzen ... lachen ... lieben ... in voller Sonne ... in vollem Mond ...

Zukunft ... in Ihrem inneren Erleben schon Gegenwart ...

Währenddessen kann sich der Körper auf die optimale Verwertung der Behandlung einstellen ... So wie Sie sich guten Bildern hingeben ... nimmt er die Therapie an ...

Und mag sein, Ihrer Fantasie gefällt die Idee, vom Sommer aus einen märchengleichen Eispalast zu besuchen ... Wie schön, da umherzuwandeln und die gläsernen Klänge zu hören, die das fantastische Eis, das klirrende Eis, produziert ...

Warm eingepackt in Wolle und Fell ... staunend an den Skulpturen aus Eis vorbeischlendern, ganz eingenommen von dem Geglitzer der Eissterne ... und Lichtspiel der Eiszapfen ... und Eisfiguren ... Brücken aus Eis über gefrorene Flüsse ... eine Traumlandschaft, in der Eiskristalle heilsame Farben reflektieren ...

Sie aber erfreuen sich an dieser Schönheit und heiteren Inszenierung ... und auf einem gefrorenen See drehen zierliche Eistänzerinnen ihre Pirouetten ... und amüsieren sich ... man hört das Knirschen vom Gleiten der Kufen über Eis und ab und an ihr fröhliches Lachen ...

Sicher haben Sie es nicht erwartet, aber es steht ein Schlitten für Sie bereit, der lädt Sie ein zu einer Fahrt ... So steigen Sie ein und gleiten nun selbst über das Eis, fühlen den Boden nun anders unter sich, sicher und eben ... und lassen sich von all der Schönheit verzaubern!! ...

Die klare Kühle des Eispalastes tut Ihnen erstaunlich gut und erfrischt Ihre Zellen ... kühlt und beruhigt und klärt ...

Gewebe schwillt ab, schwemmt aus und reinigt sich ...

Die kranken Zellen fallen in sich zusammen ... wie eingefroren ... lösen sich auf ... ... die gesunden Zellen aber vitalisieren sich, fühlen sich wohl und stark und entwickeln eine gesunde reaktive Wärme ...

Und Ihr Körper heilt, Ihre Seele heilt, selbst Ihr Geist ... luftige Leichtigkeit zieht mit einem Hauch von Frühling in Ihr Gemüt ... denn, ohne dass Sie es bemerkt haben, hat der Schlitten den Eispalast hinter sich gelassen ... und längst das Frühlingsland erreicht ... mit jungem Grün und erwachendem Leben, mit zarten Farben ... und dem Duft von Veilchen ...

Und ganz wie Sie wollen, können Sie nun den Schlitten immer selbst lenken ... zum Eispalast, um sich kühlende Frische zu holen und genau da wirken lassen, wo es Ihnen guttut ... zur Straffung der Seele, zur Kühlung des Körpers, zur Klärung des Geistes ...

Und wenn Sie genug haben, fahren Sie wieder ins Frühlingsland, um sich von dort aus auf den Sommer mit seinen langen Tagen zu freuen, von dem aus Sie zurückschauen können auf den Winter, der lange hinter Ihnen liegen wird ...

Und das löst eine solche Zuversicht aus, dass es sich ganz friedlich anfühlt ... Und alles Wichtige, was Sie eben erlebt haben ... gehört, gesehen, gefühlt, gerochen und vielleicht geschmeckt ... speichert sich tief in Ihnen ab ...

Dadurch ist es immer abrufbar, jeweils das, was Sie brauchen, genau passend zur Situation. Somit können Sie noch tiefer in Trance kommen, ganz in Ruhe, ganz versunken, der Heilung hingegeben ... tief in Trance ... *(Pause)*

Und irgendwann wird es für Sie richtig sein, im Stillen wieder zurückzuzählen von 21 bis 1. Sie werden bei 1 wieder in der äußeren Welt auftauchen, wach ... guter Dinge ... erfrischt und gefestigt ... mit einem ruhigen Gefühl im Herzen ... und einer klaren Orientierung im Geist.

2.9.5 Mit unbeirrbarem Glauben

Ziel: Beruhigung, tiefe Erholung, Stärkung des Lebensmutes und der nervlichen Ausdauer

Hypnoseanleitung

Lehnen Sie sich zurück! Das ist das Beste, was Sie jetzt tun können.

Nachlassen ... für eine geraume Zeit dem Körper Ruhe geben ... auch der Seele ... und dem Geist ... nachlassen und ablassen ... gedankenleer ...

Nichts wollen und nichts müssen ... einfach innehalten ... und die eigene Atmung hören ... und sinken ... sicher und stabil ... gehalten von der Unterlage, auf der Sie ruhen ...

Nichts tun ... nichts verstehen ... nicht zuhören ... einfach sein ... davonschweben auf Klängen ... Klänge der Worte ... Klänge Ihrer Atmung ... Klänge einer schönen Weise ... und Ruhe breitet sich aus ... tiefe, wunderbare Ruhe ... tiefe Erholung ... und Sie erlauben sich das ... Sehr gut! ...

Sie sinken ... und schweben ... und Ihr Körper erhält alle Bedingungen ... um sich wohler zu fühlen ... sich zu erholen ... tiefer ... und tiefer ... wie auf einer Wolke getragen ... einer Wolke aus Licht ... Ruhe ... und Wohlbefinden ...

Das Beste, was Sie Ihrem Körper geben können, ist dieses Loslassen ... Schweben ... Sein ... und Glauben ...

Der Glaube stärkt sich ... und jetzt ... während der Körper ruht ... findet der Geist auf verschlungenen Wegen ... zu den Antworten ... um das Rätsel zu lösen:

Was ist Ihr erfolgreicher Weg ... in Regeneration und Kräftigung? ...

Wie ist Ihr erfolgreicher Weg ... andere in Erstaunen zu versetzen? ...

Wo ist Ihr erfolgreicher Weg ... in die Genesung? ...

Und der Geist ... – ohne Ihr bewusstes Wissen – forscht ... unablässig ... feinfühlig ... und findet genau heraus: Wo sind die Verbindungen ... die Brücken und Wege ... in die Zukunft ... eine lebendige ... Zukunft ...? In ein neues Leben?

Glaube und Zuversicht ... lassen – vollkommen unbeirrt – ... die dunklen Wolken an Ihnen vorübersegeln ... lösen die Schatten auf ... indem Licht auf sie fällt ... verwehen Sorgen ... mit dem Wind des Südens ...

Unbeirrt wächst Standfestigkeit ... und der Glaube wird stark wie ein Fels ... die Sicherheit ... dass alles gut wird ... bleibt immer präsent ...

Sie gehen Ihren Weg unbeschadet durch alles hindurch ... in Ihre Zukunft ... unbeirrt ... zuversichtlich ... stabil ...

Immer präsent das sichere Gefühl, dass alles gut wird ...

Der Glaube, fest wie ein Fels, dass Ihnen die Zukunft gehört ...

Die Zuversicht, unerschütterlich, dass Sie Ihren Weg gehen ... der ganz anders sein kann, als der der anderen ...

Sie können das ... Sie haben das verdient ...

Ihr Körper wird es Ihnen zeigen ... und Sie erholen sich tief ... tiefer als tief ... tiefe Hypnose ... und der Körper heilt ...

Ihr Körper vertraut Ihnen ... und Sie ... vertrauen Ihrem Körper ... Gemeinsam seid ihr stark ...

Sie machen das sehr schön ... und viele Gedanken und Empfindungen verschwinden, wie sie gekommen sind ... und in der Tiefe wissen Sie:

Es wird alles gut!

Dieser felsenfeste Glaube bleibt Ihnen immer treu ...

Und irgendwann einmal ... wird diese Zeit Geschichte sein ... und das Leben wird ganz andere Aspekte haben ... Aufgaben ... Inhalte ... und Perspektiven ...

Sinken Sie ruhig noch tiefer! ... Sinken Sie in einen schönen Traum! ...

Träumen Sie diesen Traum ... der dem Körper guttut ... dem Herzen ... und dem Kopf! ...

Und immer wieder tanken Sie auf ... wenn Sie diese Hypnose hören ... genießen es ... und die angenehmen Minuten werden geräumig wie Stunden ... gute Zeit wird unendlich ... während alle Zeiten zwischendurch sich im Zeitraffer abspielen ... unwesentliche Gefühle ... gleichsam vergessen ...

Und so werden Sie nachher aus dieser Hypnose erwachen: ausgeglichen ... gestärkt ... mit festem Mut ... unbeirrt ... egal, was die Werte momentan anzeigen ... Sie wissen, Sie werden das schaffen ... den Blick nach vorne gerichtet.

Und erst ... wenn Sie sich erfrischt und gestärkt fühlen ... erwachen Sie wieder aus dieser tiefen Hypnose ... während der Körper ruhig noch länger die gute Trance genießt ...

2.9.6 Die ozeanische Trance

Tiefe therapeutische Hypnose für Wohlbefinden und körperliche Kräftigung

Hypnoseanleitung

Lehnen Sie sich zurück und schließen die Augen ...

Prüfen Sie nun noch mal nach, ob alles richtig ist ... warm ... bequem ... für eine wunderbare, produktive Hypnose ... um beizutragen, dass schlechte Werte sich verbessern und gute Werte sich stabilisieren.

Und wie immer in Hypnose ... brauchen Sie nichts zu tun:

... nichts vorstellen, nichts bemühen, einfach sinken und sich alles erlauben ... und meine Worte ... mit dem Klang meiner Stimme ... sind bei Ihnen ... und werden positive Bilder entwerfen ... und gute Gefühle auslösen ...

Und wie immer, vertieft sich die Hypnose von alleine:

... sich innerlich ausstrecken ... dahinschweben ... befreit von Zeit ... und Raum ... erholsam ... und stärkend ...

Einfach nur atmen ... immer mehr Abstand nehmen ... hören ... und wirken lassen ... und ... jedes Ausatmen erleichtert und befreit ... jedes Einatmen tankt Licht ... Luft ... und Sauerstoff auf ... harmonisierend ... entlastend ... klärend ... Guuuuut! ... Sehr schön! *(Pause)*

Und vielleicht verspüren Sie schon den feinen Lufthauch über der Stirn? ...

Angenehm kühl ... lindernd ... auch über den Augen ... den Wangen?

Ruhe strömt ein ...

Die Schultern sinken entlastet zurück ... ja, der gesamte Körper gibt angenehm nach ... und eine tiefe ... ruhige ... wunderbar heilsame Hypnose beginnt, Sie einzuhüllen ... wie eine samtig-zärtliche Umarmung ...

Vielleicht fühlen Sie sie ... am Arm ... Hinterkopf ... Bauch ... Schenkel ... vielleicht tauchen Sie aber schon längst in einem Ozean aus Düften ... im Lichtspiel ... und dem Klang der Meereswellen ... und lassen sich träumend von der Strömung tragen ...

Sonnenlicht schimmert durch Ozeanblau ... *(Pause)*

Ein Fisch gleitet gleichmütig vorbei ... reflektiert dabei unwissend die Farben des Regenbogens auf Sie ... und genau da, wo sich Licht und Farbe bündeln ... tritt ozeanisches, reinigendes Fluidum sacht in Ihren Körper ein ... fließt zielstrebig genau dahin, wo der Körper Reinigung und Klärung braucht ... umspült alles in kleinen spiraligen Wirbeln ... entfernt achtsam unerwünschte Partikel aus dem Gewebe ... und mit jedem tiefen Atemzug streift eine dynamische Strömung sie hinweg ...

Es fließt hier hinaus ... fließt da hinaus ... ... fließt hier hinaus ... fließt da hinaus ... fließt hier hinaus ... fließt da hinaus ...

... fließt hinaus ... und der Schwere nach ... nach unten weg ... und wie meine Stimme in die Tiefe sinkt, sinken auch diese Partikel in die Tiefe ...

Und übrig bleiben Entspannung ... Ruhe ... gesunde Durchblutung ...

Das ozeanische Wasser flutet ... und spült ... und reinigt ... und Sie geben nur die Erlaubnis dafür ... dieses »Es darf geschehen« ...

Und Sie lassen es geschehen ... *(Pause)*

Und in der Tiefe des Ozeans findet sich ... überraschenderweise ... noch etwas Besonderes ... und ich weiß nicht, was es ist ... und ob in einer Muschel verborgen ... eine perlmuttfarbene Perle wohl ... Ihr Unbewusstes wird es Sie wissen lassen ... das Geheimnis der Perle ... die Botschaft ... die Wirkkraft der Perle ...

So sinken Sie in immer tiefere Trance ... erfahren Kühle und Linderung ... und zugleich Wärme und Energie ... fühlen tiefe ozeanische Ruhe ... und Zuversicht ...

Unnütze Gedanken steigen auf wie Luftblasen und zerplatzen an der Wasseroberfläche ...

Schwere Gefühle sinken ab zum Meeresboden ... aufgefangen von Seeanemonen ...

Schwebendes und Leichtes ... Nährendes und Heilendes aber verbleibt in Ihnen ...

Ob es wohl der ruhige Rhythmus der Atmung oder das ozeanische Strömen ist, das den Körper in diese heilsame Schwingung bringt?

Wie auch immer ... im Moment ... und auch in der Zukunft ... werden Sie wieder und wieder im Ozean der Heilung schwebend schwimmen ... und schwimmend schweben ... und das Sonnenlicht wird durch die farbenfrohen Fische auf Sie reflektieren ... und im Fokus der Farbe und des Lichts wird das ozeanische Heilwasser in Sie einströmen und gemeinsam mit dem Körperwissen für Reinigung und Klärung des Gewebes sorgen ... überall ... und in spiraligen Wirbeln werden alle Zellen umspült ... gereinigt und geklärt ... *(Pause)*

Bevor Sie aber an die Oberfläche zurückkehren, werden Sie immer zu Ihrem Kleinod tauchen und Antworten auf Fragen erhalten ...

Und nun erlauben Sie sich noch alle Zeit dieser Welt, bis Sie sicher sind, es ist genug ... Erst danach kommen Sie ganz ruhig, besonnen, sehr friedlich und zuversichtlich wieder ins Hier und Jetzt zurück, während Ihr Körper in dieser heilsamen Trance verbleibt, solange es ihm gefällt ...

Und der Körper weiß genau, was ihm bekommt ...

2.9.7 Der Ressourcentank

Eine Sammlung von schönen Bildern und Gefühlen aus der Lebensgeschichte, die während der medizinischen Behandlung immer wieder für Zuversicht sorgt

Hypnoseanleitung

Lassen Sie bitte vorerst die Augen noch offen ... und wählen sich für eine kurze Weile ... einen Punkt da oben, irgendwo an der Decke ... und schauen einfach ganz entspannt auf diesen Punkt ... mit weichem Blick ...

Und auch während man nur auf einen Punkt schaut ... kann man alles um sich herum wahrnehmen ... alle Farben ... Formen ... Umrisse ... Licht und Schatten ...

Und Sie achten auf Ihre Atmung und schauen auf den Punkt ... und irgendwann ... nach eigenem Wollen, werden Sie drei besondere Atemzüge machen:

Sie werden tief Luft holen ... und ... beim Ausatmen die Augen schließen und Ihren Körper schweben lassen ...

Also: Mit offenen Augen tief einatmen ... jetzt langsam ausatmen ... die Augen schließen und der Körper schwebt ... Sehr schön ...

Augen öffnen ... tief einatmen ... langsam ausatmen ... die Augen schließen und der Körper schwebt ... Sehr schön! ...

Augen öffnen ... tief einatmen ... langsam ausatmen ... die Augen schließen und der Körper schwebt ... Sehr schön! ...

Die Augen bleiben nun geschlossen, die Atmung ganz ruhig ... ganz im Gleichmaß ... in Vorbereitung auf *die* Hypnose, die alles bewirken wird, was Sie brauchen ... um in guter Verfassung zu bleiben und sich körperlich wohl und stabil zu fühlen ... *(Pause)*

Und ganz von alleine schwebt der Körper mit jedem Ausatmen mehr und mehr ... und das bewirkt gleichsam ein Gefühl des Sinkens ... und Sie wissen, Sie brauchen nichts zu tun ... und die kleinen Geräusche vom Bauch vermitteln nur, dass die Entspannung beginnt ... und das vegetative Nervensystem sich umstellt auf Erholung: ... nichts tun müssen ... nicht reagieren ... nicht verstehen müssen ... einfach nur da sein ... bei sich sein ... mit diesem schwebenden Gefühl ... in einem vollkommen geschützten Raum ... während nur draußen die Zeit vergeht ... innerlich zeitlos ... voller Weite ... Ruhe ... Besinnung auf das Wesentliche ...

Und die Ruhe wird tiefer ... tiefer ... tiefer ... und nun können auch die Schultern entspannt zurücksinken ... Sehr gut! Sehr schön! Die Hände liegen warm auf dem Körper ... und Hypnose breitet sich aus ... wie ein angenehmes Fluidum ... das durch den Körper fließt ... in einer wunderbaren Farbe ... genau die richtige, um das Richtige zu bewirken ... Besänftigung und Linderung ... Erfrischung und Vitalisierung ... und Sie atmen ruhig und tief ... *(Pause)*

Sie haben in Ihrem Leben jede Menge an schönen und guten Erfahrungen gemacht ... und während der Körper sich jetzt leichter anfühlt und leichter ... und vielleicht eine Hand sich besonders leicht anfühlt, sodass sie sich abhebt von Ihrem Körper ... entwirft das Unbewusste ... einen Tank, einen großen, geräumigen, wunderschönen Tank ... für ein großes Reservoir ...

Und vielleicht sehen Sie ihn ja schon ... aber ob Sie ihn sehen, ihn fühlen oder einfach nur um ihn wissen ... ist eigentlich vollkommen egal ... denn das Unbewusste ist schon dabei ... diesen Tank mit wunderschönen Erlebnissen aus Ihrer Geschichte zu füllen:

Bilder voller Leichtigkeit ... Fröhlichkeit ... Heiterkeit ... Sommerlachen ... Herbstfarben ... knirschender Schnee ... knisterndes Kaminfeuer ... Schneeglöckchen ... Frühlingsduft ... sei es in alten Gemäuern mit langer Geschichte ... sei es in den Bergen ... oder am Ufer eines Sees ... *(Pause)*

Und der Tank füllt sich ... Sie sehen, wie der Pegel steigt ... mit Szenen ... mit Worten ... Sätzen ... Musik ... Farben ... Überraschungen ... Düften ... Sonnenschein ... Erfolgen ...

Bilder über Bilder ... Klänge ... Gerüche ... Gefühle ... Tagesausflüge ... Sonnenuntergänge ... Vollmondnächte ... der Gesang der Nachtigall ... beglückende Zeiten ... der Tank füllt und füllt sich ...

Der Pegel steigt weiter ... bald randvoll ... voll, fast übervoll ... *(Pause)*

Jederzeit und überall sind diese schönen, wunderbaren, beglückenden Erfahrungen abrufbar ... fließen spontan in Sie ein, womit Sie ganz von alleine ... träumend einen schönen Traum träumen ... um alles Äußerliche auszublenden ... und innere Vorgänge im Guten zu beeinflussen ...

Und die Zuversicht nimmt zu, denn es gibt bei diesem Tank noch einen Spezialtank ... der Reservetank, das ist der, der die Zukunftsbilder birgt ... die vom nächsten Jahr ... vom übernächsten ... Situationen in fünf Jahren ... und weit in der Zukunft ... schemenhaft ... vielleicht Ahnungen nur ... doch Gewissheiten gleich ... gereift ... gesund, im Kreis Ihrer Lieben ...

Und das Unbewusste ... nicht *ich* ... nicht *Sie* ... Ihr Unbewusstes hat diese Bilder entworfen ... das weiß, wie es weitergeht ... mit eigener Intuition ... und unbeirrbarer Gewissheit ... telepathisch ... die Bilder der Zukunft ... im Reservetank ... *(Pause)*

Und diese Bilder ... zeigen sich Ihnen immer ganz spontan, wenn es notwendig ist ... wenn Sie Unterstützung brauchen im Glauben an die Zukunft, an *Ihre* Zukunft ...

... und alles funktioniert umso besser, je mehr Sie sich schweben lassen ... in bestimmten äußeren Situationen ... innerlich woandershin ... und so beruhigt sich das ganze System ...

Symptome klingen ab, so wie sie gekommen sind ...

und wie ein treuer Freund bleibt gelassene geistige Kraft immer in Ihnen ...

Der Tank lässt Sonnenlicht durch den Körper fluten ... wenn er Licht und Wärme braucht ... lässt quirlige Regentropfen zur Erfrischung perlen ... fröhliches Lachen bei Traurigkeit erklingen ... eine grüne Wiese zum Herumtollen ausbreiten ... barfuß, unbeschwert ... *(Pause)*

Alles andere wird spontan ausgeblendet ... mit allen Therapien, was auch immer es sei ... bei jeder Intervention, wie auch immer sie sei:

... der Kopf fühlt sich frei, weit, luftig ... wie der weite blaue Himmel ...

... der Körper gönnt sich tiefe Ruhe ... und die Müdigkeit verfliegt ...

... das Verdauungssystem regeneriert sich von alleine ...

... und erstaunlicherweise haben Sie Lust auf bestimmte Speisen ... die Ihnen schmackhaft vorkommen und Sie gut nähren ... und kräftigen ...

... Ihr Geist ... schaut unbeirrt nach vorne ...

Nachts in den Träumen ... – und das ist interessant, wenn auch nicht wirklich erklärbar – werden Sie von der Zukunft träumen ... schöne Träume, schöner als im schönsten Traum, wie alles weitergeht ... und Sie fest auf dieser Erde stehen ... im Kreise der Menschen, die Sie lieben ... die Zukunft von morgen ... von übermorgen ... und in ein paar Wochen ... Monaten und Jahren ... und das gibt Ihnen Halt ... und das wirkt sich wie erlösend auf Ihren Körper aus ... die Sorgen schwinden ... und die Zuversicht erstarkt ...

Und Sie kommen in Ruhe ... ausgewogene Ruhe ... Sie fühlen sich wohl ...

Bleiben Sie dabei ... sinken noch tiefer in Hypnose ... und lassen das Unbewusste jetzt alles optimal sortieren ... womit es in vollstem Maße wirkt, genau so wie es richtig ist für Sie ...

Und erst dann, wenn all das geschehen ist ... werden Sie die Hypnose abschließen ...

Und jedes Mal ... wenn Sie diese Hypnose wieder praktizieren, wird sie noch tiefer wirken. Sie werden danach wohl gerüstet sein ... zuversichtlich ... und sich geistig und körperlich stabil fühlen ...

Nur, bitte ... belassen Sie den Körper noch ein wenig in diesem wunderbar heilenden Schweben ... weil er das mag ... und weil es ihm hilft ...

2.9.8 Im Teich der Erholung

Ziel: Energie tanken in gesundem Zusammenspiel mit dem Körper

Hypnoseanleitung

Sie haben die vergangene anstrengende Zeit mit Schwung ... und Kraft durchschritten ... und erledigt. Da ist es mehr als normal, wenn

Schwung erlahmt ... Kraft sich erschöpft ... Reserven dahinschmelzen ... Sorgen eng machen ... und die Lebensfreude auf der Strecke bleibt ...

Und es ist gut, das erst mal zu akzeptieren ... Es ist einfach so ...

So gilt es innezuhalten, sich Ruhe zu gönnen und abzusinken ... denn dieses Loslassen und Absinken ... lässt neue Kraft schöpfen ... und wieder in Schwung kommen.

Und wer, besser als Sie, weiß inzwischen, dass man in Hypnose liebevoll bei sich ist ... vollkommen in sich ... und ausschließlich für sich selbst da ... die beste Voraussetzung für Ruhe und Regeneration.

Erlauben Sie sich deshalb jetzt, ein wenig nachzugeben ... und abzutauchen ... mit jedem Atemzug mehr ... mit jedem Atemzug tiefer ...

Wohin? In den Teich ... der Erholung! ...

Mit jedem Ausatmen mehr ... sinken ... in Ihre Farben ... sinken ... in Duft, den Sie lieben ... sinken ... in Ihr Ambiente ... sinken ... so wie es Ihnen guttut ... sinken ... und haargenau richtig ist ... sinken ... hinunter ... sinken ... in den Teich der Erholung ...

Wie schön! Nach Zeiten der Anstrengung und Verausgabung ... der Turbulenzen ... mit vielen Gefühlen ... absinken ... bis auf den Grund ... in vollkommene Ruhe ... in kristallklare Stille ...

Und während ich langsam von 1 bis 7 zähle, können Sie gemächlich hinuntersinken ... bis Sie da sanft und sicher landen ... aufgefangen ... auf dem Grund ... geborgen ... im Teich der Erholung ... 1 ... und 2 ... sinken ... und 3 ... und 4 ... sinken ... und 5 ... wie in ausgebreitete Arme sinken ... und 6 ... sinken ... und 7 ... nur ruhen ... auf den Boden ... sicher getragen ... nur sein ... nichts tun ... nur ruhen ... tief erholen ... nicht mal träumen ... nur ruhen ... Urlaub von allem ...

... erholen in der Stille der Tiefe ... und der Tiefe der Stille ... *(lange Pause)*

Ob Sie wohl bemerken, wenn ... aus dem Sediment des Teichbodens bald klitzekleine Blasen aufsteigen? ... ein warmer Hauch ... ein Kitzel von Sonnenstrahl ... ein vages Wohlgefühl ... eine Ahnung von Leben ... ein zufälliger Impuls ... wie der Flügelschlag eines Schmetterlings ... aus dem Sediment setzen sich Kräfte frei ... unentwegt ... und regelmäßig ...

Spüren Sie schon die feine Massage der aufsteigenden Bläschen, zart wie Luftperlen im Wasser? ...

Wie durch einen seidigen Vorhang dringt Licht in den Körperraum ... ansteigende Energie ... zunehmende Stärke ...

Stärke und Substanz ... Festigkeit und Stabilität ... polstern sich langsam, aber stetig auf ...

Genau da ... wo es noch eng ist ... genau da ... rollt die Welle der Atmung hin ... bewegt ... löst ... entspannt ... und es wird weich, flexibel und elastisch ... und fühlt sich einfach gut an ... *(Pause)*

Und ich weiß nicht, ab wann die Dynamik ausreicht ... und ebenso wenig weiß ich, ab wann Sie es erleben werden ... dass Sie ... allmählich ... vom Grund etwas empor schweben ... getragen durch natürlichen Auftrieb ...

Und erstaunlicherweise fühlen Sie sich auf einmal sicher ... dass Ihr Unbewusstes eine gesunde Kontrolle über gesunde körperliche Vorgänge hat ... und eindeutige Signale geben wird, wenn Sie achtsam sein sollen ... und Sie wissen intuitiv, Sie können sich auf Ihr Unbewusstes und Ihren Körper verlassen ... und Ihre Devise heißt: »Gesundheit ist meine Perspektive!«

Eine wunderbare Gelassenheit durchflutet Sie ...

Und Sie hören Ihren Körper sprechen:

»Lass los, lass mich tun!

Ich passe auf mich auf!

Ich sorge für gesunde Zellstrukturen!

Gemeinsam mit dem Immunsystem ziehe ich meine Bahnen durch den Körper und halte wachsam Ausschau. Überall, wo wir etwas entdecken, was da nicht hingehört, mache ich etwas Besonderes:

Ich erhitze das Gebiet ... und zerstöre!

Eine solche Wärme produziere ich da, eine Überwärme ... exakt dosiert ... auf feinster Ebene, auf Zellebene ... eine unglaubliche Hitze ... da kann keine falsche Zelle überleben ...

Und du, du machst dein Leben, du vertraust mir ... und ich vertraue dir ... gemeinsam ... sind wir stark!« *(Pause)*

Ein Lächeln breitet sich in Ihrem ganzen Körper aus ...

Und immer wieder, auch jede Nacht im Schlaf, sinken Sie ab in den Teich der Erholung ... bis auf den Grund ... und aus dem Sediment des Teichbodens steigen kleine Blasen auf ... und in diesen Blasen sind wertvolle Bestandteile ... die, wohldosiert ... passgenau ... aufgenommen werden ... Sie tanken auf ... bekommen mehr und mehr Auftrieb ... Aufhellung ... Aufpolsterung ... und alles das, was wichtig ist ... bis Sie ruhig wieder nach oben schweben, aufgetankt ... erholt ... und so werden Sie sich mehr und mehr regenerieren ... und stabilisieren ... und in einem gesunden, frohen Leben etablieren ...

Wenn Sie genug aufgetankt haben und den Auftrieb richtig schön spüren, können Sie die Hypnose beenden. Dafür zählen Sie innerlich von sieben bis eins zurück und öffnen die Augen ... wach ... frisch ... klar ... und erholt.

2.9.9 Die Zukunft beginnt jetzt – Das geschenkte Leben

Ziel: Stärkung

Hypnose für ein Paar, nachdem die Krebserkrankung eines Partners ausgeheilt ist, aber Erschütterung und Erschöpfung, vor allem beim Partner, noch nicht überwunden sind. Das Paar sitzt nebeneinander mit geschlossenen Augen.

Hypnoseanleitung

Gut, ihr zwei, jetzt dürft ihr die Augen schließen ...

Es ist schön, dass ihr zusammen da seid ...

Während draußen die Sonne von einem klaren blauen Himmel scheint ... seid ihr beide hier ... körperlich, und auch seelisch Hand in Hand ... mit dem Wunsch, dass wieder alles klar wird ... ruhig ... einfach ... einfach normal ... und euer Nervenkostüm stabil ...

Eine schwere Zeit liegt hinter euch und ihr seid erschöpft. Beunruhigung, Gefühle der Erregung, Erschütterung im Lebensgleichgewicht … Es ging Stufe für Stufe hoch … Untersuchungen … Befunde … medizinische Interventionen … eine Zeit des Lernens … eine Zeit der Prüfung … eine Prüfung, die ihr bestanden habt … eine Zeit, die den Glauben an euch gefestigt hat.

Fabelhafte Ärzte mit professionellen Teams haben mit achtsamer Aufmerksamkeit alles untersucht und getan, was wichtig und richtig war.

Die Werte sind gut … die Befunde gut … ein tiefes Aufatmen … tiefer als tief … tiefe Ruhe … und das Wissen, dass ihr gemeinsam bravourös diese Phase gemeistert habt … das andere schon Geschichte … Vergangenheit …

Der eine hat den anderen getragen … und der andere den einen … Eure Beziehung und eure Liebe haben standgehalten wie ein Fels in der Brandung … das Fundament eurer Liebe hat sich noch mehr gefestigt … und ihr genießt diese gewachsene Stabilität, die tragfähige Zusammengehörigkeit …

Das Plateau ist erreicht … grünes Licht für ein normal gesundes Leben … Ihr könnt nun von hier in die Zukunft schauen … und während ihr euch … mit jedem Atemzug … mehr und mehr zurücklehnt … ruhig und entspannt … tut sich der Weg in euer neues Leben auf … in eure Zukunft …

Ihr geht schrittweise wieder herunter … Stufe um Stufe … in Ausgeglichenheit … in Zuversicht und Pläne schmiedend … in Lebensfreude hinein … gesunden Schlaf mit schönen Träumen … Schritt für Schritt hinunter … Schritt für Schritt … Stufe um Stufe … mit jedem Ausatmen mehr … Ruhe kehrt ein …

Mit jedem Schritt mehr Standsicherheit … mehr Festigkeit … mehr Belastbarkeit … und gesunde Vitalität …

Es kommt in Balance, was in Balance gehört: Familie … Freunde … Aufgaben … Projekte … Spiel und Spaß … Sonnenschein und Meeresbucht … Delfine … das Türkis des Wassers und das Weiß des Strandes … auftanken … genießen … loslassen … das Wertvolle mitnehmen … achtsam … freudig … ruhig …

Zurückkehren zu einem schönen Gefühl im Leben, so wie es euch entspricht: vital … dynamisch … freudvoll … im Moment … Freude aneinander … jetzt … hier … nachher … heute Nachmittag … morgen … übermorgen … und alle nächsten Tage … und alle kommenden Nächte …

Die Zukunft beginnt jetzt … und das Unbewusste malt ein Bild … ein stimmiges Bild für euer gesundes Leben …

Und ich bin nun einfach still … und jeder von euch kann das Geschehene für sich abrunden und dann frisch, froh und gestärkt, mit offenem Blick und freudig und klar wieder hierher kommen … und die Zukunft … sie beginnt jetzt.

2.10 Im Sand von Naxos – Psychogener Schmerz

Ein Plätzchen zum Wohlfühlen, Abstand vom Symptom, Mobilisierung von Ressourcen, heilende Bilder, Ermutigung, Entspannung, Klärung, Reinigung, Loslassen, gute Durchblutung, spontane und autonome Vorgänge für Heilung, Erholung auf der ganzen Linie, selbstvergessenes Träumen für mentale Neuorientierung – all dies heilt Schmerzen aus. Dass es bei traumatischen Lebensereignissen weitere individuelle therapeutische Intervention braucht, versteht sich.

2.10.1 Die Bratschistin – Fingerbad im Sand von Naxos

Die folgende Hypnoseanleitung ist für eine junge Bratschistin entworfen, lässt sich aber leicht auf andere Personen umschreiben. Die Bratschistin litt seit mehreren Monaten an einer ausgeprägten Schmerzsymptomatik, von den Fingerbeeren in die linke Hand ausstrahlend, weshalb sie ihren Beruf nicht mehr ausüben konnte. Medizinisch war alles abgeklärt und sie wurde von der Schmerzambulanz an mich empfohlen.

Ihre Anfrage (per E-Mail) bezüglich einer Hypnotherapie lautete: »Ich habe seit über einem Jahr Schmerzen in zwei Fingerkuppen der linken Hand und musste aufgrund dessen ein halbes Jahr mit dem Spielen pausieren. Ich habe die Hand bzw. Finger auf nervliche Probleme untersuchen lassen und auch sonst sehr viel probiert, letzten Endes ist man aber zu dem Ergebnis gekommen, dass es ein psychisches Problem sein muss.«

In der ersten Therapiestunde beschreibt sie das Symptom: »Meine Finger schmerzen, als ob sie zerspringen.« Als Ressourcenort nennt sie einen Strand auf der kleinen griechischen Insel Naxos, auf der sie schöne Ferien verbracht hat.

Hypnoseanleitung

Sie brauchen nichts zu tun ... nichts zu verstehen ... Sie dürfen sich einfach wohlfühlen ... bei sich sein ... mit schwebendem Gefühl ... angenehm sinken ... und Ihrer Atmung folgen ... und diesem feinen Geräusch lauschen ... wenn die Luft durch die Nase strömt ... und wahrnehmen, wie die Luft beim Hereinströmen kühler und trockener ist ... beim Herausfließen leicht angewärmt ... leicht angefeuchtet ... so beruhigend ... und je langsamer ... und je tiefer ... umso mehr Gelöstheit empfinden Sie ...

Sie sind ja schon fast da ... am Strand von Naxos ... zur Erholung ... zum Genuss ... zur Regeneration ...

Sie hören vielleicht schon die Wellen ... leise ... moderat ... ruhig ... die Begleitung zu einer schönen, heilsamen Hypnose ...

Und laufen direkt am Saum des Wassers entlang ... die Füße setzen ihre Tritte in den feinen weißen Sand ... bewegen den Körper beherzt vorwärts ...

Nach einiger Zeit ... entdecken Sie ein schönes Plätzchen, das Sie bisher noch nicht gesehen haben ... Felsen ... dazwischen ganz kleine Buchten ... mit Wasserbecken, in denen klares Wasser kreiselt ... bei jeder Welle schwappt frisches Meerwasser herein ... sprudelt darin herum ... perlend vor Sauerstoff ... fließt dann gluckernd und in feinen Strudeln wieder ab ... bei jeder Welle spült frisches Wasser herein ... fließt dann gluckernd und in feinen Strudeln wieder ab ...

Es ist ein wunderbarer Ort ... Sie bekommen Lust sich niederzulassen ... Sie setzen sich direkt ans Wasser ... strecken die Arme aus ... tauchen die Hände ins sonnenwarme Wasser ... lassen die Finger umspülen ... Sie erspüren das Wasser ... klar ... sprudelig mit Sauerstoff gefüllt ... auch mit dem Jod des Meeres ... und all den Mineralien ...

Wir kennen heilende Thermalbäder ...

Ihre klugen Finger aber machen heilende Meerbäder ... auch die Hände ... Unterarme ... ja, die gesamten Arme ... nehmen ein Bad im klärenden Meerwasser ...

Die Finger baden genussvoll ... werden bei jeder Welle sorgsam umspült ... sei sie klein oder größer ... bei einer kleinen Welle umspielt das Wasser allein die Fingerspitzen ... dann wieder schwappt es die Finger hoch ... auf einmal benetzt es die gesamten Hände bis zum Handgelenk ... manchmal bis zum Ellbogen ... plötzlich aber sprüht es munter die ganzen Arme entlang ... und vorwitzige Meerwasserspritzer hüpfen sogar bis zur Schulter hinauf ... und rinnen dann die Oberarme wieder hinunter ... ein schönes Gefühl ... bis in die Fingerspitzen ...

Wie ein Loslassen ... Entspannen ... und Klären ...

Ungute Gefühle waschen sich aus ... unnötige Gedanken verflüchtigen sich ... strömen hinweg ...

Und bei jeder neuen Welle spült frisches Wasser herein ... kommt Frische und Regeneration ... in Finger ... Hände ... und Arme .... in stetem Kreislauf von Erholung ...

Erfrischen und loslassen ... entspannen und auftanken ... erneuern und vitalisieren ...

Warme Durchblutung bis in jede Kapillare ... Ernährung des Gewebes ... Gesundung des Gewebes ...

Muskeln ... Sehnen ... Haut ... Fingernägel ... selbst die kleinen Pölsterchen der Fingerbeere lassen es sich gut gehen ... und eine Hand genießt besonders ... lässt strömen ... nimmt sich, was ihr guttut ... regeneriert sich ...

Jedes Mal, wenn die Welle sich zurückzieht ins Meer ... nimmt sie Schadstoffe mit ...

Jedes Mal, wenn die Welle zurückkehrt aus dem Meer ... bringt sie Nährstoffe mit ...

Für alles wird gut gesorgt ... die Nerven erholen sich ... die motorischen Nerven geben die richtigen Signale ... leiten sie adäquat weiter ... die sensiblen Fasern nehmen gesunde Gefühle auf ... leiten sie adäquat weiter ... ein wundervoll harmonisches Zusammenspiel ... bis hinauf zum Ellbogen ... ins Schultergelenk ... bis hinauf in den Kopf ... bis in die neuronalen Netzwerke ... die alles gut strukturieren ... vernünftig organisieren ... und sinnvoll neu gestalten ...

Irgendwann merken Sie, es ist genug ... genug gebadet im Meerwassergesprudel ... Sie stehen auf ... bewegen sich etwas weiter, um auch den wunderbaren Sand zu genießen ...

Die Finger spielen mit dem herrlich feinen weißen Sand ... gefühlvoll ... spüren jedes einzelne Sandkorn ...

Die Finger streicheln die Sandkörner ... und die Sandkörner streicheln die Finger ...

Ganz zart spielen die Finger im Sand ... ziehen kleine Kreise ... fahren große Achter ... bahnen sich durch den warmen seidigen Sand ... selbstvergessen ... natürlich ... und vollkommen unbeschwert ... schreiben in den lockeren Sand, was mit dem Wind verweht ... mit den Wellen verspült werden soll ...

Die Hände heben Sand auf ... er ist leicht ... körnig ... sie lassen ihn herausrieseln ... verspielt und frei ...

Und die Finger lehren den Kopf ... verspielt zu sein ... mit Freude ... mit schönen Bildern ... das Symptom rieselt heraus ... verweht im Wind ... leicht ... und frei ...

Immer wieder ... wenn Sie daran denken ... oder vielleicht auch gerade, wenn Sie nicht daran denken ... werden Sie bemerken, wie die Finger sich ein bisschen von alleine bewegen ... stören Sie sie nicht!! Sie spielen mit dem Sand ... streicheln ihn, wie wenn sie ein Fell streicheln ... und lassen sich gleichzeitig fein massieren ...

Ihre Finger entspannen sich ... regenerieren und revitalisieren sich ... und fühlen sich einfach so richtig gut!

Und auch Sie werden sich wohler fühlen ... und immer stabiler ... weil die Finger für sich selbst sorgen ... auch nachts, wenn Sie schlafen ... sie werden immer wieder den Sand spüren ... ihre Bäder nehmen ... Sonnenstrahlen tanken ... sich vom Wind kühlen lassen ... und sich einfach wohlfühlen ...

Sie gewähren den Fingern noch ein bisschen Spiel ... in Luft ... Licht ... Wasser ... Sand ... Sonne ...

Sie tanken auf ... vergessen ... erinnern ... gestalten ... und beenden die Hypnose ... in zwei, drei Minuten ... wenn Sie es für richtig halten ... und kommen dann ungemein klar und frisch wieder ins Hier und Jetzt zurück ...

Auch alle zehn Finger kehren aus den Badeferien zurück ... in bester Verfassung ... prächtiger Laune ... frisch und erholt ... und neugierig auf Abenteuer ... im Spiel mit den Saiten ...

2.11 Therapieende

Die erste Hypnose ist für den therapeutischen Prozess von größter Bedeutung, da sie den so wichtigen Rapport etabliert und die Entwicklung entscheidend bahnt. Ein Neubeginn, der ermutigt und schon verändert. Die erste Hypnose ist kurz, informativ, sicher und beflügelnd.

Die letzte Hypnose ist die Bestätigung und Abrundung des Therapieerfolges. Sie drückt den Dank für die erfahrene positive Veränderung, aber ebenso auch die helle Freude über die gewonnene seelische Freiheit und körperliche Stabilität aus.

Die letzte Hypnose ist wie die erste kurz, bestärkend und entlässt vertrauensvoll ins neue Lebenskapitel.

2.11.1 Ich bin gesund!

Ziel: die wiedergewonnene Gesundheit verinnerlichen

Hypnoseanleitung

Sie fühlen sich einfach wohl ... lehnen sich zurück und schalten eine kleine Pause ein ...

Sie dürfen sich das wirklich gönnen. Die Arbeit – wie man hört *(z. B. Baulärm)* – geht draußen weiter ... und drinnen, in Ihnen, wird es ruhig ... friedlich ... und auf eine ganz besondere Art und Weise still ... Sie können auf Ihre Atmung achten und bemerken, wie Sie immer tiefer einatmen ... und immer langsamer ausatmen ... und bei jedem langsamen Ausatmen ... kommt Ihr Körper in ein leicht schwebendes Gefühl ... *(Pause)*

Und wenn der Körper in ein leicht schwebendes Gefühl kommt, geht er schon auf Reisen ... woandershin ... wo es ihm besonders guttut ... in einen wundervollen Raum ... in eine traumhaft schöne Landschaft ... in Wohlbefinden ...

Sie hören nach innen und lauschen vielleicht dem Gesang eines Vogels ... dem Plätschern eines Baches ... dem Brausen von Meereswellen ... dem heiteren Lachen von Kindern ... oder einfach nur dem sanften Wehen des Windes in Ihrer Ohrmuschel ... und Sie sinken tiefer und tiefer in Hypnose ... in wohliges Sein ... *(Pause)*

Über die vergangenen Monate und Wochen haben Sie große Fortschritte gemacht ... Sie haben sich weiterentwickelt und dazugewonnen ... haben etwas zum Guten verändert ... ja, Sie sind gesund geworden! Im Zusammenspiel mit Ihrem Körper und seinen natürlichen Kräften ist das Ihre ureigene Leistung ... und sinnvoll haben Sie alle Unterstützung wirken lassen.

So sagen Sie sich nun voller Freude im Stillen: »Ich bin gesund!« *(Pause)*

Voller Freude hören Sie Ihre Stimme zu sich sprechen: »Ich bin gesund!« *(Pause)*

Sie betrachten Ihre Person im Spiegel der inneren Wahrnehmung und sehen voller Freude: »Ich bin gesund!« ... *(Pause)*

Und Sie fühlen nach innen ... fühlen in jeden Winkel ... in jede Zelle ... fühlen sehr intensiv und freudig erregt: »Ich bin gesund!« ...

Und dieses Gefühl prägt sich tief in Ihnen ein. »Ich bin gesund!« ... *(Pause)*

Kristallklar erkennen Sie, wie Sie sich auf der gesunden Seite des Lebens bewegen ... und so verinnerlicht sich Ihre Gesundung ... wird trittsicher ... fest und stabil ...

Ein Kapitel ist zu Ende und ein nächstes beginnt ... und darin sehen Sie der Zukunft zuversichtlich ins Auge ...

Sie vertrauen Ihrem Körper und seinen Ressourcen ... innere Stoßdämpfer federn Sie ab ... die Dinge des Alltags erledigen sich mit Gleichmut ...

Und während ich von 1 bis 7 zähle, sinken Sie für ein Weilchen nochmals tief in ein ganz präzises Gefühl von GESUND ... mit hoher Achtsamkeit für sich ... und Freude am Sein ... 1 ... 2 ... und 3 ... 4 ... 5 ... 6 ... und 7 ... gesund ...

2.11.2 Flirrendes Dankeschön

Hypnoseanleitung

Nicht nur wir hören gerne ein Dankeschön, sondern auch unser Unbewusstes.

Beispiel einer Hypnose für den Therapieabschluss – hier nach 13 Sitzungen, davon zwei Paarsitzungen – verteilt über eineinhalb Jahre. Die Diagnose hieß einmal: Bulimie.

Bulimie? Nie!

Eine Abschlusshypnose ... es kann gar nicht anders sein ... Sie haben mir so viel Schönes erzählt ... wie sehr hat sich Ihr Leben zum Positiven verändert ... und Ihr Körper läuft rund und gesund ... und so ist es angebracht, das mit einer schönen tiefen runden gesunden Hypnose zu bestärken ...

Sie spüren Ihren Körper ganz anders als früher ... spüren ihn lebendig ... belastbar ... mutig ... er will sich bewegen ... mit Ausdauer ... und wenn Sie jetzt einatmen ... spüren Sie so richtig, wie die Lungen sich weiten ... der Brustkorb sich dehnt ... angenehm ... voll mit Luft ... und beim Ausatmen ... dynamische Energie ...

Tief einatmen, Luft holen ... diese angenehme Dehnung verspüren ...

Und ausatmen ... dynamische Energie ... sehr schön ... und Ihr Körper kann das ganz von alleine ... Luft ansaugen ... sich füllen ... und dann dynamische Energie ...

Ihr Körper voll dynamischer Energie ... und Sie segeln auf Ihrem Erfolg dahin ... in diesen besonderen Bewusstseinszustand ... tiefer und tiefer in Hypnose ...

Sie haben erfolgreich eine große Hürde genommen ... haben das ursprüngliche, gesunde organismische Gleichgewicht wieder hergestellt ...

So sinken Sie nun schwebend ... tiefer ... tiefer ... in Hypnose ... 1 ... 2 ... 3 ... 4 ... 5 ... 6 ... 7 ...

Und wie durch Zauberhand sind Sie an einem besonders schönen Ort ... Sie haben mir eben davon erzählt ... ein Ort wie im Märchen ... weißer Sand ... und türkisfarbenes Wasser ... angenehm warme Temperatur ... friedlich ... schön ... duftend ... blumig ... ruhig ... genau da finden Sie sich ein ... lassen sich nieder ... und genießen einfach ...

Nach einer Weile ... ein Schwirren in der Luft ... ein Sirren ... denn, mit jedem Atemzug entfliegt Ihnen ein Dankeschön ... ein dankbares

Dankeschön atmet sich in die Luft ... in die Welt hinaus ... schwebt ... steigt höher ... sinkt tiefer ... klingt tanzend in der Luft ... schlägt Purzelbäume im Sand ... klettert hohe Palmen hinauf ... reitet auf smaragdgrünen Wellen ... bringt Stimmung ... bringt Schwingung ... friedlich zufrieden ... genussvoll vergnügt ... mit jedem Atemzug ein neues Dankeschön ... das sich im Äther verteilt ... vom eigenen Klang davongetragen ...

Die ganze Atmosphäre um Sie herum warm und weich ... voll flirrender Dankeschöns ... voll guter Dinge ... voll guter Laune ...

Und erst, wenn die Atmosphäre vollkommen gesättigt ist ... sinken die Dankeschöns in den Körper hinein ... in alle Organe ... der Körper hat mitgemacht ... mitgetragen ... jetzt blüht er auf ... er hat alles verziehen ... er regeneriert sich ... und er zeigt Ihnen, wie kräftig er sein kann ... wie belastbar ... dass Sie sich auf ihn verlassen können ... und in ihm wohlfühlen ...

Diese Dankeschöns durchfluten Ihren ganzen Körper ... es tut ihm gut ... er fühlt sich wohl ... ernst genommen ... beachtet ... er freut sich ... Ihr seid ein Team ... er ist kräftig für Sie ... gesund und stark ... und Sie gehen achtsam mit ihm um ...

Der Körper ist gefüllt mit Dank ... mit Wohlgefühl ...

Jetzt fließen die Dankeschöns in den Kopf ... in die Gedanken ... wie gut hat der Kopf gearbeitet ... wie intelligent hat er mitgemacht ... neue Strategien ... neue Ideen ... neue Verhaltensweisen ... neue Perspektiven ... und nun ist es so viel leichter ... der Kopf hat seinen Beitrag geleistet ... Dankeschöns auch hier ... sie durchziehen das Gehirn ... vernetzen es mit guten neuen Bildern ... initiieren gute neue Träume, die nichts anderes können, als Gutes zu bewirken ... nach vorne zu schauen ... so denkt der Kopf nach vorne ...

Ihr Leben liegt im Jetzt ... Ihre Zukunft im Morgen ... und damit beschäftigt sich der Kopf ...

Und dann ... die nächsten Dankeschöns ... verteilen sich honigfarben samtig in den Gefilden der Seele ... mit jedem Atemzug ... durchweht ein Dankeschön die Seele ...

Das Unbewusste atmet durch ... so viel geschehen ... so viel erlebt ... so viel Erfahrung ... so viel Tiefe ... ein ganzer Schatz in Ihnen ... immer abrufbar ... neue Eingebungen ... spontane Einsichten ... Abenteuerlust ... der unabdingbare Wille zu leben ... und zum Leben gehört die Liebe ... gehören die Träume ...

Sie wissen ... wie man eine große Hürde nimmt ... wie man sie großartig überwindet ...

Sie wissen, wie man daraus lernt ... gestärkt hervorgeht ...

Sie haben erfahren, dass Sie das können ...

Sie haben es geschafft ... das ist das Wichtige ... dieses tiefe Wissen ... dass Sie ungeheure Kraft haben ... etwas Großes geleistet haben ... und Sie werden dieses Wissen immer wieder nutzen ... bewusst ... unbewusst ... für sich ... für die anderen, die diesen Weg noch vor sich haben ... Sie werden sie ermutigen ... und stärken ...

Sie genießen die Ruhe ... träumen noch ein bisschen ... bleiben ganz bei sich ... und irgendwann zählen Sie von 7 bis 1 zurück ...

Zutrauen und Vertrauen

Wird in den Hypnoseanleitungen das Prinzip der Aufmunterung, der unbedingten Bestärkung, der positiven Betrachtung der Lage und der Glaube an die enormen unbewussten Kräfte konsequent beherzigt, kann begeistert losgelegt, getanzt, entfaltet, geheilt, geliebt und gelebt werden. Eine neue und gesunde Anordnung zieht in die Gefilde des Empfindens und Weite in den Spielraum des Handelns ein. Der in Trance verspürte Atem des Meeres tankt auf, die erklommene Höhe des Berges enthüllt den Blick in die Weite. Vitalisierung auf der ganzen Ebene.

Interessant ist es immer und oftmals zwingend, hinter die Kulissen des Symptoms zu schauen, die Genese einer psychischen Problematik zu verstehen und die Psychodramatik zu erfassen. Gleichwohl ist es ratsam, erst mal den leichten, einfachen Weg zu wählen. Nicht jeder ist verstrickt, verfangen in Loyalitätskonflikte, Symptomträger eines Systems, schleppt Altlasten mit sich herum oder scheitert in der vierten Generation am eigenen Erfolg. Oft gelingen Veränderungen auf erstaunlich direkte Art und Weise. Und wenn ein Kind mithilfe einer schönen Hypnose aufhört, beim Autofahren pausenlos qualvoll zu erbrechen, muss nicht das Geschwisterkind damit anfangen. Das Symptom kann einfach und für immer aufgelöst sein.

Den Spielregeln einer guten Hypnoseanleitung folgt Andreas Neundörfer (FA für Anästhesiologie und Teilnehmer meines DGH-Fortbildungscurriculums in München) bei seiner Trancereise gegen Reisekrankheit für sein Töchterchen. Im Text geht es nie ums Kotzen, aber immer um Vorfreude, Freude, viel Spaß und Spiel, und tiefe innere Klugheit!

Kinetose? Einfach Hypnose! – Himmelsschaukel am Strand[4]

Ziel: Behandlung von Reisekrankheit bei Kindern, Auflösen des Circulus vitiosus aus negativer Erwartungshaltung und Stress,

4 Inspiriert von Andreas Neundörfer.

Entspannung, Gewinn an Selbstkontrolle, positives Reisegefühl beim Autofahren

Technik: Suggestionen für Gelassenheit und veränderte Aufmerksamkeit, Traumreise an den Lieblingsort (in diesem Fall ein Strand der Nordseeinsel Juist). Die als unangenehm empfundene Autobewegung wird in Schwingen auf einer Schaukel am Strand umgedeutet, olfaktorische Missempfindungen beim Autofahren werden zu typischen wechselnden Gerüchen am Meer verändert, was eine neue Interpretation der Erlebnisse beim Fahren bewirkt. Die Hypnose ist im Sitzen auszuführen, entsprechend der Position im Auto. Und natürlich lässt sich anstelle der Insel Juist jeder andere Ort, den das Kind liebt, nutzen. Ein Duft nach Pfannkuchen sollte aber auf jeden Fall vorbeiwehen, denn er macht Appetit, und Appetit und Übelkeit können nicht gemeinsam auftreten.

Hypnoseanleitung

Wir gehen jetzt auf Traumreise ... eine super Traumreise, damit du dich auf allen zukünftigen Autofahrten super wohlfühlen wirst, so wie du das auch von anderen Kindern kennst ... Die singen und lachen und machen Spiele ...

An diese Traumreise wirst Du dich immer erinnern ... vielleicht nur unbewusst ... aber auch dann bist du gleich wieder in diesem wohligen Zustand ...

Du wirst Freude erfahren ... beim Autofahren ... leicht und einfach ...

Prima, du sitzt ja schon ... mach's dir richtig bequem ... hier auf dem Sessel, wie dann im Auto ... auf deinem Sitz ...

Und du hast die Augen schon geschlossen ... sehr gut, da kannst du dir viel besser was Schönes vorstellen ... und du fühlst dich wohl ... mehr und mehr ... mach es nun einfach wahr ... das geht ganz leicht ... wie von selbst ... du kannst so vieles ... denn du bist groß und klug und stark!

Wohin geht wohl die Reise? Natürlich! Nach Juist ... deine Lieblingsinsel ... du bist schon voller Vorfreude ... Vorfreude auf deine Reise nach Juist ... und du nimmst alle mit, die du gerne dabei haben möchtest ... oder ... du gehst einfach nur für dich dahin ... wie du magst ... das entscheidest du.

Fünf tiefe ... magische Atemzüge ... ein und aus ... und gleich bist du da ... ein und aus ... ein und aus ... du erkennst schon aus der Ferne die Umrisse von Juist ... ein und aus ... ja, so sieht Juist aus ... ein und aus ... und schon bist du angekommen ... im Juister Hafen ... schon bist du da ... spür mal nach, wie sich das anfühlt ... Freude! ... Aufregung! ... ganz viel Spaß!

Haben wir ein Glück mit dem Wetter! Die Sonne lacht vom blauen Himmel! Wohlige Wärme!

Wenn du willst, kannst du noch mal ganz tiiiiief Luft holen ... riech mal die Luft von Juist ... ja, so riecht Juist ... frisch nach Meer ... auch ein bisschen nach Pferden ... die Gerüche wechseln sich ab ... immer wieder so ein Lüftchen, das vorbeikommt ...

Und hör mal hin ... ja genau, so hört sich Juist an ... das Klappern von Pferdehufen ... die Schreie der Möwen ... das Rumpeln der Fahrräder ... mit Anhängern, die quietschen ...

Am besten läufst du gleich zum Strand ... erst mal durch die Juister Innenstadt ... dann hoch zum Kurhotel ... jetzt stehst du schon oben am Anfang des langen hölzernen Wegs ... der führt durch den Sand hinunter zum Strand ... du bleibst kurz stehen ... schaust dich um ... siehst das Meer unter dir ... hörst das Rauschen der Wellen ... ... das Brausen des Windes ...

Und riech mal ... atme noch einmal tief durch ... ganz tief durch ...

Wenn du magst, kannst du deine Schuhe ausziehen ... nun hinunter zum Strand ... ganz schnell hinuntersausen ... Sand unter den Füßen ... schön warm ... und weich ... das Laufen ist hier so leicht am Strand ... so unbeschwert ...

Uii! ... hast du das schon entdeckt? ... da gibt es eine neue Schaukel ... eine Himmelsschaukel ... die fliegt ganz hoch ... himmlisch hoch ... magst du die gleich mal ausprobieren?

Du setzt dich auf die Schaukel ... schaukelst voller Freude los ... mmhhhh ... das ist angenehm ... du schwingst vorwärts ... und rückwärts ... du spürst, wie wohlig das ist ... hin ... und her ... ein ganz natürlicher Rhythmus ... dein Rhythmus ... das geht ganz von allein ... und ganz leicht ... ganz beschwingt ...

Über dir die helle, warme Sonne ... welch schönes Gefühl auf der Haut ... so warm und kräftig ... die Sonnenstrahlen so hell und so klar ... der Wind lässt deine Haare wehen ... spürst du das zarte Zausen am Kopf? ... und mit dem Wind ziehen Gerüche an dir vorbei ... ein ständiger Wechsel von bekannten Gerüchen und unbekannten Gerüchen ... oft riecht das richtig gut ... ganz frisch ... manche Gerüche sind auch fremd, aber gleich zieht ein neues Lüftchen vorbei ... und du lässt sie einfach vorbeiziehen und sogleich kommt ein ganz feiner blumiger Duft ... Blüten? Nein ... frisch gebackene Pfannkuchen ... mmmhhhh, riecht das lecker ... mit deiner Lieblingsmarmelade ... Erdbeeren ...? ?

Du genießt die Zeit hier am Strand auf deiner Himmelsschaukel ... du lässt dich weiter hin und her schwingen ... lässt dich einfach tragen ... ganz verbunden mit dem herrlichsten Schaukelgefühl der Welt ...

Du schwebst ... und es geht dir gerade so richtig gut!!! Sonnenwärme auf der Haut ... leichter Wind, der durch dein Haar fährt ... Rauschen des Meeres ... die Wellen gehen hin ... und her ... ganz gelöst ... du genießt den Moment ... ganz wohlig ... und dein Gedächtnis speichert alles Schöne ab ... speichert das Schaukeln ... Schwingen ... Schweben ... Wohlgefühl ... und das ist jetzt für immer in dir.

Und dann, wenn du genug hast, kommst du Schritt für Schritt von deiner Himmelsschaukel auf Juist hierher zurück ... Ich warte hier auf dich ... und freue mich auf dich.

Du bist hellwach, putzmunter ... und guter Laune!

Therapieerfolg: Das Töchterchen übergab sich auf der nächsten langen Autofahrt ganze fünf Mal, wirkte dabei aber total entspannt und war bester Laune. Dann war sie geheilt.

Und jetzt? Was kann eine Himmelsschaukel noch toppen? Nichts. Also folgt nur eine kleine Abschiedshypnose ... quasi ein Pausenzeichen ...

Pause in Türkis und Koralle

Pause nach langer Lektüre und intensivem Studium ...

Pause für die Seele ... Pause für den Geist ... Pause zum Durchatmen ...

Und in Pausen – die wir uns gönnen – geschieht oft Erstaunliches: Das Unbewusste, unsichtbar, da durchsichtig, aber umsichtig, führt uns mit sicherer Hand genau von da weiter, wo Stillstand war ...

Es lässt auf überraschende Weise ein Erlebnis auftauchen ... ein Sinnbild für: »Ich bin unabhängig ... handlungsfähig ... ich bin frei ... selbstbestimmt ... ich bin geerdet und zugleich im Lot ...«

Ruhige und tiefe Atemzüge ... und diese Erfahrung leuchtet lebendig auf ... wohl im Ton von klarem Türkis ... eindeutig DU ... jede Zelle fühlt es ... kraftvoll voller Selbstvertrauen ... intensiv ... stark ... ein Moment nur ... aber Zeitraum des Lernens ... und der Entfaltung.

Und ... wie eine Vervollständigung dieser guten Erfahrung ... flammt ein Gefühl tiefer Verbundenheit auf ... Verbundenheit mit sich selbst ... Freundschaft zu sich selbst, die, komme was wolle, immer da ist ...

Einsinken ... mit jedem Herzschlag mehr ... in stabiles Fundament ... in energievolle Wärme ... und dynamisch schwingt Freude am Sein durch den Körper ... vernetzt sich in den Gedanken ... und Bildern ... prägt sich tief ein ...

Egal, wie das Leben sich gestalten wird ... was sich bietet ... überraschend kommt und erfüllt ... dieses sichere Gefühl verbleibt ... ruht in der Tiefe, wohl im warmen Ton der Koralle.

Ein wenig Verweilen in verträumtem Sein ... und erst zurückkehren, wenn ausgeträumt ist ... mit einem Lächeln wieder hierher kommen ... in aller Wertschätzung für sich und was das Leben ausmacht ... unabhängig frei und deinen Gefühlen treu ...

Literatur

Kaiser Rekkas, A. (2011): Im Atelier der Hypnose. Entwurf, Technik, Therapieverlauf. Heidelberg (Carl-Auer), 3. Aufl.

Kaiser Rekkas, A. (2013a): Der Bär fängt wieder Lachse. Ideomotorische Arbeit in klinischer Hypnose und Hypnotherapie. Heidelberg (Carl-Auer).

Kaiser Rekkas, A. (2013b): Klinische Hypnose und Hypnotherapie. Praxisbezogenes Lehrbuch für die Ausbildung. Heidelberg (Carl-Auer), 6. Aufl.

Kaiser Rekkas, A. (2014): Die Fee, das Tier und der Freund. Hypnotherapie in der Psychosomatik. Heidelberg (Carl-Auer), 4. Aufl.

Sittig, K.-J. (2011): Hypnosystemisches, ressourcenfokussiertes REMDR, REP und die Idee der Interferenz. In: W. A. Leeb, B. Trenkle u. M. F. Weckemann (Hrsg.): Der Realitätenkellner. Hypnosystemische Konzepte in Beratung, Coaching und Supervision. Heidelberg (Carl-Auer), S. 321–344.

CDs

Kaiser Rekkas, A.: Helenas Reise durch den Kopf. Leicht lernen, gut behalten, klug wiedergeben. Tranceanleitung für Jugendliche. Heidelberg (Carl-Auer).

Kaiser Rekkas, A.: Träum dich schön! Fünf Hypnoseanleitungen für strahlend schöne, gesunde Haut und persönliche Entfaltung. Heidelberg (Carl-Auer).

Kaiser Rekkas, A.: Ich lebe mich gesund! Acht Hypnoseanleitungen zur Förderung der Selbstwirksamkeit in der Psychoonkologie. Heidelberg (Carl-Auer).

Über die Autorin

© Konrad Gös

Agnes Kaiser Rekkas, Dr. rer. biol. hum., Diplom-Psychologin, Psychologische Psychotherapeutin, Physiotherapeutin; Zertifikat in Systemischer Therapie und Klinischer Hypnose; Dozentin und Supervisorin der Deutschen Gesellschaft für Hypnose und Hypnotherapie (DGH), assoziiertes Mitglied des Vorstandes der DGH, Leiterin des Fortbildungszentrums Süd. Privatpraxis in München; internationale Lehr- und Forschungstätigkeit, wissenschaftliche Publikationen und mehrere Fachbücher, u. a. *Die Fee, das Tier und der Freund. Hypnotherapie in der Psychosomatik* (5. Aufl. 2021), *Im Atelier der Hypnose. Entwurf, Technik, Therapieverlauf* (4. Aufl. 2016), *Klinische Hypnose und Hypnotherapie* (8. Aufl. 2021), *Der Bär fängt wieder Lachse. Ideomotorische Arbeit in klinischer Hypnose und Hypnotherapie* (2. Aufl. 2016), *Wie man ein Krokodil fängt, ohne es zu verletzen. Innovative Hypnotherapie* (als Hrsg., 4. Aufl. 2022), *Die poetische Sprache der Hypnose. Therapeutisch wirksame Trance in ihrer sinnlichsten Form* (2020), *Hypnose und Hypnotherapie. Manual für Praxis, Fortbildung und Lehre* (als Hrsg., 2. erw. Aufl. 2022).

Kontakt: *www.kaiser-rekkas.de*